T4-AQJ-611

INSTITUTES OF THE CHRISTIAN RELIGION

이 책의 숨은 저자이신

성삼위 하나님께 영광을 돌려 드립니다.

에게

드림

INSTITUTES OF THE CHRISTIAN RELIGION

만화 기독교 강요

1-2권 합본

원작 존 칼빈 | 글·그림 김종두
추천 김의원, 김요한, 라은성 | 감수 백금산

생명의말씀사

만화 기독교 강요 1-2권 합본

2005년 11월 25일 1판 1쇄 발행
2006년 2월 20일 4쇄 발행

원 작 | 존 칼빈
글 · 그림 | 김종두
펴 낸 이 | 김창영
펴 낸 곳 | 생명의말씀사
등 록 | 1962. 1. 10. No.300-1962-1
주 소 | 110-101 서울 종로구 송월동 32-43
전 화 | (02)738-6555(본사), (02)3159-7979(영업부)
팩 스 | (02)739-3824(본사), 080-022-8585(영업부)

기 획 편 집 | 김정옥, 태현주
편집디자인 | 신미향, 박소정, 염혜란
채 색 | 김원정
표지디자인 | 디자인부
인 쇄 | 영진문원

ISBN 89-04-03088-9
ISBN 89-04-00125-0 (세트)

만화

INSTITUTES OF THE CHRISTIAN RELIGION

기독교 강요

저자 서문

저는 만화라는 도구로 세상에서 가장 위대한 주제를 다루고 싶었습니다. 이런 기도 가운데 칼빈의 『기독교 강요』를 만났고, 4년 동안 칼빈의 제자가 되어 함께 동거동락했습니다. 그리고 이제 세상에 이 책을 내놓게 되었습니다. 칼빈의 『기독교 강요』를 만화로 그렸다는 것을 안 사람들은 세 가지 이유로 놀랐습니다.

첫째, 어떻게 『기독교 강요』라는 거대한 조직 신학이 만화화될 수 있는가?

둘째, 전문 신학자도 아닌 작가가 『기독교 강요』를 다 이해하고 그렸겠는가?

셋째, 어떻게 『기독교 강요』를 만화로 그릴 생각을 했는가?

이 세 가지 질문에 대한 답변으로 서문을 대신하겠습니다.

첫째, 『기독교 강요』가 만화화될 수 있었던 것은 칼빈의 글이 단순하고 명료하기 때문입니다. 방대하고 심오한 주제를 만화로 그리기는 매우 어렵습니다. 그러나 그렇더라도 그 글이 단순하고 명료하여 정확하게 파악만 할 수 있다면 가능성이 없는 것은 아닙니다. 또 다른 이유를 들자면, 칼빈을 만나면서 칼빈을 존경하고 사랑하게 되었기 때문입니다. 사랑의 힘이 어려운 부분들을 도와 그 책을 만화화하게 했습니다.

또한 『기독교 강요』를 만화로 그리는 데는 여러 사람의 도움이 있었습니다. 『기독교 강요』를 20강으로 나누어 강의하신 백금산 목사님을 비롯하여 수많은 선배들이 남긴 『기독교 강요』 요약집과 안내서들이 많은 도움이 되었습니다.

둘째, 『기독교 강요』를 다 이해했는가 하는 의문에 대해 말씀드리겠습니다. 사실 칼빈의 『기독교 강요』는 한 번 정독하는 것도 쉬운 일이 아닙니다. 여러 번 읽어도 감을 잡기가 참 어렵습니다. 저는 생명의말씀사에서 출간한 『기독교 강요』(전 4권)를 적게는 10번, 부분적으로는 수십 번 정독했고 『기독교 강요』에 관한 참고서들 또한 30여 권 가량 읽었습니다. 그런 가운데 칼빈이 말하고자 했던 신학 사상의 뼈대와 흐름을 발견했고 그 중요한 요지를 분명히 이해하고 그리게 되었습니다.

셋째, 『기독교 강요』를 만화로 그릴 생각을 하게 된 것은 전적인 성령의 인도하심이었습니다. 저는 대학생 시절 선교 단체에서 자랐기 때문에 선교가 인생의 전부인 줄 알고 살았습니다. 그럼에도 불구하고 무엇인가 허전하고 부족한 마음을 지울 수 없었습니다. 결국 기독교란 무엇인가? 더 깊이 알고자 하는 갈급함 속에서 만난 책이 칼빈의 『기독교 강요』입니다.

『기독교 강요』를 읽고 또 읽으면서 신앙의 뼈대가 세워지고 메마른 영혼이 회복되었으며 성경과 진리를 사랑하는 열정이 되살아났습니다. 이 책은 신학자와 목회자들의 책이 아니라 모든 기독교인들이 읽어야 할 책이라고 확신하게 되었습니다. 그래서 읽기 쉽고 접근하기 쉬운 만화라는 형식으로 『기독교 강요』를 그리게 되었습니다.

그 동안 이 책이 나오기를 학수고대하며 기도해 주신 김의원, 백금산, 고이삭, 김요한, 변마태, 라은성 목사님, 그리고 기도와 격려로 함께 해준 국제대학선교협의회CMI 동역자들에게 감사드립니다. 몇 년 동안 원본 대조를 통해 정확성을 기해 준 생명의말씀사와 그 편집진들에게 감사합니다. 또한 따뜻하고 풍부한 색감으로 내용이 생동감 있게 전달되도록 채색해 준 프리랜서 일러스트레이터 김원정님께 감사드립니다. 기쁠 때나 슬플 때나 항상 함께해 준 아내와 가족에게 감사드립니다.

무엇보다 이 책의 숨은 저자이신 성삼위 하나님께 영광을 돌려 드립니다.

2005년 11월

_김종두

감수의 글

2004년, 어느 선교 단체 수련회 강사로 설교하러 갔다가 거기서 한 인상 깊은 인물을 만났다. 그는 『기독교 강요』를 만화로 그리고 있으며, 『기독교 강요』 학교를 만들어 『기독교 강요』의 내용을 보급하고 싶다고 했다.

올해 그가 다시 나를 찾아왔다. 이번에는 『기독교 강요』를 만화로 그린 원고를 손에 든 채……. 나는 그가 건네 준 원고를 세밀하게 읽고 감수해 가는 동안 놀라움을 금치 못했다. 『기독교 강요』를 만화로 그리겠다는 발상 자체에 놀랐고, 만화로 그려진 『기독교 강요』의 탁월한 수준에 놀랐다.

이렇게 『기독교 강요』라는 책을 통해 나는 그와 운명적인 만남을 했다. 내가 몇 년 전 『기독교 강요』 전권을 20개의 주제로 분해하여 연속 강의를 한 것은 『기독교 강요』 대중화의 첫 걸음이었다. 그런데 이번에 그가 『기독교 강요』를 만화로 그린 것은 『기독교 강요』 대중화의 절정이라 생각된다. 이렇게 김종두 형제와 나는 칼빈의 『기독교 강요』를 통해 영적인 친구가 되었고 동지가 되었다.

이제 『만화 기독교 강요』는 기독교의 기본 진리를 알고 싶어하는
이 땅의 수많은 형제 자매들에게 더없이 소중한
친구가 될 것이라 확신한다.

_ 백금산(예수가족교회 목사)

추천의 글

교회의 위기는 강단의 약화에서 비롯됩니다. 뿌리가 건강해야 나무가 건강하듯 강단이 건강해야 교회가 건강해집니다. 강단에서 하나님의 말씀이 바르게 선포될 때 교회가 교회다워지며 사명을 다할 수 있습니다. 이런 시점에서 개혁 신앙의 교과서인 『기독교 강요』가 만화로 발간된 것은 한국 교회에 주어진 놀라운 축복이라고 생각합니다. 저자가 4년에 걸쳐 『기독교 강요』를 만화로 그려서 찾아왔을 때 놀라고 감격했습니다. 저자는 칼빈의 『기독교 강요』의 핵심 내용을 간결하면서도 재미있고 명확하게 표현해 냈습니다. 고전이란 본래 유명하면서도 안 읽혀지는 것이 일반인데 이제 『기독교 강요』를 누구라도 쉽게 접근할 수 있게 되었습니다. 이 책의 발간을 계기로 『기독교 강요』 원전 읽기에 도전하는 신선한 바람이 불기를 기대해 봅니다. 아무쪼록 이 책이 목회자에서 신학생, 평신도, 자라나는 청소년에게까지 폭넓게 읽혀서 교회의 강단이 갱신되며 성도들이 하나님을 아는 지식으로 충만해지기를 기대합니다. 이 땅에 하나님의 영광이 가득하기를 소망합니다.

_ 김의원(전 총신대 총장)

신학적으로 매우 난해하고 광대한 칼빈의 『기독교 강요』가 만화로 제작되고 출판됨을 인하여 하나님께 영광과 찬양을 돌려 드립니다. 장로교회 신학의 근간이 되고 종교개혁 사상이 담긴 『기독교 강요』가 오늘날 영상 시대에 태어나 다음 세대를 담당할 젊은이들과, 진리와 신앙의 근간이 흔들리기 쉬운 포스트모던 시대에 살아가고 있는 크리스천들에게 바른 신앙으로 살아가는 데 크게 도움이 되리라 믿어 의심치 않습니다.

_ 김요한(국제대학선교협의회CMI 공동대표)

이 시대에 가장 필요한 것, 가장 감동적인 것, 그리고 가장 존귀한 작품은 존 칼빈이 쓴 『기독교 강요』이다. 마침내 이 시대를 살아가는 모든 사람들에게 가장 알맞게 만들어져 누구나 알기 쉽고 흥미 있게 그 위대한 작품 안으로 들어갈 수 있게 되었다.

_ 라은성(국제신학대학원대학교 교수)

Contents

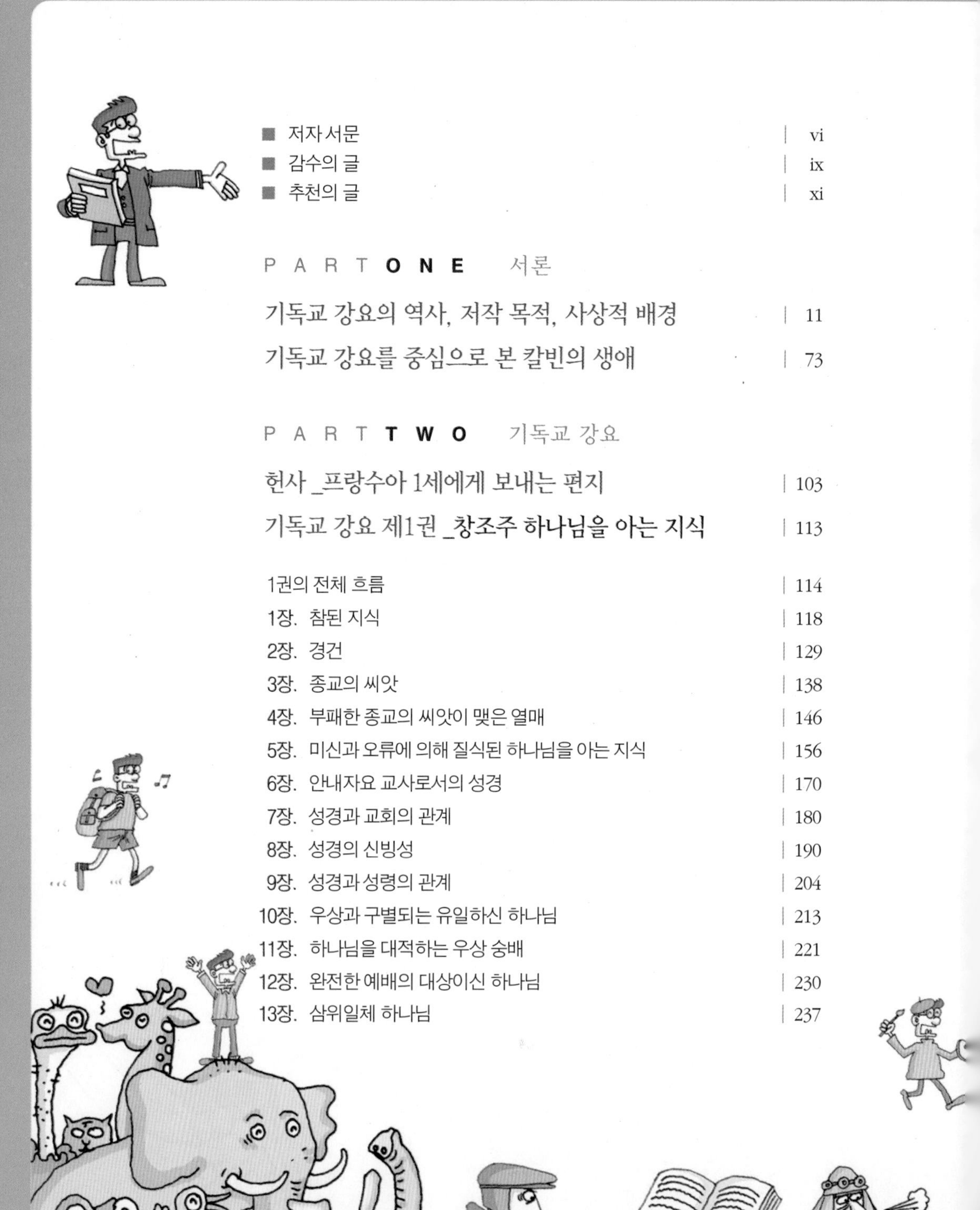

기독교 강요 제2권 _그리스도를 아는 지식

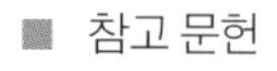

기독교 강요 제3권 _그리스도의 은혜를 받는 길

기독교 강요 제4권 _교회와 국가

만화
INSTITUTES OF THE CHRISTIAN RELIGION
기독교 강요 1권

만화

INSTITUTES OF THE CHRISTIAN RELIGION

기독교 강요 1권

Contents

기독교 강요 제2권 _그리스도를 아는 지식

기독교 강요 제3권 _그리스도의 은혜를 받는 길

기독교 강요 제4권 _교회와 국가

서론

기독교 강요의 역사, 저작 목적, 사상적 배경

기독교 강요를 중심으로 본 칼빈의 생애

기독교 강요의 역사, 저작 목적, 사상적 배경

다시 질문할게! 지구상에 존재하는 수많은 책 중에 우리가 꼭 읽어야 할 두 권의 책이 있다면 무슨 책일까?

당연히 한 권은 성경이겠지!

또 한 권은 무슨 책일까?
?

생각났다!
존 번연의
천로역정 아닐까?

아닐걸! 어거스틴의
참회록일 거야

도스토예프스키의
카라마조프가의 형제들
아닐까?

물론 좋은 책들이긴 하지만 성경에 버금가는 책으로는 뭔가 부족
하지 않아?

나는 기독교 강요를 선택했어
기독교강요
기독교강요
이 책은 성경을 이해하는 데 가장 큰 도움을 줄 뿐 아니라
성경 이해

신학적인 가치나 교회사적인 영향력에서 볼 때도
교회사에서 제일 빛나는 책일 겁니다
존 녹스
성경과 함께 꼽을 수 있는 단 한 권의 책이라고 생각해

기독교 강요가 아니더라도 성경 이해에 도움을 주는 책들은 많잖아
서점에 가 봐. 신학 서적, 경건 서적이 산더미처럼 쌓여 있어…
그런데 굳이 기독교 강요를 선택한 이유가 뭐야?

칼빈의 기독교 강요만큼 우리에게 도움을 주는 책을 찾기란 쉽지 않기 때문이야
무엇보다 기독교 강요는 16세기 종교개혁의 교과서였어
종교개혁
종교개혁을 움직이게 한 두뇌였고
기독교 강요

종교 개혁을 생동하게 한 심장이 었기 때문이야
기독교 강요가 그 정도로 중요한 책이었어요?
그럼!
어떤 책이든 그 책이 만들어지게 된 동기가 있게 마련이야

먼저 교회사를 살펴보는 게 좋겠지?
중세 시대 말기인 13세기부터 15세기까지가 교회 역사 가운데 가장 부패한 시기였어
ㅇㅇ 주교직 50% 세일
교회의 직분이 매매되는 세상이었으니 말야
10억만 있으면 나도 주교?

이들은 세상 권력까지 다 차지하려고 군침을 흘렸어

생활도 매우 사치스러웠어.
요즘말로 하면 명품만 걸치고 값비싼 외제차를 타고 거리를 활보하고 다닌 거야

이런 상황은 어떤 지역의 문제가 아니라

유럽 전역의 문제였어

알고 있니? 교회가 도덕적, 교리적으로 타락하면 사회도 망가진다는 걸?

수백 년간 계속된 십자군 전쟁이 실패로 돌아갔고

성직자들의 오만과 타락을 심판이나 하듯 아비뇽의 추기경들이 절반이나 죽어 나갔어

✤ 에라스무스(1469-1536)

네덜란드의 인문학자.
본래 수도사 출신이나 1509년 철학자, 성직자의 위선 등을 날카롭게 풍자한 우신예찬을 낸 이후 다채로운 활동을 통해 인문주의자의 왕으로 추앙받게 되었다.
교회의 타락을 준열하게 비판하고, 성경의 복음 정신으로의 복귀를 역설한 에라스무스는 세계주의적 정신의 소유자로서, 근대 자유주의의 선구자로서 전 유럽에 큰 영향을 끼쳤다.

부패한 교회는 개혁되어야 한다. 성직자보다는 평신도에 의해서 교회가 개혁되어야 한다
에라스무스

평신도들이여! 성직자들만 의지하지 말고 스스로
성경을 읽어 하나님의 지식이 풍성해지도록 하라

항상 교회가 하라는 대로 따라하기만 하던 사람들이
교회

성경을 읽으면서 스스로 자각을 하게 된 거야!
엉!

꼬꼬!
새벽이 오고 있다!

우린 그 동안 속아 살아온 거야
술렁~
술렁~
술렁~

그 동안 베일에 싸여 있던 교회의 부패가 온 세상에 알려지기 시작했어
이를 우짜노…

그래도 감히 1,000년 전통의 가톨릭 교회의 권위에 도전할 수 없었지
걱정할 것 없어

르네상스 시대의 교황인 레오10세는 베드로 대성당의 회랑 재건축 자금을 모은다는 구실로 면죄부 판매를 시작했어
면죄부 판매 연중 실시!

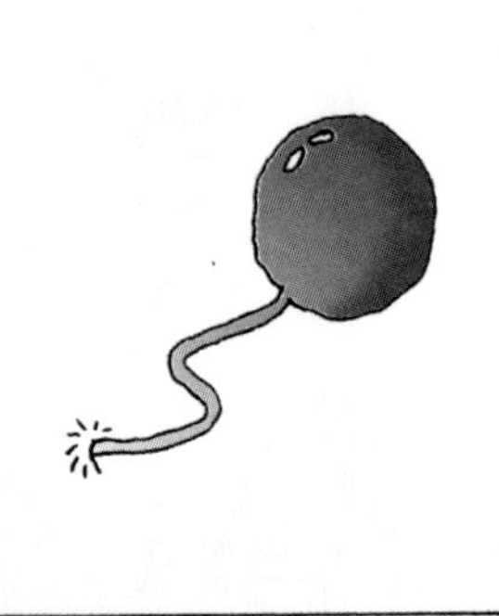
이것이 교회 개혁의 불씨가 된 거야

면죄부가 뭐예요?

쉽게 말해서 천국 티켓이야

당시 주교들이 면죄부를 팔면서 한 말인데 한번 들어 볼래?
나도 한번 들어 보자

당신의 동전이 궤짝 속에 짤랑 하고 떨어지는 순간
당신의 영혼은 연옥에서 톡 하고 튀어 오릅니다

어서들 면죄부 구입하시고 천국 가시기 바랍니다!

많은 성직자들이 잘못된 것을 보고도 대부분 눈감아 주고 있었지

왕따 되기 싫어서...

이때 깨어 있는 사람이 있었어

✣ 루터(1483-1546)

독일의 종교개혁자, 신학자. 사제 서품을 받았으나, 하나님은 그리스도를 통해 은혜로 인간을 구원하신다는 것을 재발견하고, 면죄부 판매에 대한 비판으로 95개조 반박문을 내걸었다. 1517년의 이 사건은 큰 파문을 일으켜 마침내 종교개혁의 발단이 되었다.
그는 칼빈 등 다른 종교개혁자들과 함께 종교개혁을 근세에의 전환점으로 만들었다.

반박문의 내용은 먼저 기독교의 중심은 교회와 성직자에게만 있는 것이 아니라 오직 성경에 있다는 것이고

교회

개인의 구원은 행위나 교회에 대한 충성도에 있는 것이 아니라 오직 믿음에 있다는 것이며

로마 교회의 사제 제도는 크게 잘못되었고 대신 모든 그리스도인들이 다 제사장이라는 거였어

교황청이 발칵 뒤집혔지.
당연히 루터를 잡아들이려고 혈안이 되었어

칼빈은 아마 아무것도 모르는 채 골목에서 친구들과 함께 딱지치기하며 놀고 있었을 거야

루터는 1483년생이고 칼빈은 1509년생이니까 무려 26년 차이야! 루터가 개혁 1세대라면 칼빈은 개혁 2세대라고 할 수 있어

칼빈과 루터가 어떻게 다른지 궁금하지?
?

루터를 생각하면 로마서 1장 17절 "오직 의인은 믿음으로 말미암아 살리라"는 말씀이 떠오를 거야
오직 믿음!

루터는 일생을 죄와 구원의 문제를 놓고
죄
구원
씨름한 사람이야
루터는 구원은 행위가 아니라
믿음
믿음으로 말미암는다는 사실을 깊이 깨닫게 되었지
1,000년 동안 묻혀 있던 성경의 핵심 진리가 루터에 의해 재발견된 거야
건방진 놈! 감히!
루터는 행위 구원을 주장하는 로마 교회와 싸움을 시작했지
로마 교회

루터는 이신칭의 교리를 바로 세우기 위해 자기 한 몸을 던진 사람이야

대적들과 맞서 싸워야 했기 때문에 체계적이고 깊이 있는 사상서를 남길 만한 시간적인 여유가 없었어!

어떤 사람들은 루터가 운동만 열심히 하고 사상서를 남기지 못했다고 나무라는데 그건 무리한 요구야

루터가 운동가라면 칼빈은 사상가였어

사람들이 칼빈에 대해서 의외로 잘 모르더라고. 칼빈이 누군지 조금만 살펴볼까?

칼빈은 프랑스 사람이었거든. 프랑스가 농업이 발달한 남부 유럽에 속해 있다는 것은 알고 있겠지?
우리 나라 사람들 요즘은 축구를 좋아해요

프랑스는 바게트라는 빵과 포도주가 유명하잖아
나도 프랑스를 대표하는 사람이야!
나 나폴레옹

남부 유럽은 주로 가톨릭이 우세한 나라였어
오냐
주인님

프랑스에서 태어난 칼빈이 어려서부터 로마 가톨릭
분위기에서 자라난 것은 지극히 자연스러운 일이지

더군다나 아버지가 성당에서 서기로 일했으니까 알 만하지

칼빈은 성당에서 주는 장학금까지 받았어
교황 각하, 감사합다! 열심히 살겠심더!

칼빈이 스스로 교황 미신에 사로잡혔었다고 한 것을 보면, 로마 가톨릭 교회에 얼마나 깊이 젖어 있었나를 알 수 있어

칼빈이 종교개혁 사상에 눈을 뜬 것은 아마 대학에서 일 거야

칼빈이 다닌 대학은 개혁적인 철학을 가르쳤거든. 그때 마침 극적인 회심을 체험하게 되었어

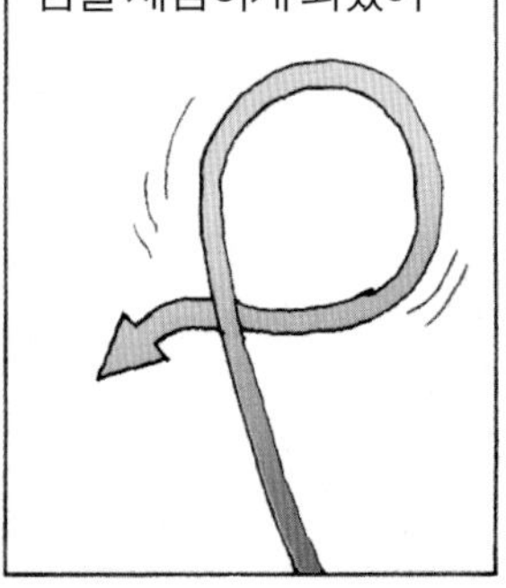

전통을 지키려는 가톨릭과 극단적인 개혁가들이 싸우고 있는 동안 평신도들만 혼란을 겪고 있었지

수백 년간 안정적인 중세 교회관을 믿던 사람들에게 개혁 사상은 엄청난 충격 그 자체였어

종교개혁 사상은 지식층과 상인들이 많았던 북부 유럽 사람들에게 역사하기 시작했어

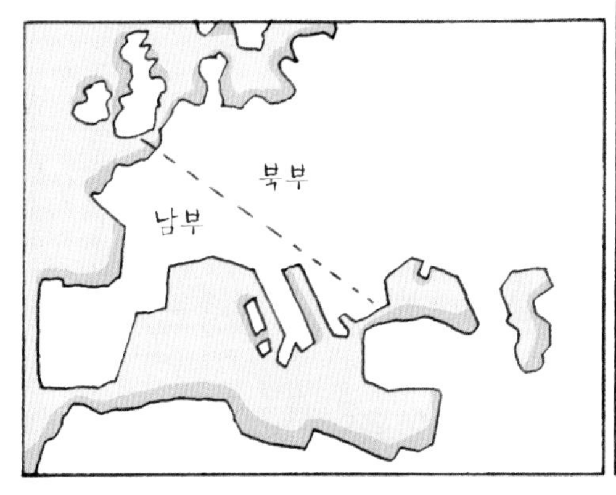

그들은 적극적으로 종교개혁에 참여하게 되었고 반면에 주로 농업에 종사하고 있었던 남부 유럽은 여전히 가톨릭이 우세한 형국이 되었어

북부 유럽에서는 많은 신자들이 로마 교회를 빠져 나왔기 때문에 이들을 담을 만한 새로운 개혁 교회가 절실히 필요했어

그뿐 아니야. 로마 가톨릭교도들이 개신교도들을 학살하는 사건들이 곳곳에서 일어나고 있었어

개혁 세력들이 어제의 형제들에게 죽임을 당하는 비극이 계속되었다구…

이런 상황에서 왜 종교개혁이 필요한지 변증해 주고 핍박받는 성도들을 변호해 줄 종교개혁 사상서가 절실히 필요했던 거야

누군가는 이 일을 해야 했어

종교개혁의 길라잡이라고나 할까?

그런데 1,000년 전통의 중세 교회관의 잘못을 정확하게 진단하고

이에 대항하여 진리를 바로 세운다는 것이 얼마나 힘든 일인지는 짐작이 가지?

또한 이런 일을 할 수 있을 만한 사람을 찾기가 얼마나 어려운지도

하나님은 그 적임자로 칼빈을 준비시키셨어

칼빈은 이런 절박한 상황에서 기독교 강요를 쓰게 된 거야

무슨 책이든 책을 쓸 때는 목적이 있잖아

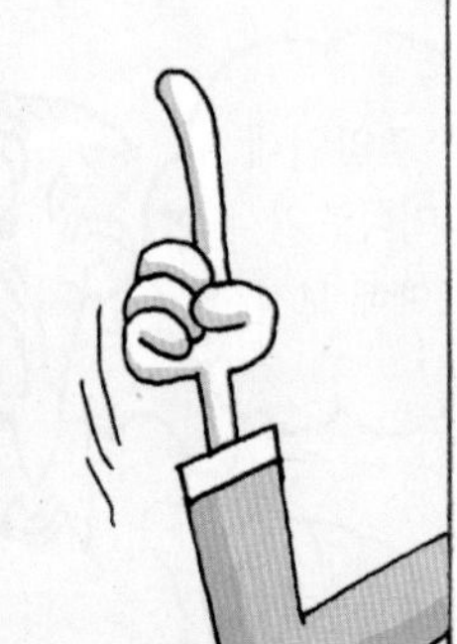

칼빈도 기독교 강요를 쓰게 된 목적이 있었는데

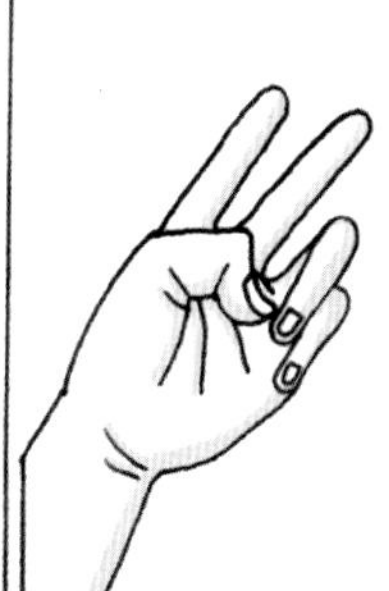
그게 두 가지야

첫째는 평신도들이 성경을 바로 해석하고 이해할 수 있도록 하기 위해서였어

기독교의 기본 진리를 밝혀
행위 구원
믿음 구원

신자들의 경건 생활을 바로 세워 주기 위해서였지

둘째는 로마 가톨릭에게 핍박당하고 있는 동료들을 변호하기 위해 쓴 거야

언제 쓰여졌냐고? 기독교 강요는 한번 쓰고 끝난 책이 아니야

초판이 나온 이래 여러 번 보강된 책이 나왔어

초판은 칼빈이 27세 때 종교개혁의 도시인 스위스 바젤에서 8개월 만에 썼어

기독교 역사에서 가장 빼어난 책을 8개월 만에, 그것도 27세에 썼다니 놀랍지

사람의 힘으로 썼다기보다 성령의 강권하시는 도우심으로 썼다고 봐야지

칼빈은 그 후 자그마치 23년 동안이나

기독교 강요를 수정하고 보완했는데

처음에는 1권 6장으로 구성된 책이 4권 80장에 이르는 대작이 되었어!

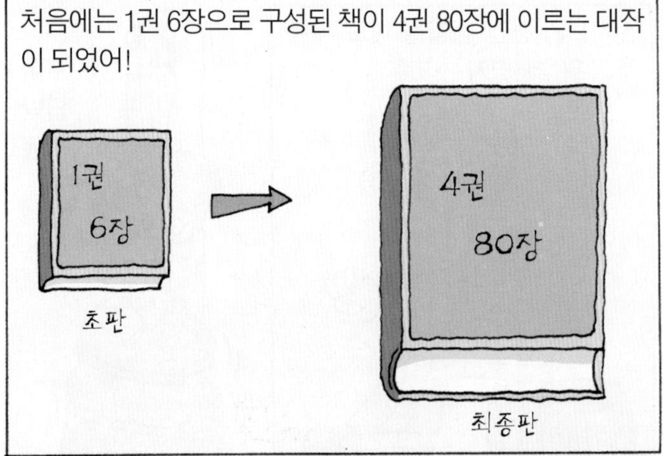

더 놀라운 것은 책은 두꺼워지고 내용도 많아졌지만 그 사상은 변함이 없었다는 거야

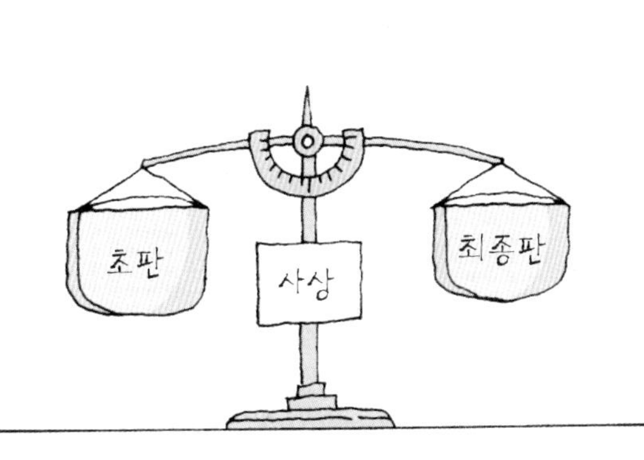

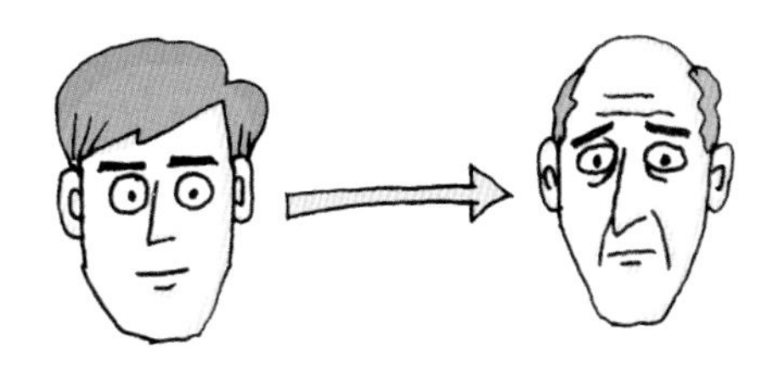

칼빈이 20대에 초판을 쓰기 시작해서 죽기 5년 전 즉 50세에 완성했으니 그의 생애가 기독교 강요라고 보는 것도 무리는 아니야!

읽어 보면 알겠지만 얼마나 섬세하고 꼼꼼하게 썼는지 감탄이 나온다니까?

그런데 얼굴 표정이 왜 그래?

기독교 강요는 보기만 해도 질린다구?

하긴 책이 두꺼워서 사람들은 겁부터 먹게 되지

오래된 책이라 어렵다고들 생각하는데
고전은 생각만 해도 머리가 아파

실은 매우 쉽고 간결한 문체로 쓰여졌어!

초판은 라틴어로 출간되었고 나중에 프랑스어판으로도 나왔는데
기독교 강요 때문에 프랑스어가 더욱 값어치 있는 언어가 되었다고
라틴어
프랑스어

프랑스 사람들이 칭찬할 정도로 문학적으로도 뛰어난 책이야!
나의 긍지!
나도 마찬가지야
기독교강요
프랑스인들은 좋겠다
독일인

낳은 사람들이 신앙과 신학과 경건에 도움을 주는 단 한 권의 책을 꼽을 때 기독교 강요를 꼽아!

종교개혁의 두뇌와 심장 역할을 했던 증거물을 만난다는 것은 큰 행운이며 은혜야

기독교 강요를 왜 꼭 읽어야 하냐구?

하여튼 꼭 읽어야 한다고 하면 사람들은 반대로 꼭 읽지 않더라

세 가지 측면에서 반드시 읽어야 하는데

하나는
성경 해석과
이해 측면
에서야!

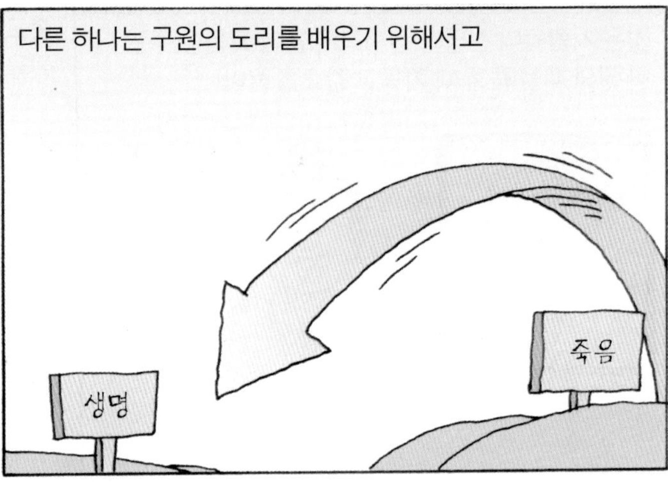
다른 하나는 구원의 도리를 배우기 위해서고
죽음
생명

또 하나는 그리스도인의 경건 생활을 위해서지
나!
경건 생활
잊은 지
오래야!!
성경을
가져와
보겠니?
성경은 500년 전만 하더라도 희귀한 물건이었어!

성경은 몇몇 성직자들의 전유물이었지!
열쇠 없다!
I don't no
성직자들도
성경이 있
는지 없는
지조차 잘
몰랐어

당연지사성직자들은
성경 연구를 게을리
하고 설교 시간에 엉
터리 이야기만 했던
거지

재판받는 위클리프

✣ 위클리프(1320-1384)

영국의 선구적 종교개혁자. 신앙과 구원에 대한 최고 권위는 성경에 있다고 확신하고, 반교황 정책을 부르짖으며 교회 개혁 운동에 앞장섰다. 성경을 영어로 번역했다는 이유로 이단으로 몰렸으나 그래도 죽을 때까지 계속해서 성경 번역을 수행했다.

윌리엄 틴데일이란 사람은 신약성경을 영어로 번역했다가 이단자로 지목되어 불에 타 순교했지 뭐니!

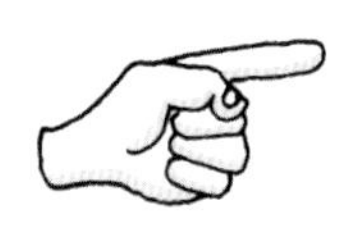

루터는 라틴어 성경을 독일어로 번역했어
루터도 어학 실력이 뛰어났나 봐

위클리프나 틴데일 때만 하더라도 인쇄술이 빈약해서 번역된 성경을 대량으로 생산할 수 없었어. 그런데 루터 때는 달랐어

구텐베르크 알지?

이 사람은 책을 대량으로 생산할 수 있는 인쇄 기술을 발명해서

어떻게 하면 돈을 벌 수 있을까 궁리하고 있었지

그러다가 성경 출판이 수지 맞을 것 같아서 성경을 찍어 내기 시작한 거야

물론 대량으로 생산된 성경은 삽시간에 민중들에게 퍼져 나갔어!
나도 빨리 구입해야지
성경 판매

요즘의 인터넷 혁명처럼 당시로서는 활판 인쇄술이 혁명적인 발명이었어
혁명입니다!

우리나라의 금속활자와 중국의 종이 그리고 서양 인들의 응용력이 절묘하게 만난 것이 활판 인쇄술 이야

덕분에 보통 사람들도 금싸라기 같은 성경을 소유하게 되었어
성경

그런데 어떻게 읽어야 할지를 모른 거야. 요즘도 혼자서 성경 읽기가 쉽지 않잖아
뭐가 뭔지 하나도 모르겠어

당시에는 정보도 극히 한정되어 있고 겨우 글자만 읽는 수준인데 성경을 읽고 해석한다는 것이 얼마나 힘들었겠어
어디다 쓰는 물건 인고?

그러다 보니 사람들이 억지로 성경을 풀게 되었고 각종 오류에 빠져들기 시작 했어!
마리아를 섬기란 마리아~~
더군다나 여러 가지 독창적인(?) 성경 해석으로 개혁자들이 서로 갈라지는 등
감히 내 사상에 반대해? 혼나 볼래?
누가 할 소릴!

성경 해석 때문에 종교개혁 운동은 더욱 큰 혼란에 빠지고 만 거야!
내가 옳다!
아니다, 내가 옳다!
누군가 성경을 바로 이해할 수 있도록 길을 안내할 사람이 절대적으로 필요했어
성경 이해
그 역할을 바로 칼빈이 한 거야. 칼빈은 기독교 강요를 통해 성경의 가장 핵심적인 내용을
깨달음이 팍팍!
주제별로 논리적으로 연결해 놓음으로 성경의 중심 내용이 무엇인가를 명쾌하고 확실하게 해석해 주었어!
성경 해석 짱!
종교개혁이 순풍을 만나 진리의 길로 갈 수 있게 된 것도 성경 해석의 측면에서 칼빈의 기독교 강요가 절대적인 기여를 했다고 보면 맞아!
기독교 강요
종교개혁
진리

요즘 교회는 주일 성수와 헌금, 찬양에는 관심이 많은데 성경에 관해서는 몰라도 너무 모르더라구

뿌리 없이 신앙 생활하는 것과 똑같아. 칼빈도 이 점을 가장 염려했어

그래서 기독교 강요 서론을 쓰면서 이 책은 진리를 향한 뜨거운 열정을 지닌 사람들을 위해 쓴다고 말한 거야

성경 사랑이 하나님 사랑!

옆에 성경 있지? 한번 가슴에 안아 봐! 그리고 앞으로는 성경을 읽고 묵상하겠다고

다짐해 봐. 성경을 사랑하는 것이 믿음이야, 알겠지?

그럼 성경의 핵심 진리가 무어라고 생각하니?
성경

타락한 인간의 구원 문제가 아니냐구? 맞아, 바로 그거야
그 동안 목욕을 못해서 …

하나님의 천지 창조와

인간의 타락
죄

나의 절대적 부패를 시인하게 되었어. 복음을 전
하고 싶어서 당장 뛰쳐나가려 했다니까

거기 옆에 있는 손수건 좀 줄래. 그 때 그 감격만 생각하면 눈물이…

아무리 영적으로 관심이 없고 무감각해도 기독교 강요를 조금이라도 읽다 보면 저절로 하나님께 무릎을 꿇고 하나님을 찬양하게 될거야

정말?

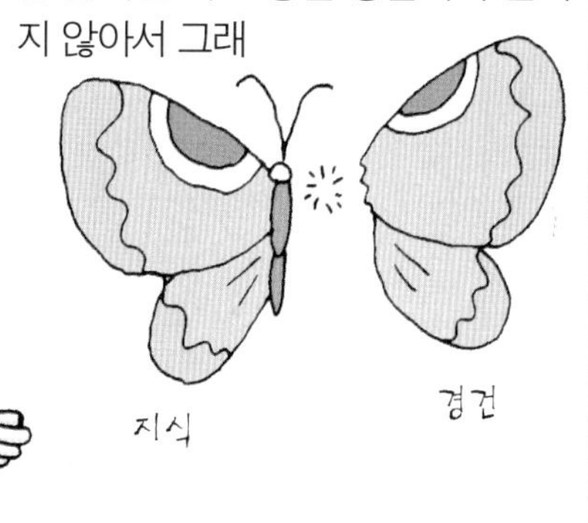

칼빈은 학자이면서도 경건한 사람이었기 때문에

학자이면서 경건하기는 어려운데…

비로소 내용을 분명하게 이해할 수 있었어. 이런 과정을 거쳐서 만화 기독교 강요가 나오게 된 거야

왜 기독교 강요를 꼭 읽어야 하는지 조금 더 말해도 될까?

기독교 강요는 교회가 생긴 이래 1,600년간의 성경 해석 전통이 고스란히 녹아든 책이야

교부 신학과 중세 신학, 개혁 신학의 핵심을 일목요연하게 정리하고 있어

✣ **교부 신학** 2세기경부터 사도들의 뒤를 이어 기독교의 정통신학을 고수한 교부들의 신학. 이교철학과 현실의 공격을 받으면서도 신앙의 풍부한 지식으로 교회를 지키고 복음을 변호하였다.

✣ **중세 신학** 초대 교회 때부터 기초가 이루어진 기독교 신학을 집대성하여 완성한 것으로서, 그리스 철학의 힘을 빌려 기독교 교리를 이론적으로 설명하려 한 스콜라 철학으로 대표된다.

✣ **개혁 신학** 종교개혁의 원리를 받아들인 신학. 츠빙글리 등 초기 종교개혁자로부터 기원되어 칼빈의 심오한 해석을 통해 조직적인 형식을 갖추게 되었다. 하나님의 절대 주권을 인정하고 하나님의 계시인 성경을 강조한다.

혹시 교회사 가운데 3대 신학적 걸작이 뭔지 아니?

모른다구? 어거스틴의 『신국론』, 토마스 아퀴나스의 『신학대전』, 칼빈의 『기독교 강요』야

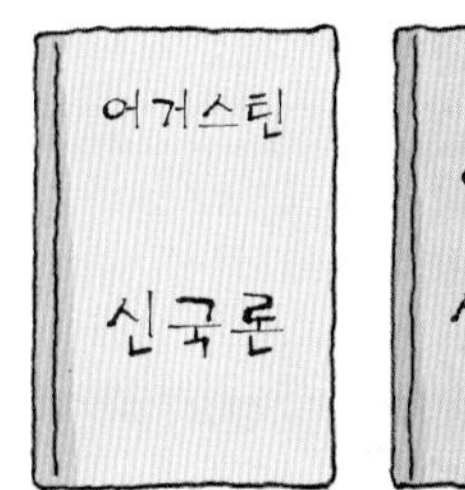

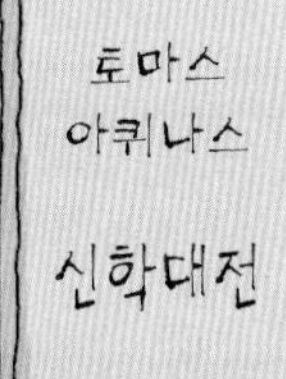

✥ 신국론神國論 히포의 주교 어거스틴의 대표작. 413－426년에 22권으로 저술된 이 책에서 어거스틴은 '하나님의 나라'와 '땅의 나라'를 대비하면서 기독교를 옹호하였다. 인류의 전 역사를 하나님의 뜻과 구원 계획에 따라 진행되는 일회적인 과정으로 보고 있는 이 책은 서유럽 최초의 역사 철학서라고 할 수 있다.

✥ 신학대전神學大典 중세 스콜라 철학자 토마스 아퀴나스의 대표작. 스콜라 철학의 최고봉을 이루는 이 책은 1265－1273년에 저술되었다. 3부로 된 대작으로서, 제1부에서는 신론, 제2부에서는 인간론, 제3부에서는 그리스도론을 비롯한 신학적 문제들을 다루었다. 신학을 철학의 완성으로 본 토마스 아퀴나스는 이 책을 통해 하나님의 존재 증명을 시도한다. 지성과 신앙의 조화를 꾀한 이 책은 서구 사상의 모든 분야에 큰 영향을 끼쳤다.

기독교 강요는 종교개혁 이후에도 서양 문명과 개신교 역사에 많은 영향을 끼쳤어!

서양 문명
개신교 역사
기독교 강요

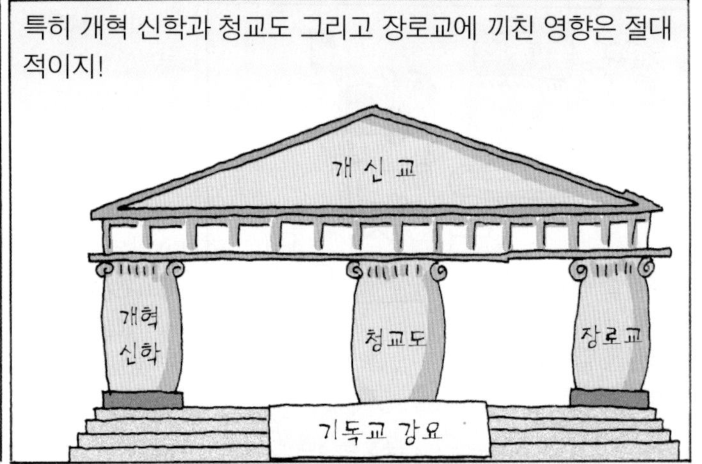

✥ 청교도 16－17세기 영국 및 미국 뉴잉글랜드에서 칼빈주의의 흐름을 이어받은 프로테스탄트 개혁파. 영국 국교회 통일령에 순종하지 않고 칼빈주의에 투철한 개혁을 주장했다. 성경이 인정하고 있는 예배 의식 외의 의식을 배제했고 엄격한 도덕, 주일 성수, 향락의 제한을 강조했다. 박해를 피해 네덜란드 등으로 이주해 갔으며, 특히 신앙의 자유를 찾아 신대륙으로 망명하여 미국 건설의 주체 세력이 되었다.

✥ 장로교 칼빈의 신학을 중심으로 성립된 기독교 개신교 교파. 장로는 감독(bishop), 장로(elder) 등과 같은 의미로서, 장로교는 이러한 장로들에 의해 치리되는 교회를 가리킨다. 교황 제도가 비성경적이라는 사실을 깨달은 종교개혁자들에 의해 성경적 교회 정치 제도로 인정된 이 제도는 프랑스의 신학자이자 종교개혁자인 칼빈에 의해 확립되었다. 이후 유럽 전역으로 확산되기 시작했으며, 특히 스코틀랜드의 장로교회는 장로교가 잉글랜드와 미국으로 전파되는 중심 역할을 했다. 한국에는 19세기말부터 선교가 이루어지기 시작했다.

신대륙의 청교도들

✣ 어거스틴(354-430)
히포의 주교, 철학자.
경건한 어머니 아래에서 당대 최고의 교육을 받았으나 청년 시절 방탕한 생활을 하였다.
한때 마니교에 경도되는 등 정신적 편력을 겪다가 암브로시우스의 감화로 회심을 체험한 후 아프리카 교회의 지도적 인물로 부상하였다. 교회에 대한 사상적 위협에 대항해 기독교 진리의 정통적 이해를 구축했다. 대표작으로 고백론, 신국론 등이 있다.

✣ 크리소스톰(347-407)
콘스탄티노플의 주교, 설교가.
안디옥 출신으로 수도원에서 금욕적 수도 생활을 하다 사제가 되었다. 교회의 신앙 쇄신 운동에 주력했는데, 반대파의 박해를 받고 파문되어 유배지로 호송되던 중 피로와 열로 사망했다.
그의 이름은 '황금의 입'이라는 뜻으로, 그가 얼마나 뛰어난 설교가였는가를 보여준다.

✣ 멜란히톤(1497-1560) 독일의 인문주의자, 종교개혁자. 루터를 지지했으며, 인문주의와 종교개혁을 보수적 형태로 통합하고자 노력했다. 프로테스탄트 최초의 신앙 고백인 아우크스부르크 신앙 고백을 썼다.

✣ 부처(1491-1551) 독일의 종교개혁자. 수도사였으나 루터와 만난 이후 종교개혁에 참여하였다. 대립하고 있던 종교개혁 집단들의 화해를 위해 끊임없이 노력하였다. 만년에 영국으로 건너가 종교개혁 사상을 전하였다.

뿐만 아니야. 플라톤, 키케로, 아리스토텔레스, 세네카 등 그리스 철학의 거두들의 작품에도 해박했고

✣ 그리스 철학 고대 그리스의 철학으로, 3기로 나눌 수 있다.
제1기는 BC 6-5세기경에 발달한 철학으로, 주된 관심의 대상은 자연의 근원이 무엇인가 하는 것이었다.
제2기는 BC 5세기 후반부터 시작된 아테네기 철학으로, 관심의 대상이 인간 문제로 돌아선 시기이다. 소크라테스, 플라톤, 아리스토텔레스 등이 활동한 때로 고대 철학의 전성기였다.
제3기는 헬레니즘, 로마 시대 철학이다. 이때 스토아 학파, 에피쿠로스 학파 등이 등장했다.

✠ 스콜라 철학

11-15세기에 발달한 서방 기독교 철학 체계로서, 기독교 교의를 학문적으로 체계화하려 하였다. 그리스 철학을 빌려 기독교 교리를 이론적으로 설명하려 한 이 철학은 중세의 신학, 철학 연구 전반을 총괄하는 것이며, 예술, 문학, 정치 등 다방면에 영향을 미쳤다. 대표자로는 신학대전을 쓴 토마스 아퀴나스를 들 수 있다.

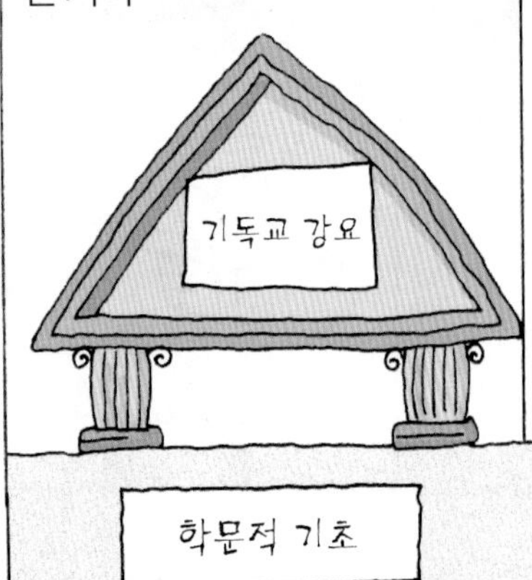

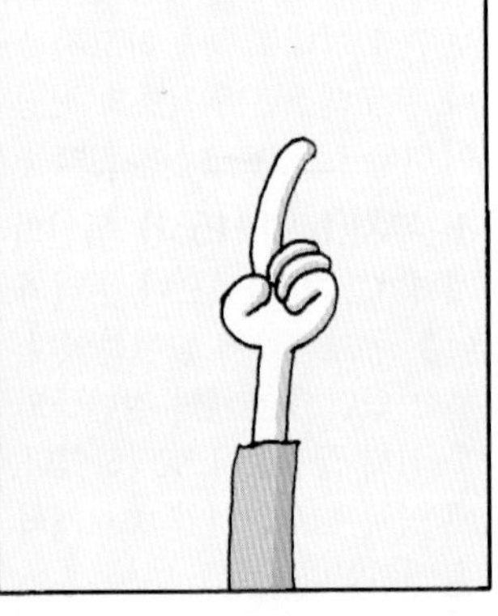

✤ 스트라스부르와 제네바의 위치

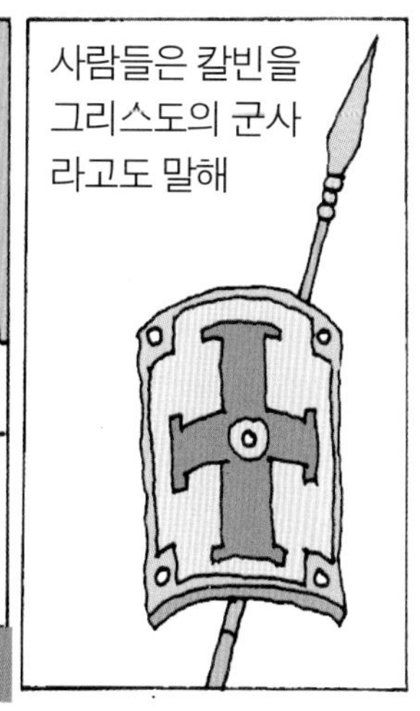

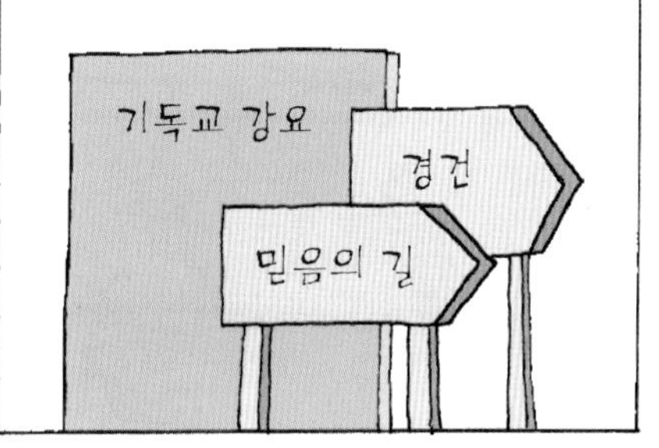

그래서 칼빈을 학자요 목회자요 복음의 투사라고 부르는 거야!

학자

목회자

복음의 투사

아하~

어떻게 27세의 나이에 기독교 강요라는 대작을 쓸 수 있었냐구?

하긴 요즘 27세 청년이면 취직 걱정에 밤을 지새울 때지…

굳이 이유를 찾는다면 당대의 교육적 환경에서 비롯되었다고 볼 수 있어
교육

오늘날 수업은 거의 일방적이지만 당시 학교 수업은 토론과 논술 중심이어서
난 이렇게 생각해, 넌?
난 이렇게 생각해

암송하는 것 말고도 스스로 생각하는 능력을 길러 주는 교육 풍토였어

당시 사람들은 자신의 생각과 사상을 글과 말로 표현하는 지적 훈련을 어려서부터 받았어
이 연사 목놓아 외칩니다!

칼빈은 신학뿐만 아니라
신학

철학과 변증법을 배웠고
철학
변증법

그 후에는 어려운 법률을 공부했어
법 학

칼빈이 얼마나 공부에 힘을 들였는지 그를 알아가면서 더 잘 알게 될거야

특히 어학에 뛰어났는데, 당시 국제어요 신학 언어였던 라틴어를 어려서부터 배웠고

성경을 깊이 연구하는 데 필요한 히브리어, 헬라어를 자유롭게 구사했어

칼빈을 '걸어다니는 종합병원'이라고 한 것도

다 너무 열심히 공부해서 건강을 잃었기 때문이야

하나님이 쓰실 때는 얼마나 철저하게 준비시키시는지 느껴지지?

하나님은 준비 안 된 백 사람보다 준비된 한 사람을 요긴하게 사용하신다구

지금까지 기독교회사 안에서만 기독교 강요의 중요성을 말한 것 같은데

지금부터는 세계사 속에서 어떤 중요성을 가지는지 이야기해 줄게

서구 문명은 크게 두 가지로 나눌 수 있어

알렉산더 대왕

헬레니즘 역사적으로는 알렉산더 대왕 때부터 이어진 300년간의 그리스의 문명, 사상을 일컫는다. 서양 문명의 2대 조류를 이루는 이 사조는 현세 지향적이며, 인간의 이성에 의한 합리적 생활에 중점을 둔다.

헤브라이즘 헬레니즘과 함께 서양 사상을 형성해 온 중요한 사조로서, 구약성경에 나타난 히브리인의 인생관을 바탕으로 발전된 전통을 가리킨다. 우주의 절대적 존재를 도덕적 존재로 보고 개인의 내적 자아가 그 절대자의 뜻에 합당한 도덕적 존재가 되도록 노력해야 한다고 믿는다.

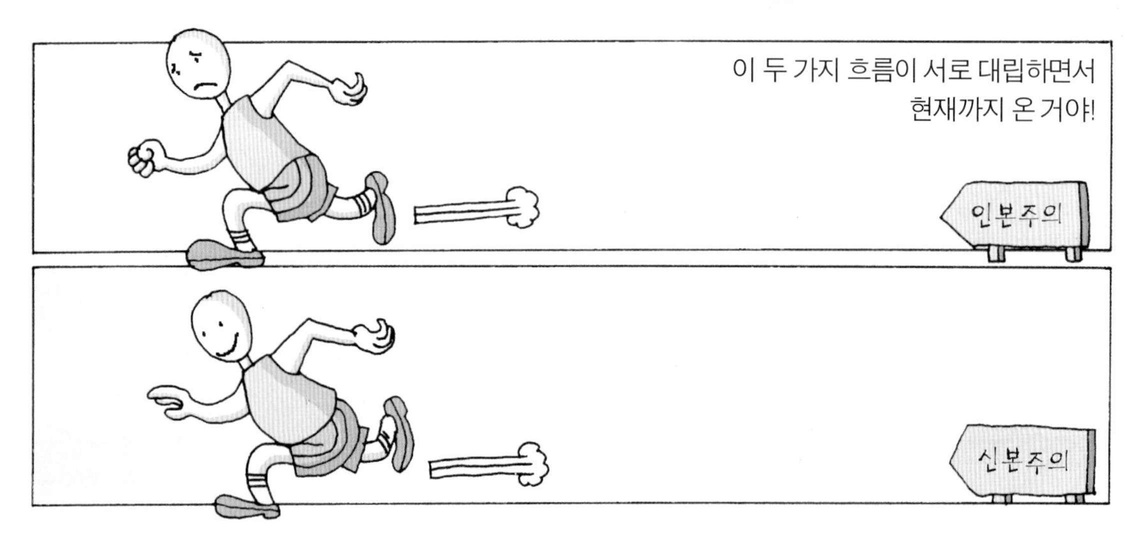

헬레니즘의 고향이 아테네라면

헤브라이즘의 고향은 성경이지!

그리스 로마의 조각들을 잘 살펴봐.
인간의 아름다움과 지혜로움을
찬양하고 있지?

성경은 하나님의 능력과 사랑을 찬양하고
있어
십계명
모세

누가 이겼을까? 로마가
기독교를 핍박함으로
기독교
인간 중심의
문화가 하나
님 중심의
문화를 누
르는 것
같았지
만
더 이상
막을 순
없어

결국 로마가 복음화됨으로 헬레
니즘 문명 속에서 헤브라
이즘이 승리했어
인본주의
딱
복음

하지만 중세 시대로 들어가면서 기독교에 세속적인 것들이 들어오기 시작했고 타락이 급속도로 번져 갔어

그래서 겉으로 보면 하나님 중심인데 속은 인본주의로 가득 차 버린 거야
내 앞에 모두 무릎 꿇어!
1,000년간의 중세 시대는 겉만 기독교였지
크림은 기독교

속은 여전히 인본주의 문화인 헬레니즘이 지배하는 사회였어
빵은 인본주의

영적인 고통이 시작되었고
살리도
인본주의

결국 둘은 함께 공존할 수 없었던 거야!
신본주의
인본주의

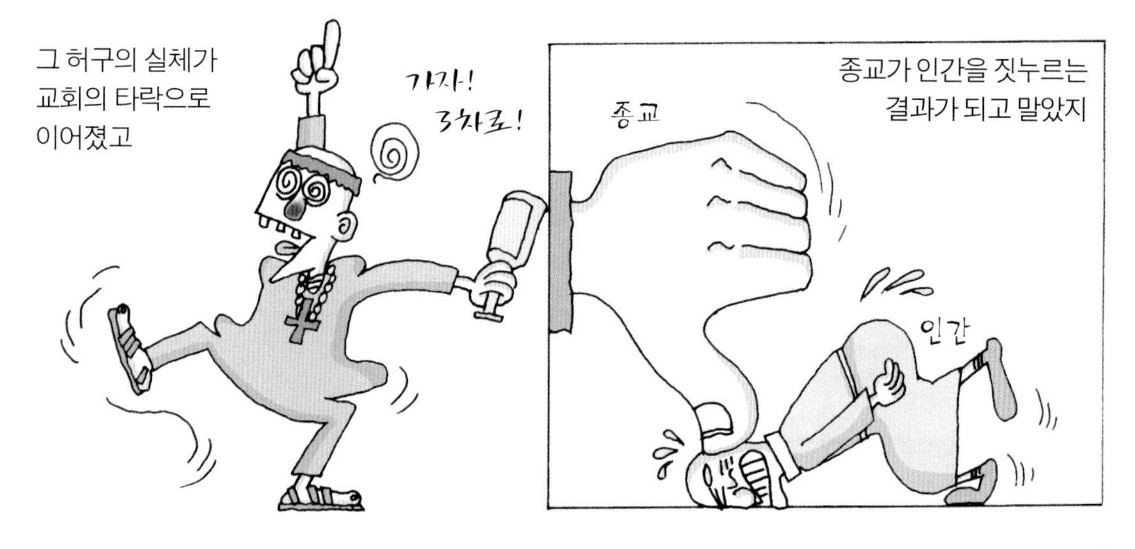
그 허구의 실체가 교회의 타락으로 이어졌고
가자! 3차로!
종교가 인간을 짓누르는 결과가 되고 말았지
종교
인간

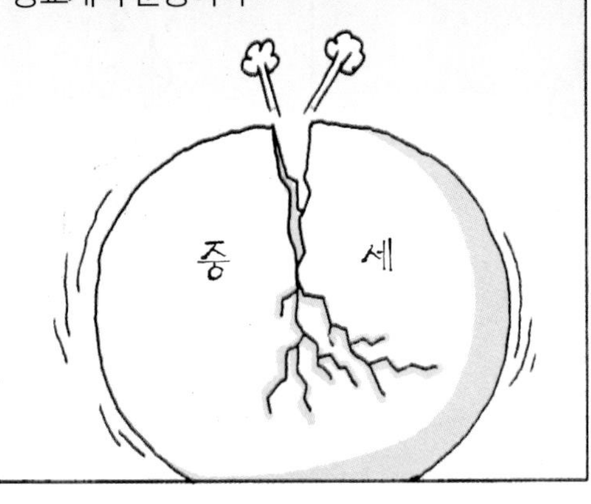
그 반동으로 일어난 운동이 르네상스 운동과
종교개혁 운동이야
중
세

르네상스 운동이 헬레니즘으로 돌아가고자 하는 인본
주의적 회복 운동이었다면, 종교개혁은 헤브라이즘으
로 돌아가고자 하는 신본주의적 회복 운동이었지!
종교개혁
르네상스
중
세

그리스
로마 시대로
돌아가자
인본주의자

성경으로
컴백홈!
신본주의자

르네상스를 봐. 예술가들이 중심
이지? 미켈란젤로, 레오나르도
다빈치, 라파엘로 등…
레오나르도
다빈치
미켈란젤로

종교개혁은 어때? 당시 대학을 중심으로 깨어
있던 성직자들이 중심이었어!
루터, 츠빙글리,
칼빈 등…
츠빙
글리
칼빈
루터

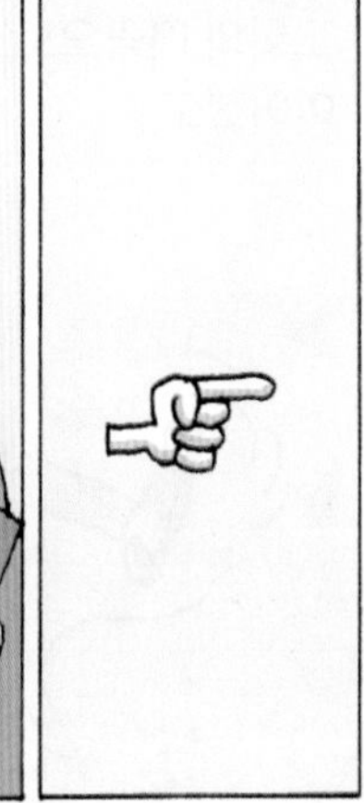

두 가지 운동이 세계사에 끼친 영향력은 실로 엄청나!

르네상스 운동 즉 인본주의 운동은 결과적으로 절망의 역사를 낳았어

인본주의는 항상 시작이 멋있어.
지리상의 발견과

과학의 발전을 통해 인간의 위대함이 드러나자

사람들은 인간의 가능성을 찬양하기 시작했어

그리고 서구 열강들은 전 세계로 탐욕을 펼치기 시작했지

하나님처럼 군림하다가 타락의 정도가, 볼테르나 루소가 살던 18세기에는

아담 스미스의 국부론과 찰스 다윈의 진화론은 인간의 탐욕에 날개를 달아준 격이 되었지

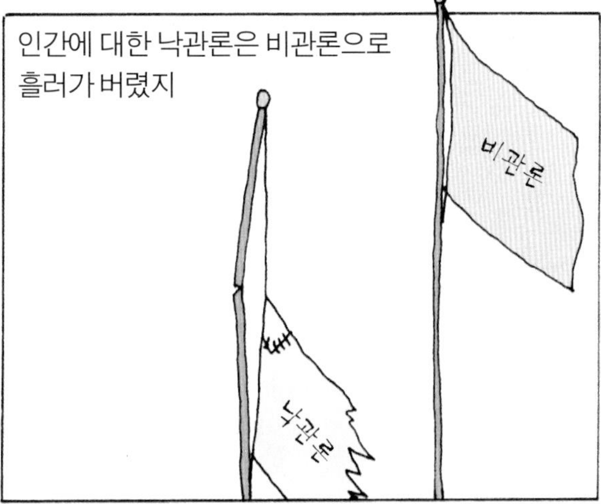

히틀러 같은 독재자들이 등장하여

600만 유대인을 학살하고
생체 실험을 하는 등
아우슈비츠

인간으로서 해서는 안 되는 파렴치한 짓들을 한 거야
게르만만
빼고 다
없애버려!

특히 지식인들마저 무기를 만드는 데 힘을 합침으로 원폭 투하 같은 인간의 잔인함을 보여주는 최악의 결과를 낳고 말았어
내가 내
무덤을 판
꼴이 됐어
지식인

인간의 비극이라고나 할까? 인간의 위대함을 신봉하던 사람들은 크게 실망하고 허무주의에 빠져 버렸지
믿는 도끼에
발등 찍혔다

신은
죽었다
니체는 신은
죽었다고
외쳤어
니체

사람들은 절대 진리를 상실하고 감성에 자신을 내맡긴 시대에 살게 되었는데

감성에 충실할래

하지만 하나님은 절망의 역사 속에서 희망의 역사를 줄기차게 이루고 계셔

살아 계신 하나님은 악한 세상에서 변함없이 그의 나라를 이 땅에 이루어 가신다구

그 시작이 종교개혁 운동이라고 할 수 있어!
종교개혁

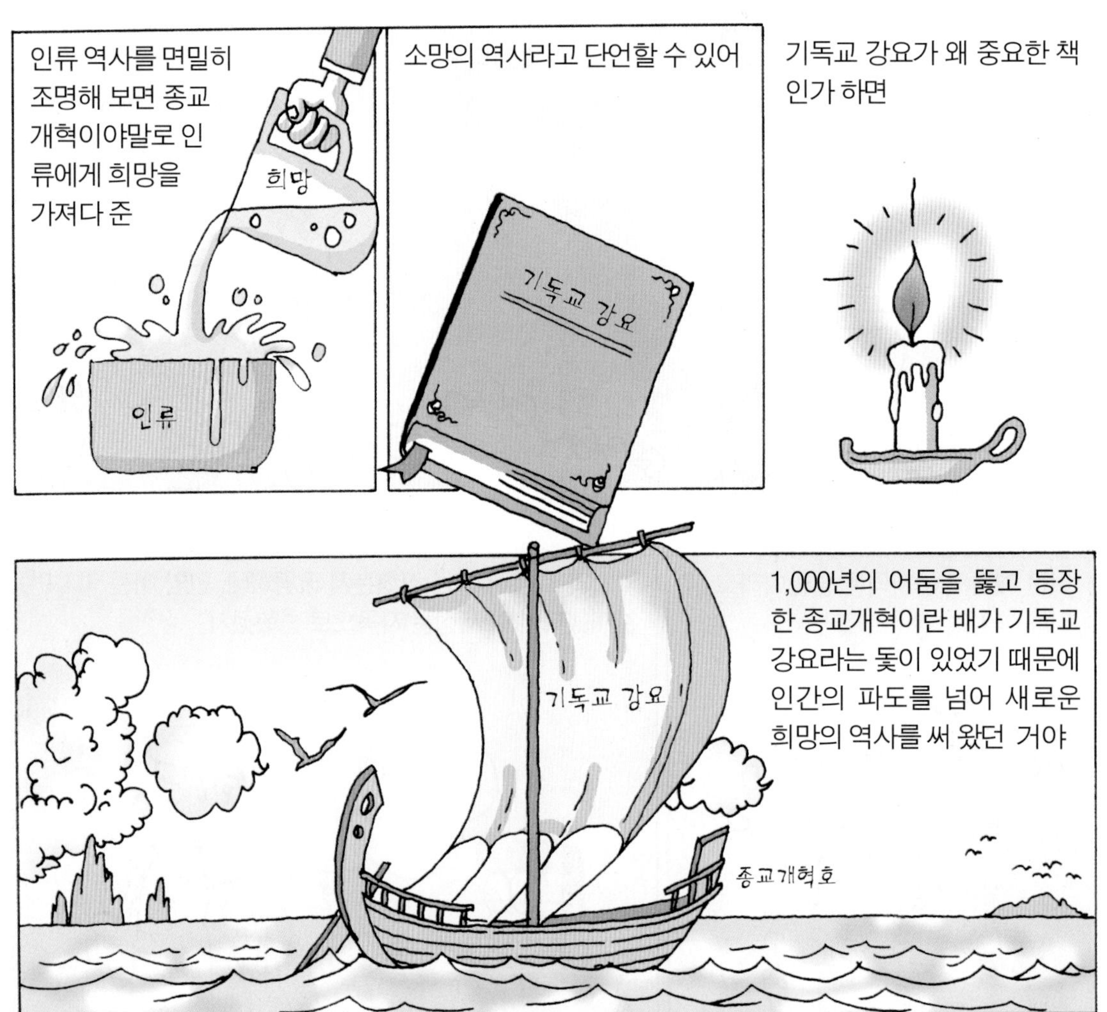
인류 역사를 면밀히 조명해 보면 종교개혁이야말로 인류에게 희망을 가져다 준
희망
인류
소망의 역사라고 단언할 수 있어
기독교 강요
기독교 강요가 왜 중요한 책인가 하면
1,000년의 어둠을 뚫고 등장한 종교개혁이란 배가 기독교 강요라는 돛이 있었기 때문에 인간의 파도를 넘어 새로운 희망의 역사를 써 왔던 거야
기독교 강요
종교개혁호

✤ 조나단 에드워즈(1703 - 1758) 18세기 미국을 휩쓴 대각성 운동의 주도자. 예일 대학교를 졸업한 뒤 회중교회 목사가 되어 철저한 칼빈주의에 따른 설교를 하였다. 그 지역에 영적 부흥을 가져왔으나, 신앙의 엄격함으로 배척을 받고 추방되었다. 한때 인디언 선교에도 힘쓰다가 천연두로 세상을 떠났다.

✤ 조지 휫필드(1714 - 1770) 18세기 영국이 깊은 영적 침체의 늪에 빠져 있을 때 대각성 운동을 이끈 전도자. 옥스퍼드 대학교에서 웨슬리 형제와 함께 활동하기도 한 그는 천부적인 설교자로서의 자질을 살려 수많은 사람들의 회심을 일으켰다.

✢ 경건주의

종교개혁 이후 몇 세기가 지나면서 다시 제 모습을 상실한 교회에 새로운 활력과 개혁을 가져다 준 종교 운동. 17-18세기 독일에서 진정한 회개와 거룩한 생활을 부르짖은 슈페너와 프랑케를 중심으로 전개되었다.

슈페너(1635-1705)는 '경건한 자들의 모임'을 창설하고 활동하는 등 루터파 교회에 대해 개혁을 시도했다. 프랑케(1663-1727)는 슈페너의 개혁을 실천에 옮겨 교육 사업과 선교 사업에 탁월한 업적을 남겼으며, 그가 교편을 잡았던 할레 대학교는 경건주의의 중심지가 되었다.

이 경건주의는 유럽은 물론 미국, 아프리카, 인도에까지 미쳐 크게 유행하였으며, 18-19세기의 신앙 부흥 운동에 영향을 끼쳤다.

✢ 존 웨슬리(1703-1791)

영국의 종교개혁자, 감리교의 창시자. 옥스퍼드 대학교에서 동생 찰스 웨슬리 등과 함께 '신성 클럽'을 조직하고 엄격한 신앙 운동을 실천했으며, 미국 조지아에 선교사로 갔으나 실패하고 귀국했다. 그 후 모라비아파 집회에서 회심을 체험하고 본격적으로 사역을 시작했다. 그의 대규모적인 신앙 운동은 감리교로 정착되었다.

사상적으로 볼 때 니체는 신은 죽었다고 외쳤지만 프란시스 쉐퍼 박사는 살아 계신 하나님을 외쳤던 거야

하나님은
살아 계시다

✤ 프란시스 쉐퍼(1912 - 1984)

복음주의 선교사, 철학가, 저자, 강연가. 펜실베이니아 주 필라델피아의 루터교 가정에서 출생, 웨스트민스터 신학교, 페이스 신학교 등에서 수학하였다.

1948년 스위스로 건너가 각국에서 오는 젊은이들에게 깊은 관심을 쏟던 중 1955년에 국제적 연구와 사역을 위한 공동체 라브리(L'Abri)를 설립하였다.

이곳을 통해 많은 토의와 연구, 그리고 수많은 사람들이 믿음으로 돌아오는 일이 이루어졌으며, 전세계로 사역이 확장되었다.

이 시대야말로 성령이 폭포수처럼 부어지는 성령의 시대야. 인간이 쌓은 절망의 역사 위에 하나님이 희망의 폭포수를 부어 주고 계셔!

이런 역사적인 시점에서 종교개혁의 심장이 었던 고전,

기독교 강요를 배운다는 것은 매우 중요해

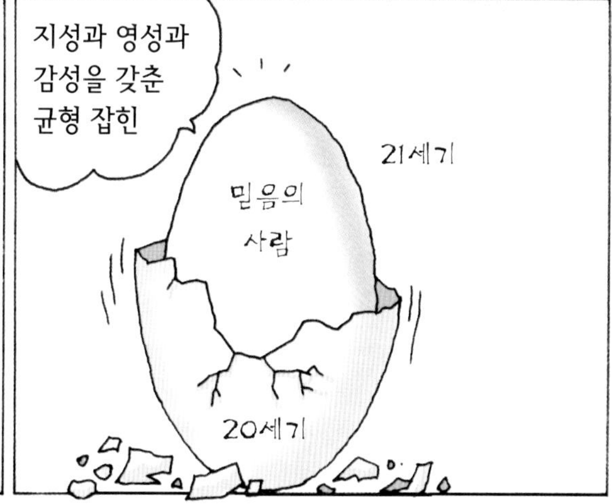

INSTITUTES OF THE CHRISTIAN RELIGION

기독교 강요를
중심으로 본

칼빈의 생애

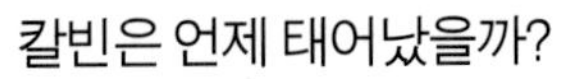

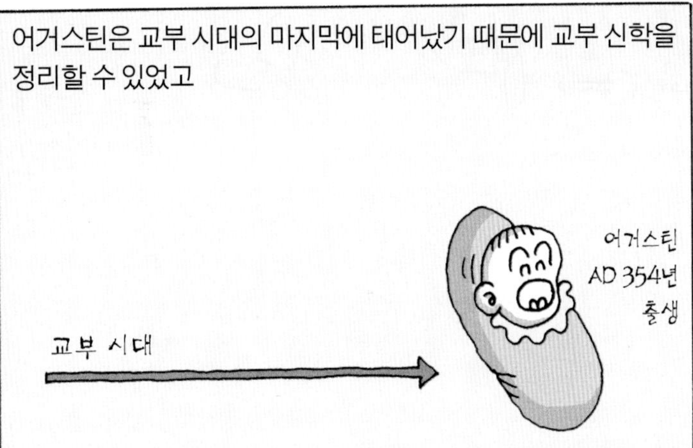

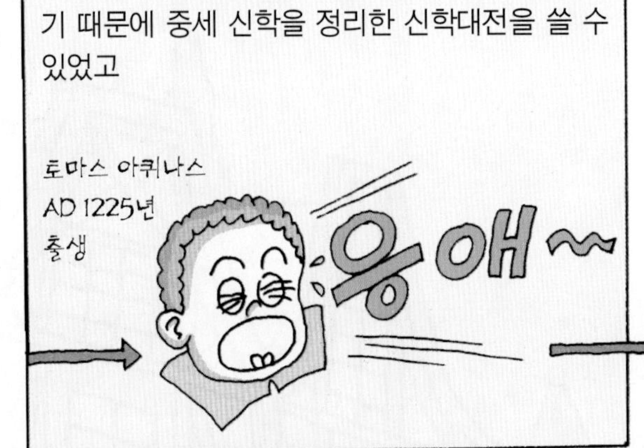

루터는 로마 가톨릭이 완전히 썩어 개혁하지 않으면 안 될 시기에 태어났기 때문에 종교개혁자로 쓰임받을 수 있었어. 칼빈은 기독교 강요라는 종교개혁 교과서를 써야 할 사람이 꼭 필요한 시대에 태어난 거야

그때가 1509년이었어

어디서 태어났냐구?

영국 해협에 접한 프랑스 피카르디 지방의 작은 도시 누아용에서 태어났어

누아용은 종교 도시로서 규모는 작아도 교회 활동이 활발한 곳이었지

안타깝게도 칼빈의 어머니는 병으로 일찍 돌아가셨어

칼빈은 어머니의 따뜻한 사랑을 받지 못했어

대신 야심 많은 아버지 밑에서 컸지

칼빈의 아버지는 대단한 사람이야. 천한 뱃사공에서 출발하여

낙동강~
강바람에~~

누아용 주교 비서, 교회 법원의 법무관, 군 재무관까지 지낸 입지전적인 인물이야

칼빈은 14살 때 라틴어를 배우기 위해 당대 유럽 최고의 학문

중심지였던 파리로

파리

유학을 갔어

수도원적인 엄격한 기숙사 생활로 절제와 경건을 가르쳐주는 학교였어

칼빈이 종교개혁에 눈을 뜬 곳도 바로 이곳이있지

칼빈이 8살 때 루터가 비텐베르크 성당 문에 95개조의 반박문을 붙였으니까

칼빈이 콜레주 드 몽테귀에서 공부할 때는 이미 종교개혁이 북부 유럽을 중심으로 거세게 일어나고 있었어. 그 개혁의 바람이 어느새 남쪽 프랑스에도 흘러 들어온 거야

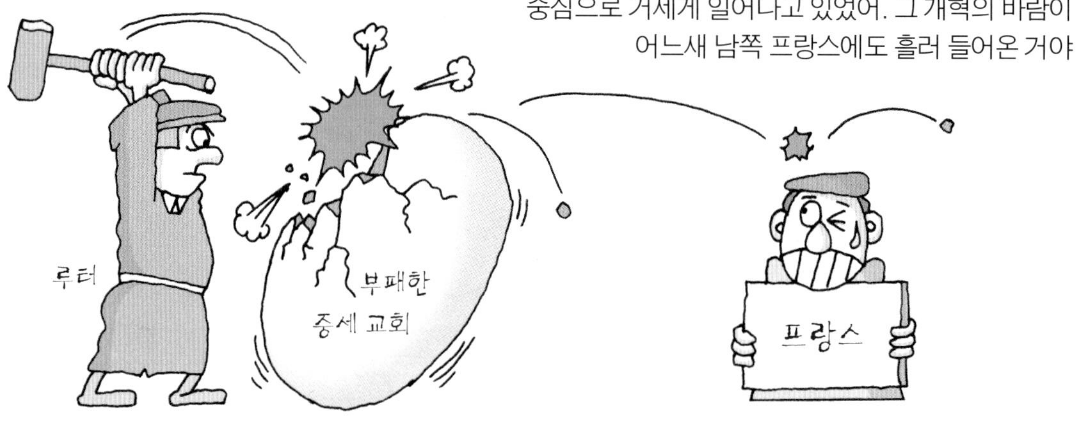

당시 파리에는 개혁적인 학자들이 많았어

그런데 칼빈이 한참 공부에 재미를 붙이고 있을 때 아버지가 갑자기 신학을 포기하고 법률을 공부하라고 했어

일찌감치 법률을 공부해 두는 것이 출세하는 지름길이라고 판단한 거지

칼빈은 순종형이었나 봐. 반항 한번 하지 않고 오를레앙 대학교에 가서 법률을 공부했어

덕분에 칼빈은 여러 가지 학문을 섭렵할 수 있었지

칼빈의 학구열은 여기서 멈추지 않아

칼빈은 좀더 좋은 교수에게 배우기 위해 부르주 대학교로 전학을 했어

부르주 대학교는 유명한 교수들과 전국의 인재들이 모이는 집합소였는데

어서 가자 부르주로

거기서 바로 평생 동역자인 베자를 만난 거야

✣ 베자(1519 – 1605)

프랑스의 작가, 신학자, 종교개혁자.
청년 시절 법률을 공부하고 라틴어 시인으로도 명성을 얻었으나, 중병을 앓고 난 후 회심하고 칼빈이 있는 제네바로 갔다. 그 후 교수 활동을 하며 칼빈의 훌륭한 협력자 겸 후계자로서 활약하였다.
그의 신약성경 라틴어 역본은 제네바 성경과 흠정역 성경의 기본 자료가 되었다.

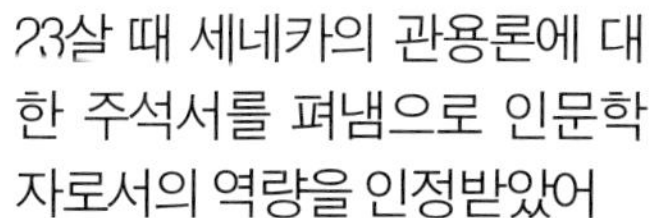

칼빈의 회심은 어거스틴이나 루터처럼 극적인 것은 아니었어

1532년의 칼빈은 여전히 신학과 성경에는 별로 관심이 없는 르네상스 인문주의자였어

칼빈이 언제, 정확히 회심의 경험을 했는지는 잘 알려지지 않고 있어…

단 시편 주석서를 쓰면서 그 연유를 밝히고 있는데 한번 들어 볼까?

"하나님이 나에게 예기치 못한 회심을 체험하게 하심으로

오랫동안 완악해져 있던 마음을 온순하게 길들이셨다

나는 교황 미신에 너무 깊이 빠져 있었기 때문에

그 누구도 나를 그 깊은 수렁에서 끌어낼 수가 없었다

결국 참 경건의 맛을 본 것이

하나님을 향한 나의 갈망에 불을 붙였다"

칼빈은 거듭난 뒤로 로마 교회로
부터 받아 왔던 특권을 포기하고

한편 아버지는 칼빈이 열심히 법률만 공부하고 있는 줄 알았지

칼빈이 로마 가톨릭을 포기하고 개신교도가 되어 전도하러 다니는 것을 알았다면 아마 화병으로 죽었을지도 몰라

칼빈도 자기 하나 바라보고 사는 아버지의 기대가 큰 부담이었어

그런데 갑자기 아버지가 돌아가신 거야

칼빈이 이 사건에서 하나님의 섭리에 눈을 떴다고 해

뿐만 아니야. 아버지의 상을 치르러 가는 도중에

젊은 종교개혁자들의 순교 장면을 목격하게 되었고

같은 나이 또래의 젊은이들이 참된 믿음을 위해 죽어 가는 순교 장면이 칼빈의 가슴 속에 깊이 새겨졌어

그런데 일방적인 하나님의 섭리가 칼빈을 종교개혁의 현장으로 이끈 거야!

개혁적인 취임사가 문제가 되어 체포령이 떨어졌어

혹자는 칼빈이 그 문제의 연설문을 써주었다는 거야

프랑스 왕 프랑수아 1세는 가톨릭을 열렬히 신봉하는 사람이었어

용서 못해

신변의 위협을 느낀 칼빈과 코프는 농부로 변장하고 파리를 탈출하여

여러 도시를 수주일 동안 떠돌아다니다가

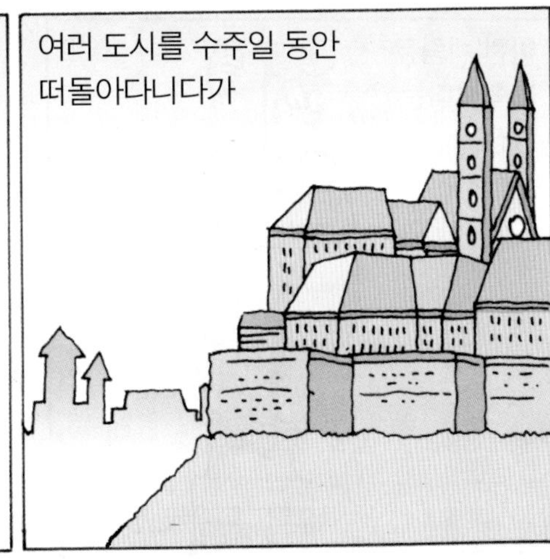

어느 부잣집 서재에 조용한 은신처를 얻게 되었어. 그런데 그 집에는 4천 권의 장서가 있었다는 거야

공부에 굶주린 칼빈이 얼마나 좋아했겠어. 바로 거기서 그 유명한 기독교 강요 초판을 썼어

첫째는 프로테스탄트 종교개혁의 명확한 교리를 진술하기 위함이었고

둘째는 종교개혁자들이 파괴적이고 분파 운동을 일으키고 있다는 오해를 불식시켜

프랑스에서 일어난 개신교도들에 대한 박해를 막아 보려는 의도였어

사실 그 동안 여러 사람이 종교개혁 신앙 길잡이로 책을 썼지만 만족할 만한 것이 없었어

이런 차에 칼빈의 기독교 강요는 종교개혁자들의 교과서가 된 거야

칼빈은 기독교 강요 저자로서 일약 종교개혁의 지도자로 급부상했어

칼빈은 프랑스에서 추방당한 후 스트라스부르라는 도시에서 영원히 거주할 생각이었어

그곳엔 신앙 때문에 피신한 프랑스 사람들이 많이 살았거든

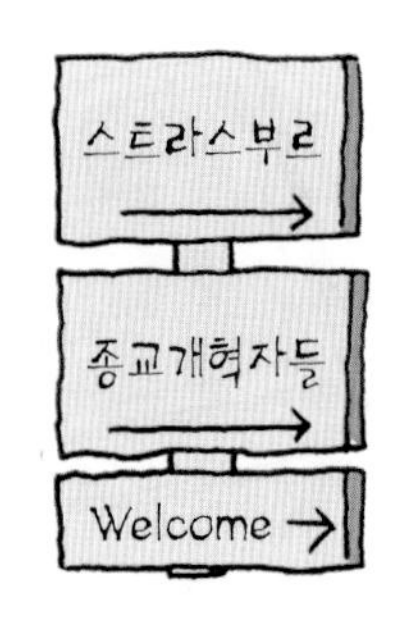

하지만 문제가 생겼어

전쟁이 발발해서 스트라스부르로 가는 길이 막혀 버린거야

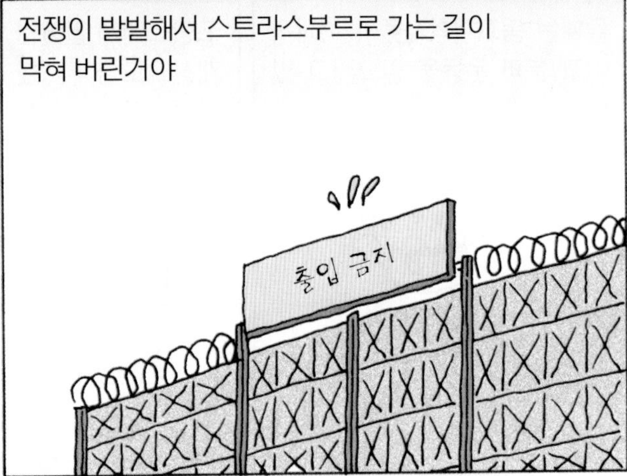

어쩔 수 없이 제네바로 가서 하룻밤 묵게 되었는데 거기서 파렐을 만났어

글쎄 이것이 계기가 되어 칼빈은 생각지도 않았던 제네바로 가게 되었지

당시 제네바는 독립공화국으로서 인구 1만 명 정도가 살고 있었는데

매춘과 향락이 난무했고 인플레이션과 기근이 심했던 최악의 도시였어

밥줘~!

칼빈을 설득한 기욤 파렐이 이 곳에서 악전고투하면서 교회 개혁을 하고 있었지
하이고, 힘들어
파렐

그렇게 해서 칼빈이 혼란에 빠진 제네바 교회 개혁에 참여하게 된 거야

진정한 개혁은 어디서부터 시작된다고 생각하니? 정치? 사회? 지도자 교체? 아니야. 진정한 개혁은 교회에서 시작되어야 해
교 회

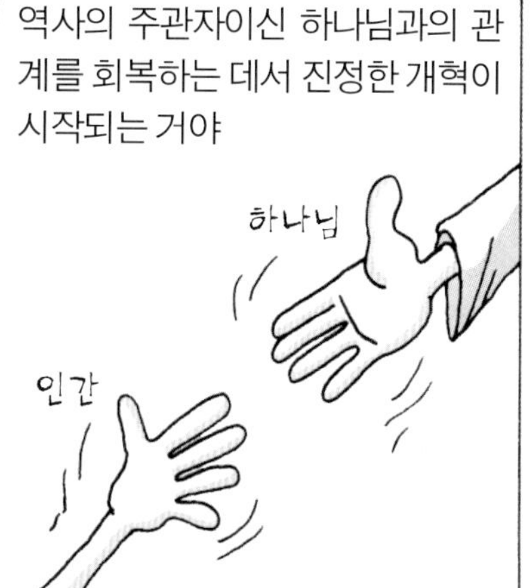
역사의 주관자이신 하나님과의 관계를 회복하는 데서 진정한 개혁이 시작되는 거야
하나님
인간

칼빈은 이 점을 믿었어. 당연히 교회에서부터 대대적인 개혁이 시작되었지
부도덕
이단
궤변
부정 부패

칼빈은 먼저 교회를 말씀의 터 위에 세우려고

예배의 회복과 말씀 선포에 온 힘을 기울였어

거짓 교리와
이단
그리고
불경건과
맞서 싸웠지
얍!
거짓 교리
이단

그러자 서서히 제네바가 변화되기 시작했어

칼빈의 설교를 듣기 위해 사람들이 교회에 나오기 시작했어
설교가 은혜로워
그래

그런데 성령의 역사가 있으면 사탄의 역사도 있기 마련이지
가만 둘 순 없지
흥!
제네바 호

칼빈은 제네바를 떠나라
이곳이 수도원이냐?
칼빈 고홈!

그 동안 방탕하게 살았던 방탕파들이 칼빈의 교회 개혁에 분노를 품고 예배를 방해하고 칼빈을 허락한 시의 회를 비난했어

심지어 칼빈이 강단에 서자 테러를 저지르려고 하기까지 했지
끝장 내겨!
교회

결국 방탕파에 밀린 시의회가 칼빈과 파렐을 도시 밖으로 추방하고 말았어
방탕파
시의회

칼빈! 파렐! 용서해 줘. 우리도 어쩔 수 없었어
시의회

칼빈은 쫓겨나가면서도

인간을 기쁘게 하면서 남아 있는 것보다 하나님께 순종하면서 쫓겨나는 것이 더 큰 행복이라고 했대
안녕! 제네바여!

칼빈은 제네바에서 할 수 없었던 개혁적인 일들을 이곳에서는 마음껏 할 수 있었어

✤ 스트라스부르

프랑스 알자스 주의 주도. 독일, 프랑스, 스위스의 국경지대에 위치한 곳으로 경제, 문화의 중심지이며 교통의 요지이다.
칼빈 당시 자유도시였으며 루터와 츠빙글리의 종교개혁 사상이 뿌리 내린 곳으로서 프랑스에서 박해받던 신교도들의 피난처였다.

프랑스 난민들을 위해 로마서 주석을 썼어

고마워, 칼빈

프랑스 난민

하지만 행복도 잠시

세 아이가 모두 죽었고

한편 방탕파들이 잡고 있던 제네바는 다시 가톨릭의 지배를 받으면서 오히려 혼란과 무질서에 빠져들었어

도시의 원로들은 칼빈이 다시 와야 도시를 살릴 수 있다고 판단하고

칼빈에게 돌아와 달라고 간절히 요청했지

사실 칼빈은 스트라스부르에서 만족스러운 생활을 하고 있었기 때문에 굳이 제네바로 돌아갈 이유가 없었어

하지만 칼빈은 하나님의 뜻을 좇아 정든 스트라스부르를 떠나 1541년에 제네바로 돌아왔어

그로부터 23년 뒤 1564년 눈을 감을 때까지 일생을 제네바에 머물게 되지

모든 시민을 예배에 참여하게 했고 죄가 발견되면 철저하게 회개하도록 도왔어

그는 구약 시대처럼 교회와 국가가 하나가 되는 성경적인 공화국을 만들고자 했지

시민들은 국가의 법률뿐만 아니라 교회법의 지배도 받게 된 거야
국법
교회법

그러다 보니 칼빈은 제네바에 사는 이교도와 방종파들에게 항상 공격을 당했어
가서 물어!
멍!

하지만 칼빈은 목에 칼이 들어와도 그들과 타협하지 않았어
오직 순종뿐이다!

개혁
만약 그가 조금이라도 흔들렸다면 종교개혁도 결국 도루묵으로 끝났을 거야

결과적으로 제네바가 철저한 종교개혁 도시로 성공했기 때문에
개혁 도시
제네바

북유럽을 중심으로 다른 나라에서도 종교개혁이 성공할 수 있었던 거야
개혁이 엄청 좋은 것인가 봐. 제네바 요즘 잘 나가잖아~

칼빈의 위대한 점 중 하나가 제네바에 학교를 세웠다는 거야

이 점이 루터와 달라

제네바 아카데미는 종교개혁을 지속적으로 추진할 수 있는 후진 양성을 위해 세워졌어

칼빈은 여기에서 10명의 교수와 함께 성경과 신학, 언어를 가르쳤어

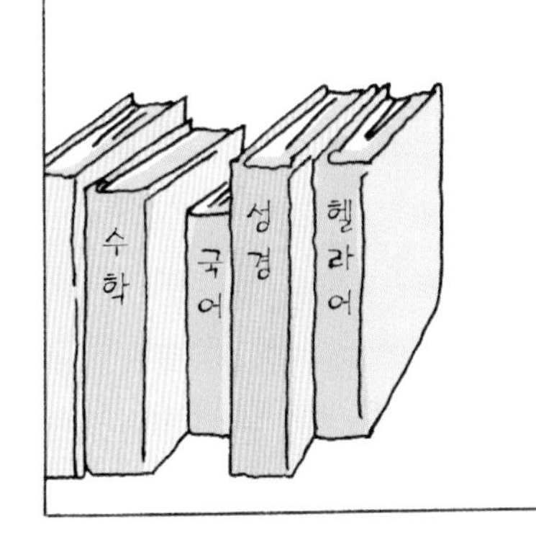

학생들은 엄격한 교과 과정에 따라 매주 수요일 아침에 한번, 주일에 세 번 예배에 참석해야 했지

여름에는 오전 6시에 겨울에는 7시에 시작하여 오후 4시에 마쳤고

춤, 카드놀이, 주사위놀이, 선술집은 있을 수 없었으며

연회도, 불건전한 노래를 부르는 일도 없었고 가면 무도회도 없었어

제네바 아카데미는 경건의 도장이요, 칼빈주의의 요새였다고나 할까?

칼빈주의

전 유럽에서 학생들이 칼빈에게 배우기 위해 구름 떼처럼 몰려들었어

여기서 많은 인재가 배출되었는데 그 중에 한 사람이

스코틀랜드의 종교개혁자요 청교도의 조상인 존 녹스야

✠ 존 녹스(1514 - 1572)

스코틀랜드의 종교개혁자, 청교도의 선구자.
프랑스 군의 포로로 억류되었다가 석방된 후, 영국 에드워드 6세의 지원하에 종교개혁 운동을 추진했다. 로마 가톨릭측인 메리 여왕이 즉위하자 박해를 피해 유럽 대륙으로 피신하여 제네바에서 칼빈 등과 교분을 가졌다. 귀국 후에는 에든버러에서 개혁파 교회의 확립을 위해 노력했다. 대표작으로 스코틀랜드 종교개혁사가 있다.

제네바 아카데미 출신들이 유럽 각 나라에 가서 복음을 전파하다가 순교당하는 일이 계속 생겨났어

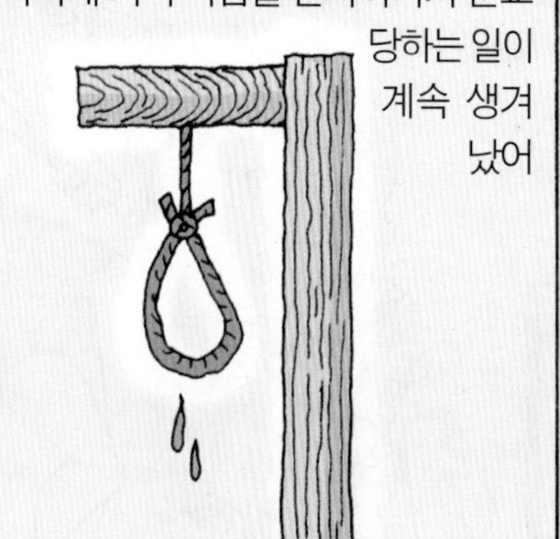

칼빈이 글을 많이 쓴 것도 복음을 전하다가 죽어 간 제자들을 변호하기 위해서야

칼빈은 일생 동안 경건을 추구하면서 끊임없이 일하고 가르쳤어

그리고 1559년에는 드디어 기독교 강요 최종 판을 완성했어

1536년에 초판을 내고 1559년에 완성했으니까

기독교 강요는 칼빈의 인생과 신앙이 녹아든 책이라고 해도 과언은 아니지. 사실 이후에 쓰여진 대다수의 신학서들은 기독교 강요의 내용들을

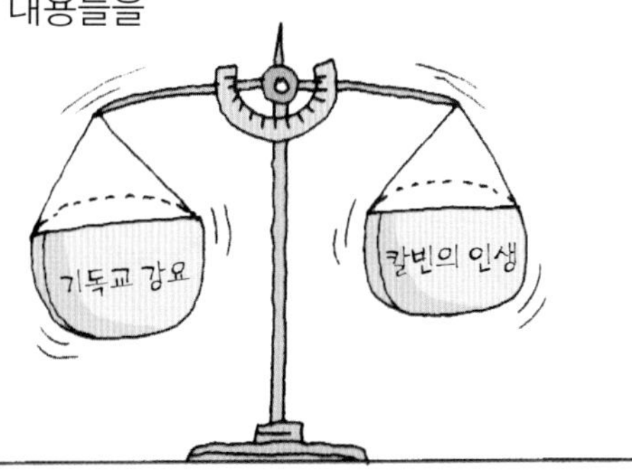

조금 더 상세하게 다룬 것이라고 해도 과언이 아니야

칼빈은 평소에 몸이 좋지 않았어. 걸어다니는 종합병원이라고 불릴 정도로 항상 병을 달고 다녔지

1560년대에 들어와서 병상에 누운 뒤로는 건강을 다시는 회복하지 못했어

1564년 칼빈은 "현재 당하는 고난은 다가올 영광에 족히 비교할 수 없도다"라는 마지막 말을 남기고 조용히 잠들었어

칼빈의 무덤에는 묘비도 없었어. 무덤이 얼마나 초라하고 형색이 없었던지

그 무덤의 흔적조차 잘 찾을 수 없었다고 해

칼빈은 이처럼 조용히 죽었어. 그의 제자들이 개혁 작업을 계속 추진하고 있었기 때문에 사람들은 칼빈의 죽음을 잘 느끼지 못했어

칼빈이야말로 살아서도 하나님께 영광이요

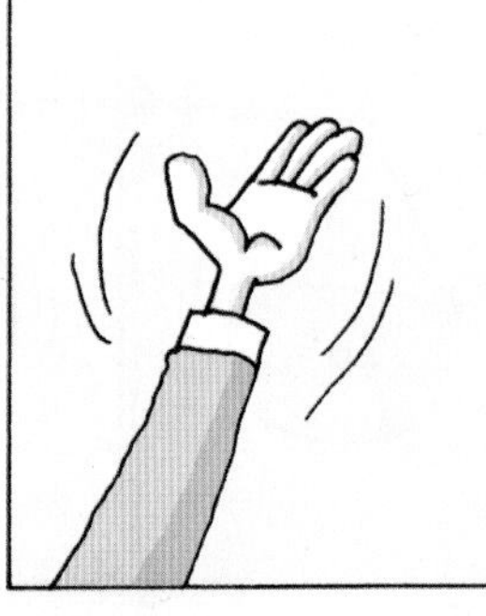

죽어서도 하나님께 영광을 돌려드린 위대한 그리스도인이야!

그는 오직 하나님의 영광을 위해서만 산 사람이야

칼빈은 바울 이래 믿음과 행위, 교리와 삶을 가장 잘 조화시킨 그리스도인이라는 평가를 받고 있어
믿음
행위
교리
삶
그는 경건의 신학을 설교했고 가르쳤으며 실천했어
경건의 신학
기독교 강요
그가 남긴 기독교 강요는 오고 오는 후세대들에게 바른 진리의 길을 제시하는 영원한 길잡이가 되고 있지
진리
오, 칼빈의 생애여~ 아름다워라~

이제 그가 남긴 역작 기독교 강요의 세계로 들어가 볼까?
기독교 강요

PART TWO

헌사 _ 프랑수아 1세에게 보내는 편지

기독교 강요 제1권 _ 창조주 하나님을 아는 지식

헌사
프랑수아 1세에게 보내는 편지

그럼, 먼저…

기독교 강요는 프랑수아 1세에게 바치는 헌사로 시작되거든. 칼빈은 기독교 강요를 프랑수아 1세에게 보내는 편지 형식으로 썼어. 그러니까 이 편지는 기독교 강요의 시작이라고 할 수 있어

✤ 프랑수아 1세
(1494 - 1547)

프랑스 국왕.
1515년에 루이 12세의 뒤를 이었으며, 프랑스 르네상스의 아버지로 불린다. 무인의 호방함에 우아한 감각까지 지닌 그는 이탈리아 원정을 통해 고대의 학문과 예술에 심취하여 르네상스 양식의 성을 세우고 고전학자들을 초빙하여 인문주의의 발전에 관심을 쏟았다.

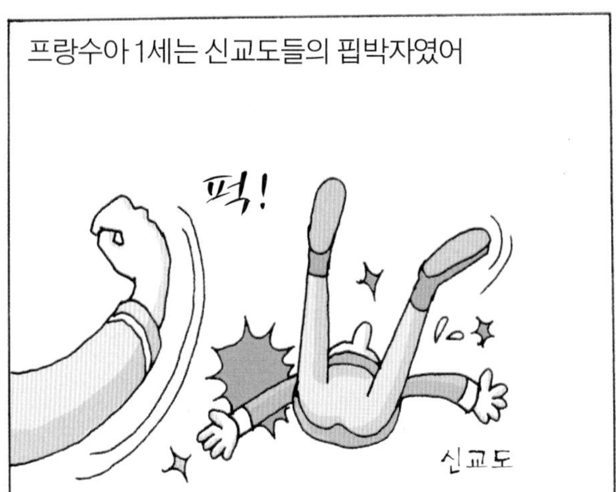

⚜ 재세례파 16세기 유럽 대륙에서 일어난 프로테스탄트 일파. 비자각적인 유아 세례를 비성경적이라고 보고, 자각적인 신앙 고백 이후의 세례만이 의미 있다고 주장했다. 주요 종파로는 독일의 뮌처와 츠비카우 밀에 모인 신비주의 종파, 스위스 형제단, 모라비아의 후터파, 독일 북서부의 멜키오르파, 뮌스터파, 메노 시몬스가 주도한 메노나이트파 등이 있다.

이들은 국가 권력의 간섭을 부정하는 등 과격하여 가톨릭과 프로테스탄트 양쪽에서 배격당했다.

변호해야 할 필요성을 절감하고 있었기 때문에 이 편지를 쓴 거야

가장 위대하며 고명한 군주시며 가장 기독교적인 프랑수아 왕께 존 칼빈은 그리스도 안에서 평화와 구원을 삼가 기원하나이다. 가장 훌륭하신 왕이시여! 나는 이 편지를 통해 기독교의 기본 진리를 밝히고자 합니다. 왕이시여! 복음주의자들에 대한 핍박을 멈추시고 그릇된 소문에 귀를 기울이지 마십시오. 프랑수아 1세께서 복음주의자들에 대해 편견 없이 공정한 조사를 해줄 것을 요청합니다.

왕의 직분을 나쁜 데 사용해서는 안 됩니다. 왕의 직분은 하나님의 영광을 위해 봉사하는 직분입니다. 핍박당하는 복음주의자들을 위한 변호에 귀를 막지 마십시오. 사람들은 복음을 우리가 만들어 낸 것이라고 무시하는데 복음은 만들어 낸 것이 아니라 살아 계신 하나님과 그리스도에게서 나온 것이며 성경 위에 세워져 있는 것입니다.

왕이시여! 복음은 날조된 것입니다
로마 가톨릭
로마 가톨릭은 반박하ㄴ라 정신이 없었겠지…
복음은 전혀 생소한 것입니다
신교도들의 교리는 매우 불확실합니다

그들의 교리를 지지해 주는 이적들이 전혀 없습니다

더군다나 교부들의 사상이나 가르침과 조화되지 않습니다!

잠깐! 복음은 날조된 것이 아닙니다
칼빈

참된 교리가 인간의 불경건 때문에 묻혀 있었을 뿐입니다
난 종교개혁자

복음은 확실한 약속에 근거한 것입니다

로마 교회의 성직자들은 교부들이 무슨 말을 했는지조차 잘 모르고 있었어.
교부들이 말한 것처럼 거짓으로 꾸며대길 잘했지

로마 교회는 교부들의 말을 날조하고 왜곡하여

로마 교회가 말하는 모든 것이 옳은 것처럼 만들어 버렸어

칼빈은 초대 교회 교부들의 생생한 음성을 재생시켜 그들의 거짓을 만천하에 드러냈어

그리고 성경의 권위가 교회의 판단에 있다고 주장하는 로마 교회에 대항하여

하나님의 말씀의 권위는 교회의 해석에 있는 것이 아니라

말씀 그 자체에 있다는 것을 밝혀낸 거야

교회의 본질에 대한 오류들도 과감히 지적했어

로마 교회는 교황과 성자, 성물을 숭배하고 있고 각종 신비와 이적을 추종하는 오류에 빠져 있으며

참된 교회가 무엇인지조차 모르고 있습니다.
참된 교회란 하나님 한 분과 주 그리스도를 섬기며 경배하는 곳입니다.
교회의 표지는 말씀의 순전한 선포와 성례의 적법한 시행에 있습니다.
또 종교개혁 교리가 평지풍파를 일으켰다고 하는데, 실은 종교개혁자들이 잠들어 있는 교회를 깨운 것입니다.
왕이시여! 그릇된 비난을 조심하시고 무죄한 복음주의자들로 하여금 선처를 받을 수 있도록 해주십시오.
우리는 인내하며 하나님의 능력을 기다릴 것입니다.

1536년 8월 1일
바젤에서 칼빈

그럼, 1권 창조주 하나님을 아는 지식편을 살펴볼까?

기독교 강요 제1권
창조주 하나님을 아는 지식

1권의 전체 흐름

1권은 총 18장으로 구성되어 있어. 1장에서 5장은 하나님을 아는 지식론이야

칼빈이 왜 첫 장에서 하나님을 아는 지식론을 디루었을까?

영생은 하나님과 그의 보내신 자 예수 그리스도를 아는 것이기 때문이지

그러므로 최우선적으로 하나님과 그의 보내신 예수 그리스도를 알아야 하겠지

6-9장까지는 성경이 무엇인지와 성경의 역할에 대하여 자세하게 다루고 있어

하나님은 우리가 참 하나님에 대해서 알 수 있도록 성경을 주셨어

우리는 성경에서 계시된 하나님이 어떤 분이신지를 배워야 해

10-13장은 삼위일체 하나님에 대하여 말하고 있어

성경이 계시한 하나님은
어떤 분이실까?

성경을 펼쳐보지 않은 사람들은 하나님을 단일신이나 삼신으로 알더라고. 그게 아니야
하나님은 하나다
하나님은 세 개다

성경이 말씀하시는 하나님은 삼위일체 하나님이셔
삼위일체 하나님을 믿는 신앙은 우리 신앙 고백의 뿌리라고 할 수 있어
신앙
삼위일체 하나님
14-15장은 창조론을 다루고 있어
14 - 15장
창조론

삼위일체 하나님이 하신 일이 바로 천지 창조거든
삼위일체
하나님
천지창조

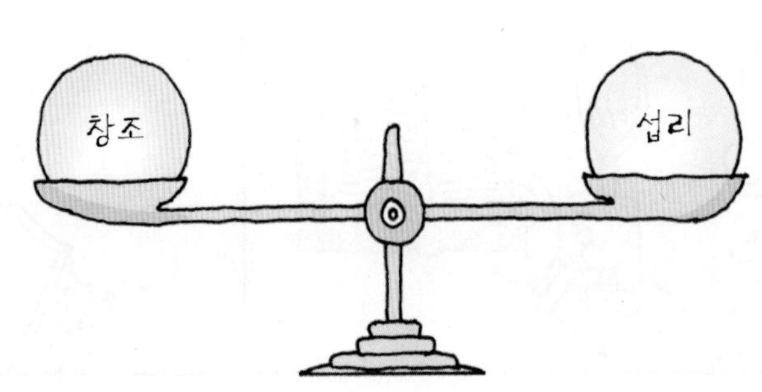
창조주 하나님은 창조만 하신 분이 아니라 지금도 살아 계셔서 역사를 주관하시고 섭리하시지
창조
섭리

이것이 창조주 하나님을 아는 지식의 흐름이야

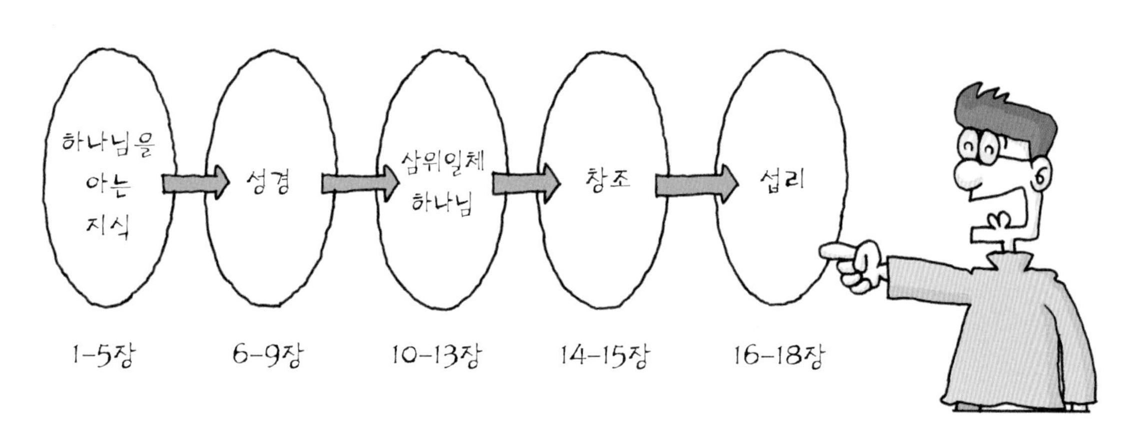

CHAPTER 1

참된 지식

"우리가 가지고 있는 거의 모든 지혜, 곧 참되며 건전한 지혜는 두 부분으로 되어 있다. 하나는 하나님에 관한 지식이요 다른 하나는 우리 자신에 관한 지식이다."

칼빈이 말한 것처럼 참되고 건전한 지식은 두 부분으로 되어 있는데

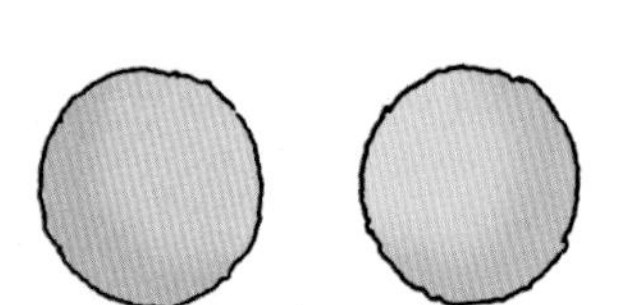

하나는 하나님에 관한 지식이고 다른 하나는 우리 자신에 관한 지식이야

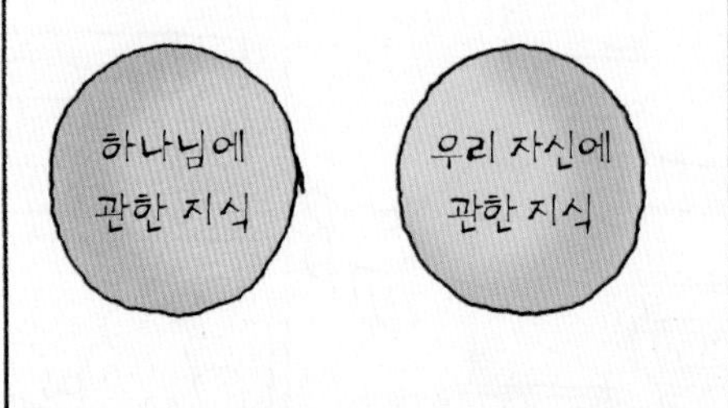

이 두 지식은 따로 떨어져서 개별적으로 존재하는 것이 아니라

서로 긴밀하게 연결되어 있어

그렇기 때문에 이 두 지식은 따로따로가 아니라 동시에 통합적으로 다루어야 해

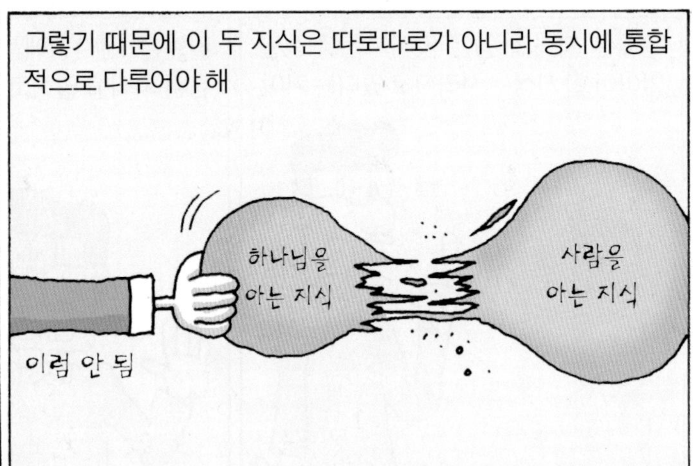

만약에 하나님에 관한 지식만 다루고 사람에 관한 지식을 다루지 않으면

공상에 빠지게 되며
하나님을
아는 지식
망상
공상
이상
현실

또한 사람에 관한 지식만 다루고 하나님에 관한 지식을 다루지 않으면
하나님은 몰라도 돼!
사람만 알면 되지
하나님을
아는
지식
사람을
아는 지식

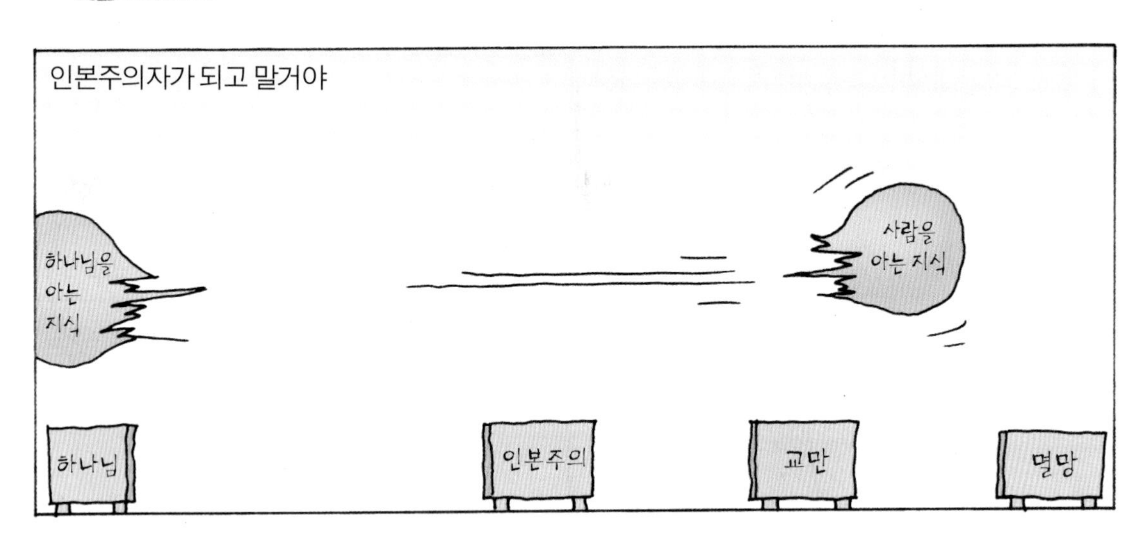
인본주의자가 되고 말거야
하나님을
아는
지식
사람을
아는 지식
하나님
인본주의
교만
멸망

하나님을 아는 지식과 사람을 아는
지식은 동시에 다루어야 해
하나님을 아는 지식
사람을 아는 지식
우린 하나
우리 헤어 지지 말자
하나님을 아는 지식
사람을 아는 지식
두 날개가 있어야 날 수 있지

어느 한쪽에라도 치우치면 반드시 걸려 넘어지
게 된다구

그래서 하나님에 관한 지식을 알려면 사람에 관
한 지식을 알아야 하고
사람을 아는 지식

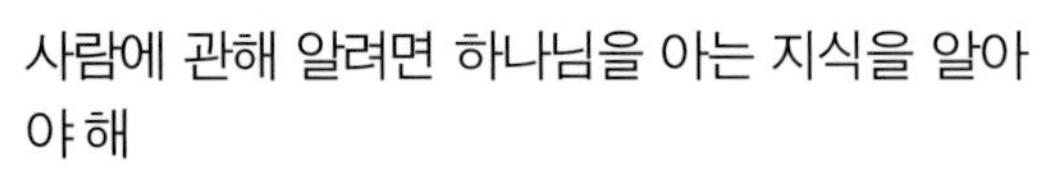
사람에 관해 알려면 하나님을 아는 지식을 알아
야 해

하나님을 아는 지식

이의 있소

이런 사람은 안타깝게도 자신이 얼마나 비참한 처지에 놓여 있는지 알지 못하는 사람이야

나를 알려면 나를 보지 말고 먼저 하나님을 보라고 했지?

하나님을 바라보지 않고서는 그 누구도 자기 자신의 비참한 현실을 제대로 볼 수 없어

나 자신이 누구인지 알고 싶다고?

그럼 어떻게 하라고 했지? 먼저 하나님을 바라봐!

그러고 나서 너 자신을 봐

그렇게 한다면 자신이 얼마나 무지와 음란과 부패로 똘똘 뭉쳐 있는지 진실을 알게 될거야

인간은 하나님이란 거울에 비쳐진 자신을 보고 나서야 비로소 자신이 오물과 같다는 것을 알게 되고 하나님 앞에 엎드려 그분을 갈망하게 된다구

있잖아

사람들은 누구나 겉으로는 겸손한 척 하지만

속으로는 자신이 의롭고, 바르고, 현명하다고 생각하지

한 사람도 예외가 없어

이런 잘못된 자아 인식에서 벗어나 참된 자아를 발견하려면

최우선적으로 하나님을 바라보고 그 다음에 자신을 검토해야 해

하나님

그렇게 하지 않는 한 절대로 자신에 대한 참된 지식을 얻을 수 없어

사람이 고개를 들어 하나님을 바라보고 하나님의 의와 지혜와 능력이 얼마나 놀랍고 완전한지를 알게 될 때

비로소 자신의 불의와 죄와 무력함이 보이기 시작해

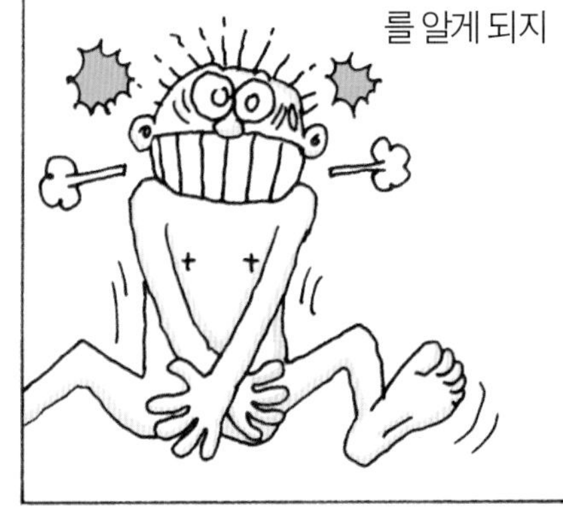
그 동안 완전해 보인 것들도 하나님의 순결에 비하면 얼마나 사악한 것인지를 알게 되지

아직도 자신이 얼마나 비참한 처지에 있는지를 알지 못하는 사람은

하나님의 위엄의 거울에 비추어보지 않아서 그래

하나님의 위엄의 거울에 비추어 보기 전에는

결단코 자신의 비천한 상태를 충분히 인식할 수 없어

거기 성경 있지?

기독교 강요를 공부할 때는 항상 성경을 옆에 두어야 해

성경을 보면 하나님의 임재를 경험한 성도들이 나와. 그들의 반응이 어떠했을까? 좋아서 기뻐 뛰었을까?

아니야. 너무 큰 충격을 받아 거의 초주검이 되었어

그들은 이렇게 말했지

왜 그랬을까? 하나님의 거룩하심 앞에서 자신이 얼마나 초라한 존재인가를

비로소 발견했기 때문이야

아브라함은 하나님의 영광을 보기 위하여 가까이 갔을 때 자신이 흙과 먼지에 불과하다는 것을 알았고

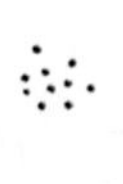

엘리야도 얼굴을 가리지 않고는 하나님께 가까이 나아갈 수 없다고 했으며

천사들까지도 그들의 얼굴을 가렸어

하물며 부패한 벌레에 지나지 않는 우리가 하나님의 임재를 체험한다면 어떻게 해야겠니?

하나님을 조금이라도 안다면 하나님 앞에 겸손히 엎드릴 수밖에 없어

아직도 고개를 들고 거만하게
생각하고 행동하는
사람들은

하나님을 몰라도 한참 모르는 거야

그럼 1장 '줄거리 보기'를
살펴보고 2장으로
넘어가자구

천천히 꼭
읽어야 해

✤ 1권 1장 원전 줄거리 보기

참된 지식

하나님에 관한 지식과 우리 자신에 관한 지식은 서로 연결되어 있다. 그러면 이 둘은 어떻게 서로 관련되어 있는가

1. 자신을 알지 못하고는 하나님을 알지 못한다
2. 하나님을 알지 못하고는 자신을 알지 못한다
3. 하나님의 위엄과 인간

✤ 이상의 내용은 생명의말씀사에서 출간한 칼빈의 **기독교 강요** 원전(전 4권) 각 장의 세부 항목을 모아놓은 것이다.

CHAPTER 2

경건

누가 진정 하나님을 아는 지식을 가졌다고 말할 수 있을까?

글쎄

제가 갖고 있습니다

하나님이 온 세상을 창조하셨다는 것을 믿습니다

하나님이 지금 우리를 다스리고 계시다는 사실을 온 몸으로 느끼고 있습니다

하나님이 그리스도를 통해 자신을 구원주로 나타내셨음을 믿습니다
구원주
↓
성경의 핵심

좋습니다. 아주 정확해요

그러나 아무리 하나님을 정확히 안다 할지라도
신학박사

경건이 없는 곳에는 하나님을 아는 지식도 없어
하나님을 아는 지식

진정한 그리스도인의 기준은 지식이 아니라 경건한 삶에 있거든

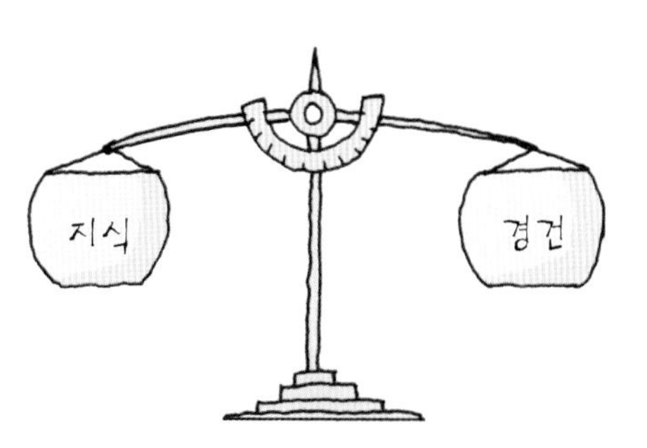

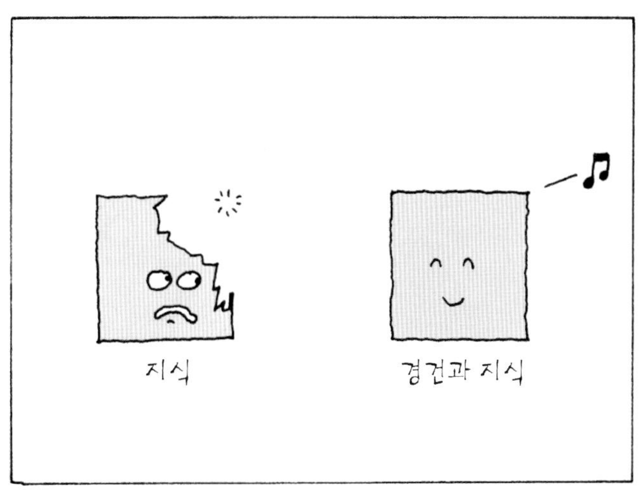

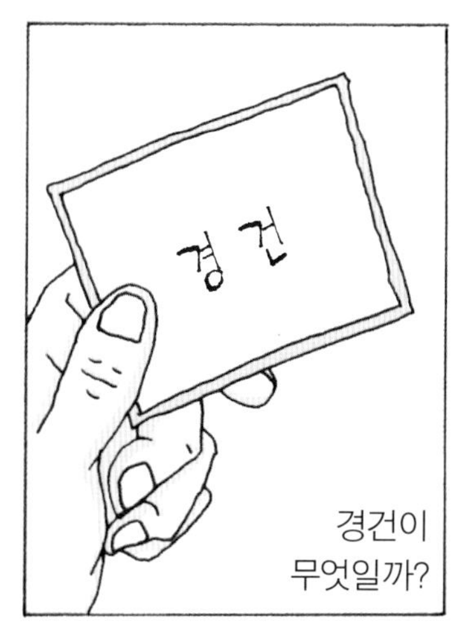

경건이 무엇일까?

성경책을 옆구리에 끼고 걷는 모습

경건한 표정

이런 것이 경건이 아니야. 경건이란 한마디로 말해서

사랑에서 나온 두려움이야

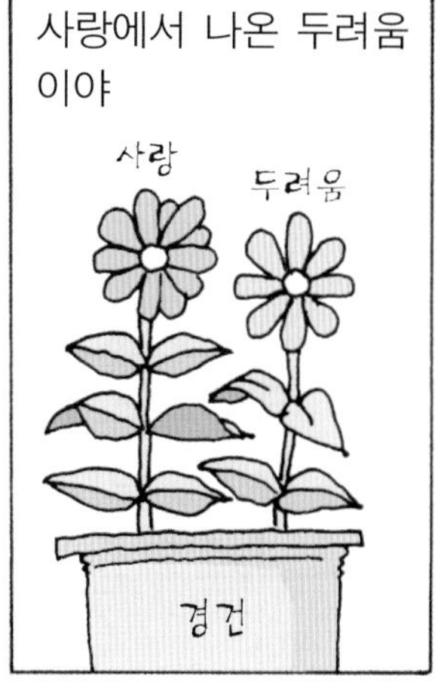

하나님을 사랑하는 마음과 하나님을 두려워하는 마음이 합쳐진 것이 성경이 말하는 경건이지

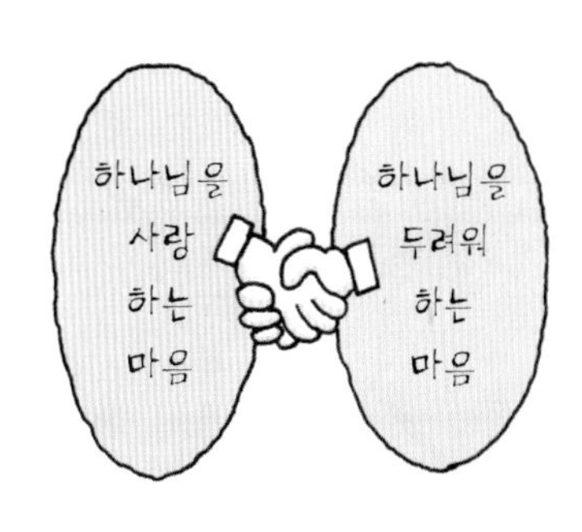

마귀도 하나님을 두려워해. 하지만 하나님을 사랑하지는 않지

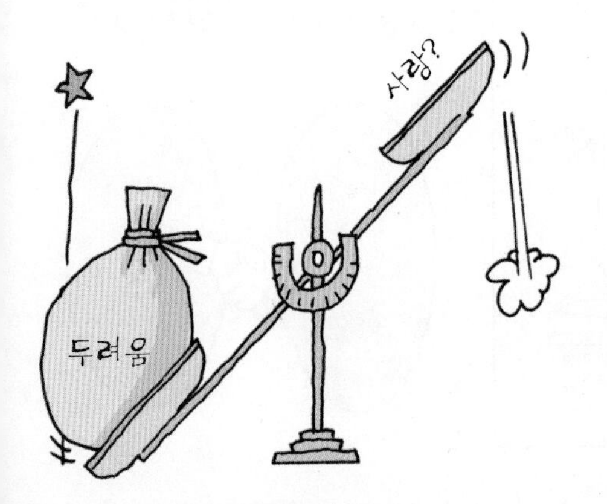

마귀가 가진 두려움은 앞으로 당할 심판에 대한 두려움이거든

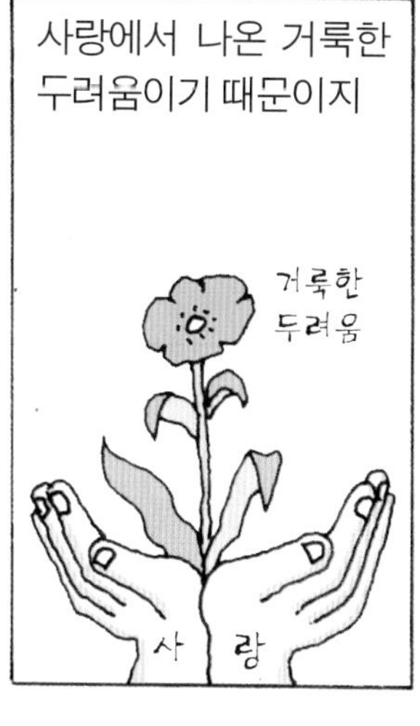

거룩한 두려움이란 하나님의 공의와 선악간의 심판도 받아들이는 믿음이야

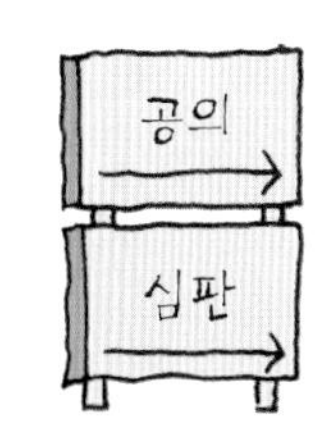

하나님에 대하여 쓸데없는 질문과 공상을 늘어놓는 사람들이 있지?

우리가 씨름해야 할 문제는 공허한 질문과 공상이 아니야

우리가 묵상해야 할 것은 '우리와 관계된 하나님이 어떤 분이신가'

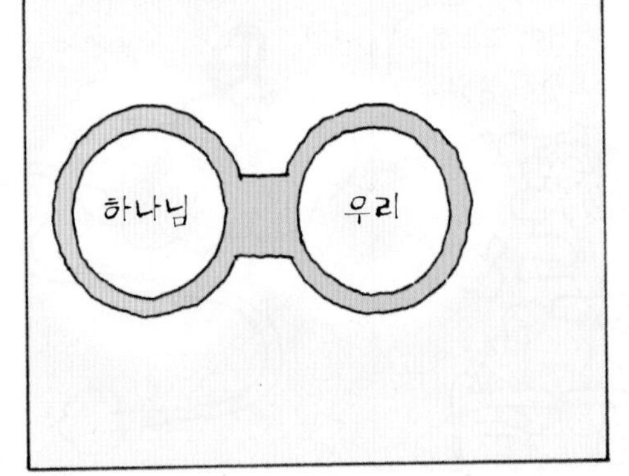

또 '우리를 향하신 하나님의 뜻은 무엇인가' 하는 것이어야 해

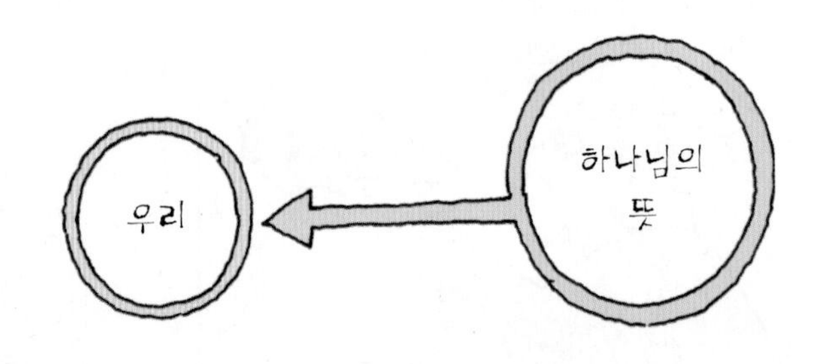

하나님에 대하여 회의하고 공허한 질문과 공상을 즐기는 사람의 공통적인 특성이 있어

바로 경건한 마음이 없다는 거야

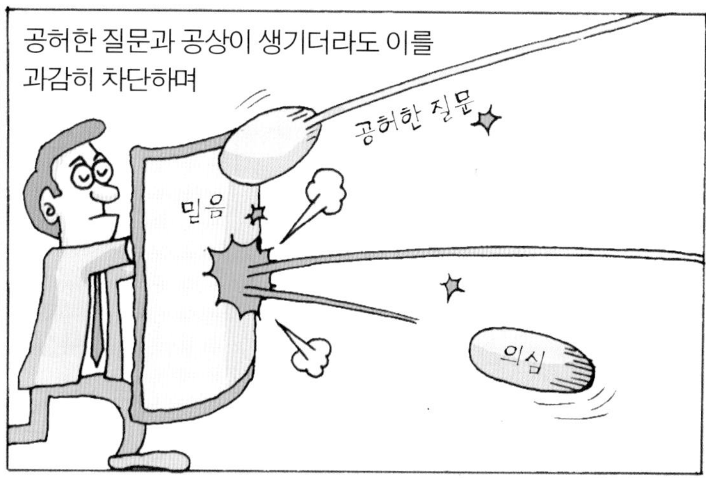

이처럼 경건한 사람은 범사에 하나님의 권위를 인정하고 그의 위엄을 존중하며 그의 영광을 드러내는 데 온 마음을 기울이게 된다구

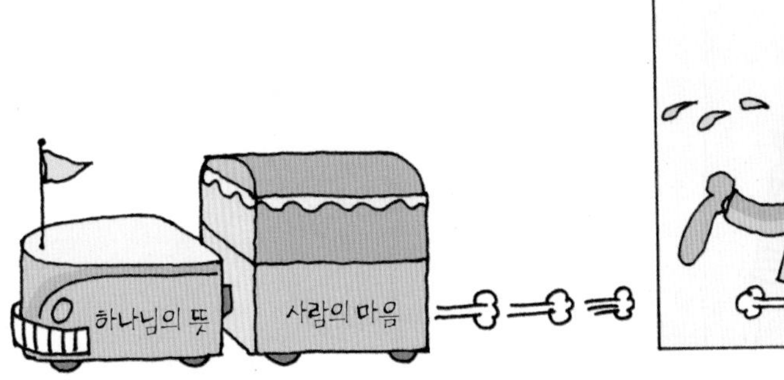

그의 계명들에 순종하는 것을 당연하게 생각해

하나님을 아는 지식과 경건이 결합된 곳에만 참된 신앙이 있다는 것을 명심하라구

하나님을 아는 지식

경건

신앙

경건의 열매는 뭘까?

바로 참된 예배와 헌신이야

하나님은 하나님을 아는 지식과 경건을 갖춘 자들이 드리는 예배를 찾고 계셔

2장 '줄거리 보기'를 읽고 3장으로 넘어가자구

✤ 1권 2장 원전 줄거리 보기

경건

하나님을 안다는 것은 무엇이며, 이 지식의 목적은 무엇인가

1. 경건은 하나님에 관한 지식의 필수 조건이다
2. 하나님에 관한 지식은 신뢰와 경외를 포함한다

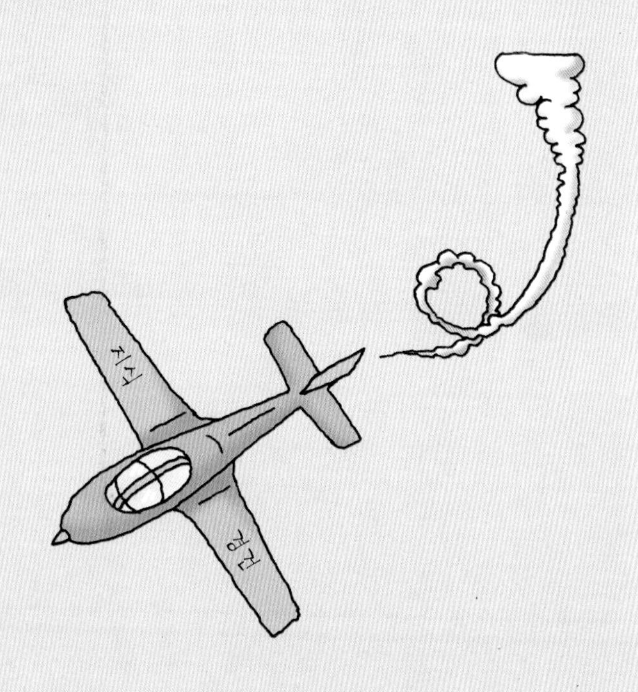

✤ 이상의 내용은 생명의말씀사에서 출간한 칼빈의 **기독교 강요** 원전(전 4권) 각 장의 세부 항목을 모아놓은 것이다.

CHAPTER 3

종교의 씨앗

어떤 사람이 죽어서 하나님의 심판대 앞에 서게 되었어

이 사람은 별다른 이유도 없이 심판을 받게 되었지

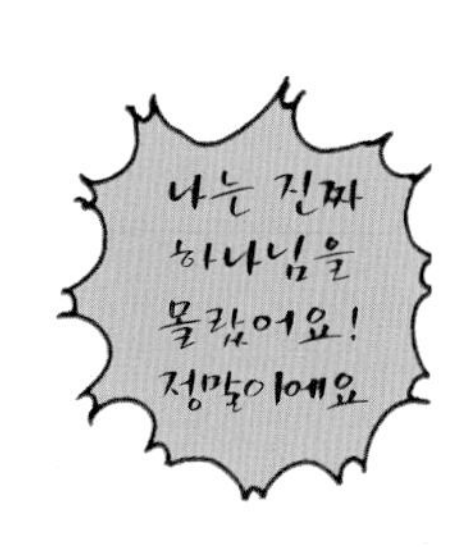

이런 사람은 어떻게 될까?

그래도 심판에 처해져서 영원한 벌을 받게 돼

몰라서 그랬다는데 왜 심판을 받냐구?

사람들의 마음속에는 하나님을 아는 지식이 이미 심겨져 있기 때문이야

사람은 태어나면서부터 그 마음속에 종교심과 양심을 가지고 태어났어

하나님을 알 수 있는 지각과 선악을 구별할 수 있는 분별력을 가지고 있다는 거야
하나님을 아는 지각
분별력

그것을 어떻게 알 수 있냐구?

아프리카나 아마존의 밀림에서
사는 원주민들을 생각해 봐!

그들도 종교를 가지고 있잖아?

그들은 우리보다 더 뜨거운 종교적 열심을 가지고 있어
신이시여!

동서고금을 막론하고 종교가 없는 나라, 도시, 가족은 없어

세상이 왜 우상들로 가득 차 있겠어

그게 다 하나님으로만 채워야 할 공간을 우상으로 채운 거 아니겠어

하나님으로만 채울 공간

우상을 숭배하는 것을 보면 하나님에 대한 관념이 모든 사람의 마음속에 이미 심겨져 있다는 것을 알 수 있어.

하나님을 아는 의식이 마음에 새겨져 있다는 무언의 고백이지

사람들 마음속에 종교의 씨앗이 심겨져 있다는 것은 명백한 사실이야

몇몇 무신론자들은 종교를 머리 좋은 사람들이 만들어 낸 고도의 발명품이라고 말하는데

씨앗이 있어야 싹이 날 수 있듯이

사람들의 마음속에 종교심이 없다면

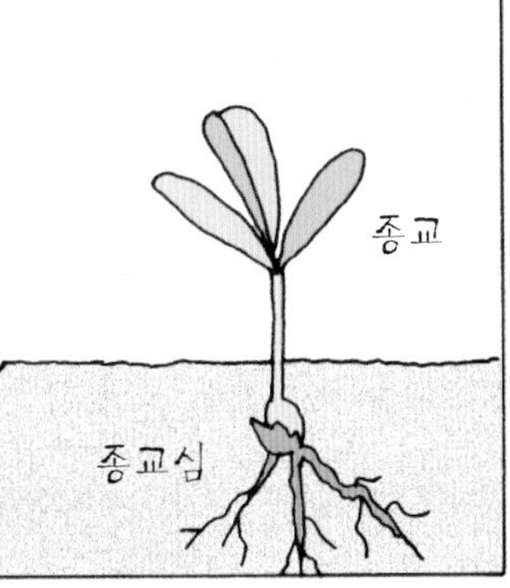

종교를 빙자한 거짓말이 먹혀들 리 있겠어?

종교를 만들거나 혹은 종교에 대해 논하는 것 자체가

어렴풋하게나마 하나님의 존재에 대해 알고 있다는 증거야

하나님을 담대하게 대적했던 로마 황제 칼리굴라도

세상에 하나님이 어디 있단 말인가? 있으면 나와 봐!

멍청한 백성들아! 있지도 않은 신을 믿지 말고 차라리 나를 믿으라!

이런 불한당도 천둥만 치면 무서워서 침대 밑으로 기어들어 갔어

대담하게 하나님을 멸시하는 사람일수록 나뭇잎 떨어지는 소리에도 놀라 도망친다니까

끄악!

물론 전혀 종교심이 없어 보이는 사람도 있어

그들은 분명히 술에 취했거나 마취가 되었거나

흥분하여 잠시 양심의 불안에서 해방된 것뿐이야

그들도 정신을 차리고 나면 하나님에 대한 지식 때문에 몹시 불안해하고 두려워해

세상에는 무신론자를 자처하는 사람들이 수도 없이 있어 왔어

그러나 진정한 의미에서 무신론자는 존재하지 않아

무신론자일수록 그들의 양심은 불안에 떨며 벌레에 파먹힌 과일처럼 병들었어

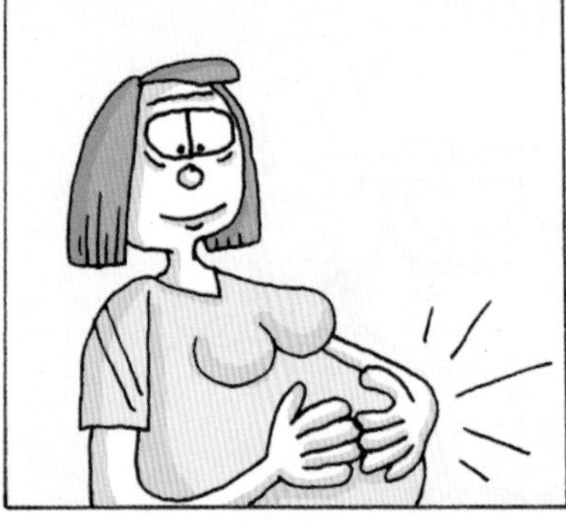
하나님에 대한 지식은 모든 사람들이 어머니 뱃속에서부터 배운 것이거든

그것은 잊으려고 애쓸지라도 절대 잊을 수가 없어
← 종교의 씨앗

없애려고 하면 할수록 하나님에 대한 지식은 도리어 점점 더 무성해지지
하나님을 아는 지식

그릴루스는 이렇게 말했어!
"종교 없이 사는 사람은 짐승보다 조금도 나을 것이 없고 오히려 훨씬 더 못하게 될 것이다
불신자

그들은 수많은 죄악에 붙잡혀 끊임없는 혼란과 불안 속에서 살아가게 될 것이다"
미치겠네
죄

사람이 짐승과 구별되는 것은 한 가지 하나님을 바르게 경배하는 것뿐이야

하나님~
왜 저에게는 하나님을
아는 지식을 주지
않으셨나요~

✤ 1권 3장 원전 줄거리 보기

종교의 씨앗

하나님에 관한 지식은 본래부터 인간의 마음속에 뿌리 박혀 있었다

1. 이 자연적 은사의 특성
2. 종교는 임의의 발명품이 아니다
3. 실제적인 불신앙은 불가능하다

✤ 이상의 내용은 생명의말씀사에서 출간한 칼빈의 **기독교 강요** 원전(전 4권) 각 장의 세부 항목을 모아놓은 것이다.

CHAPTER 4

부패한 종교의 씨앗이 맺은 열매

우리 마음에 심겨진 종교의 씨앗은 어떻게 되었을까? 잘 자라 열매를 맺었을까?

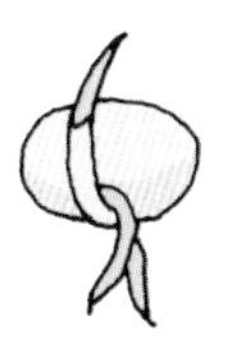

아니야. 씨앗은 부패했고 방치되어 악한 열매만 맺고 말았지

종교의 씨앗을 마음속에 소중히 간직해서 키우고 있는 사람은

백 사람 가운데 한 사람도 찾아보기 힘들어. 실제로 씨앗을 무르익게 해서 열매 맺은 사람은 단 한 사람도 없지

부패한 종교의 씨앗이 맺은 열매들은 다 악한 열매들이야. 그 중의 하나가 미신이야

미신은 하나님에 대한 호기심과 공허한 사색이 합작해서 만들어 낸 것이지

마음속에 심긴 하나님에 대한 지식이 부패했기 때문에

선한 열매를 맺지 못하고 미신이란 열매를 맺고 말았어

왜 종교의 씨앗이 부패했냐구?

바로 죄 때문이야. 죄가 마음에 교만과 허영, 어리석음과 게으름, 호기심과 억측을 집어넣어

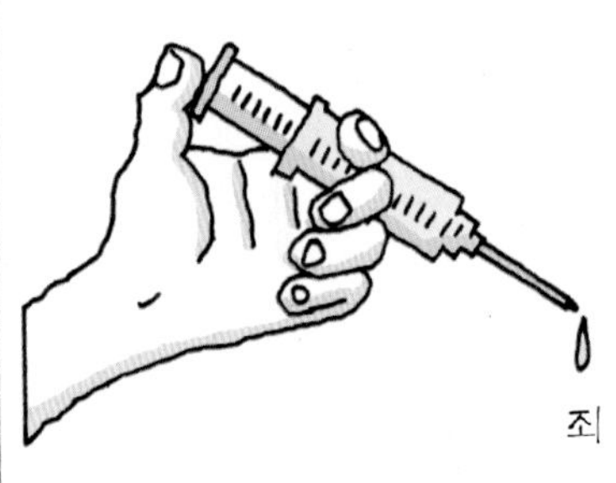

종교의 씨앗을 부패하게 만들었어

죄 때문에 인간의 마음이 각종 미신들의 운동장이 되버린 거야

사도 바울은 죄로 병들어 부패해진 인간의 마음을 이렇게 말했어

사람들의 생각은 허망해지고

마음은 어두워졌으며

머리는 우둔하게 되었다
(롬 1:21, 22)

사람이 죄인인 것을 깨닫고 그 죄 문제를 해결받
기 전에는 그 누구도 미신에서 벗어날 수 없어
미신

부패한 지식이 맺은 악한 열매 중
또 하나가 외면이야. 외면은 무엇일
까?
뿡~
하나님

마음에 심겨진 하나님에 대한 지식을
애써 잊으려는 거야
기억이
안 납니다
모르겠
습니다

어리석은 자들이 그 마음에 하나
님은 없다고 생각하지(시 14:1,
53:1)
잠이나
잘게

경건치 못한 자들이
고의적으로 하나님을
외면하며

어리석은 자들이 마음에 심겨진 하나님에 대한 모든 기억들을 미친 듯이 지워 버리려고 해

그러나 이미 마음에 심겨진 하나님에 대한 지식은 아무리 지우려고 해도 지워지지 않아

이런 사람들도 있어. 하나님의 존재는 인정하는데

하나님이 세상을 섭리하신다는 것은 인정하지 않아. 더군다나 우리가 죽으면

하나님이 선악간에 각각 심판하신다는 것은 더 더욱 인정하지 않지

하나님의 존재만 인정하고 섭리와 심판을 믿지 않는 것은

하나님을 부인하는 것과 다를 바가 없어

사람들이 하나님의 존재만 인정하고 심판과 섭리를 머리 속에서 지워 버리려고 애쓰는 이유가 있어

그게 다 양심의 가책 없이 마음껏 쾌락을 추구하며 살려는 악한 생각 때문이야
쾌락

종교의 씨앗이 부패해서 맺은 또 하나의 악한 열매는 망상이야

망상이 뭐냐구?
먹는 거예요?

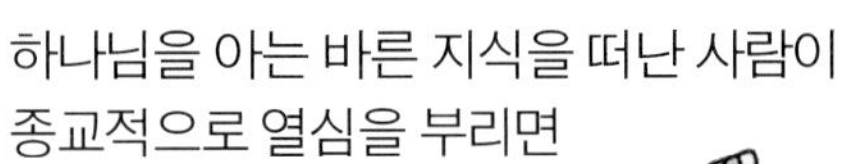
하나님을 아는 바른 지식을 떠난 사람이 종교적으로 열심을 부리면 그것이 망상이야

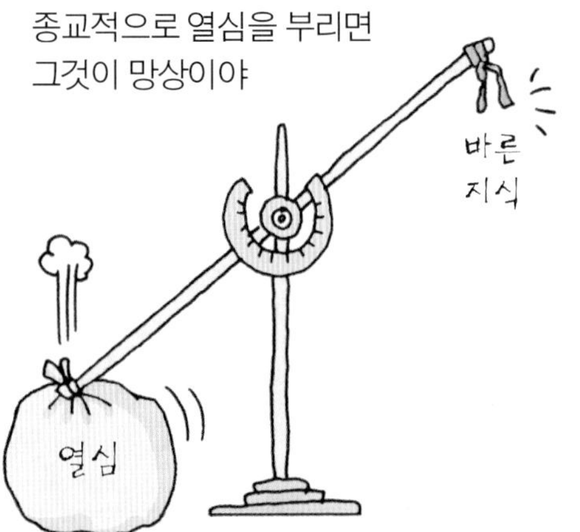
바른 지식
열심

망상에 사로잡힌 자들은 하나님을 버리고 자기가 발명해 낸 하나님을 예배하고 찬양해
주여~

락탄티우스가 이렇게 말했지.
“진리와 일치하지 않는 종교는 종교가 아니다”
진리
종교

자기가 만든 신을 열심으로 섬기는 자들에게 남는 것은 저주밖에 없어
쾅

✤ 락탄티우스 (240? - 320?)

기독교 변증가. 북아프리카 출신으로 300년경 기독교로 개종하였다. 기독교 박해가 시작되자 신학 저술에 전념하였고, 밀라노 칙령 이후 콘스탄티누스 황제 아래에서 종교 정책 수행을 도왔다.
대표작 신의 교훈은 반기독교적 글들에 대한 철학적 반론으로 그리스도인의 생활 태도를 체계적으로 설명한 글이다.

신앙 생활은 또 하나의 의무지
의무
지겨워!
교회

예배 보러 갈 때도 끌려서 가고
교회

기도도 어쩔 수 없이 하고
나의 올무
기도

이런 사람들은 지옥이 두려워서 하는 수 없이 신앙 생활을 하는 거야…
지옥만 없다면…
신앙 생활
심판에 대한 두려움

위선자들도 하나님을 두려워하긴 하지만 사랑에서 나온 두려움이 아니라

하나님의 심판 때문에 생긴 노예적인 두려움이야
공포
두려움

심판에 대한 공포 때문에 마지못해 하나님을 섬기는 척하는 거야. 위장된 예배 의식과 제물과 제사로 하나님의 심판을 피해 보려고 하는 것이지

두려움

예배
제사

겉으로는 하나님과 가까이하고 있는 것 같지만 사실은 자기를 사랑하고, 하나님을 섬기는 것처럼 보이지만 실제로는 자기 욕망을 섬기고 있지

정리해 볼까? 우리 안에서 하나님에 대한 지식이 완전히 상실되지는 않았지만 결국 미신, 외면, 망상, 위선의 악한 열매를 맺은 것을 볼 때 종교의 씨앗이 완전히 부패했다는 것을 알 수 있어

✤ 1권 4장 원전 줄거리 보기

부패한 종교의 씨앗이 맺은 열매

하나님에 관한 지식은 부분적으로는 무지, 부분적으로는 악의로 말미암아 질식 혹은 부패되었다

1. 미신(迷信)
2. 하나님에 대한 의식적인 외면
3. 우리는 자신의 망상에 따라 하나님을 만들어 내서는 안 된다
4. 위선

✤ 이상의 내용은 생명의말씀사에서 출간한 칼빈의 **기독교 강요** 원전(전 4권) 각 장의 세부 항목을 모아놓은 것이다.

CHAPTER 5

미신과 오류에 의해 질식된 하나님을 아는 지식

예쁜 색시 얻어 그림 같은 집에서 토끼 같은 자식 낳고 사는 것일까?

아니야. 인간의 행복은 하나님을 아는 데 있어

하나님도 사람들이 행복하기를 바라시기 때문에

그것으로도 부족해서 밖에서도 하나님을 알 수 있도록 우주 만물에 자신을 계시하셨지

그리고 온 땅과 바다 속에 가득 찬 삼라만상이

하나님의 지혜와 권능과 거룩하신 성품을 드러내 주고 있어

이 세상에서 가장 미련한 사람이라도

우주 만물을 보면서 하나님을 생각하지 않을 수는 없을 거야. 성경에도 "주께서 옷을 입음같이

빛을 입으시며"(시 104:2)라는 표현이 있어

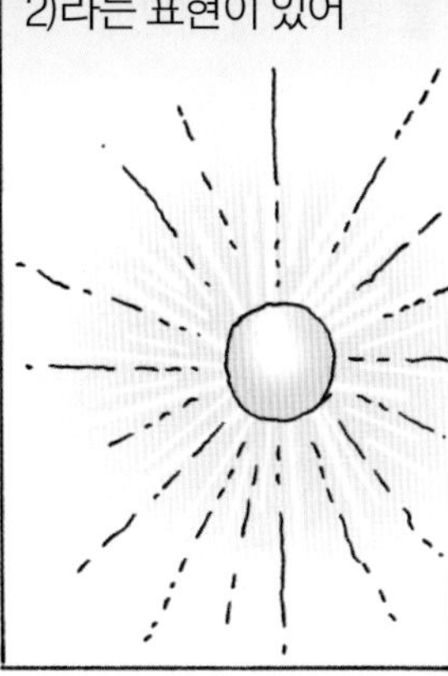

하나님이 창조하신 빛은 하나님을 보여 주는 화려한 의복이야

눈을 들어 보면 우주의 어느 한 구석도 하나님의 영광이 섬광처럼 빛나지 않는 곳이 없어. 아무리 못 배운 사람이라도 우주 만물을 보면서 하나님의 위대하심을 느끼지 않을 수 없지

과학자나 천문학자, 의학자 등이
자연을 연구하면서도
영감이
떠오르지 않아

하나님을 깨닫지 못하고 진화론 운운하는 것은
기적에 가까운 비극이야
우리
조상님
이십니다
쑥쓰~
찰스 다윈

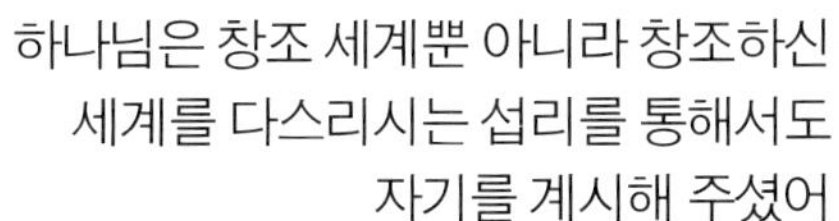
하나님은 창조 세계뿐 아니라 창조하신
세계를 다스리시는 섭리를 통해서도
자기를 계시해 주셨어

창 조
섭 리

하나님은 물의 경계를 정하시고

별들의 운행을 주
관하시며

계절과 일자와 연한을 다스리시며

만물을 먹여 살리고 계셔
하나님,
고마워요

역사를 총정리해서 보면 결론적으로 하나님은 악인은 벌주시고 선인을 상주셨으며

이렇게 하심으로 이 땅에 정의가 존재한다는 것을 만천하에 알리셨어

이처럼 하나님은 우리 주변에서 일어나는 모든 일들을 하나도 빠짐없이 주관하고 친히 다스리신다구

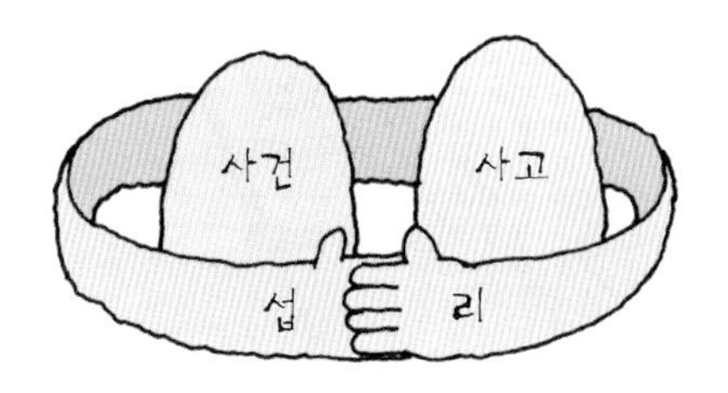

하나님의 섭리는 인간의 가장 사소한 일과 악인의 악행에까지 미쳐. 악인은 스스로 악한 목적을 위해 악을 행하지만

하나님은 그런 것까지도 섭리하셔서 자신의 선하신 뜻을 이루시지

요셉의 형들이 요셉을 팔아먹을 때도 그리하셨고

예수님이 십자가 처형을 당하시는 동안 그 주변의 악당들이 악을 행할 때도 그리하셨어

우리 눈에는 모든 것이 정치적, 경제적, 사회적인 일로 보일지 몰라도

모든 일들이 다 하나님의 섭리 안에 있는 거야

사람들은 우연을 좋아하지만 세상 만물은 엄연히 하나님의 섭리로 다스려 진다구
우 연

하나님의 계시를 멀리서 찾으려고 하지 말고 가까이서 찾아볼까?
내려 오세요

사람의 몸만큼 하나님의 창조와 섭리의 신비가 잘 드러나는 곳도 없어
나는 최고의 걸작품

사람의 몸을 소우주와 같다고 하잖아

옛 철학자들도 우리가 인간의 몸에 대해서 조금만 관심을 가진다면 몸을 통해 인간을 만드신 조물주를 만날 수 있다고 했어
그럼, 만날 수 있구 말구

인간의 뼈를 생각해 봐. 뼈가 둥근 관 모양을 하고 있지? 그 뼈가 철근 기둥보다 더 단단하다는 거야

그뿐이 아니야. 인간은 우주 만물이 갖지 못한 영혼을 갖고 있어. 사람에게는 영혼만의 독특한 활동이 따로 있는데

갖고 싶다, 영혼…

꿈깨라, 친구야

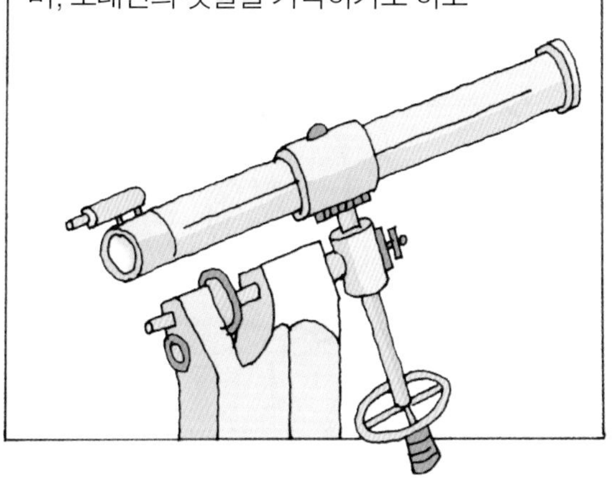

아름다운 시와 음악과 사상들을 만들어 내는 것은 인간이 영혼의 존재이기 때문이야

하나님께 기도하고 교제하는 것도 영혼의 존재인 인간만이 할 수 있는 특권이지

정리해 볼까? 하나님은 자신을 알리시기 위해 먼저 우리 마음에 종교의 씨앗을 두셨고,
또 우주 자연 만물을 통해, 인간의 역사를 통해, 사람의 몸을 통해 자신을 확실히 계시하셨어

그러므로 사람들은 하나님이 만들어 놓으신 우주 만물과 인류 역사
1. 우주 만물
2. 인류 역사
3. 사람의 몸

그리고 사람의 몸을 통해 하나님을 만날 수 있지

그런데 죄가 우리의 눈을 멀게 한 거야
죄

마치 이 세상은 불 꺼진 극장 안에 있는 관객과도 같아서 누구도 하나님을 볼 수 없게 되었어. 극장이 아무리 화려하고 아름답게 치장되어 있다 하더라도 불이 꺼져 있으면

죄로 인해 시력을 빼앗긴 사람들은 아무것도 볼 수 없게 되었어

하나님을 놔두고 사람들이 만들어 낸 이런 저런 신들이
서로 자기가 하나님이라고 싸우는 형국이 된 거야

어떤 사람들은 이런 싸움이 보기 싫다고
자기는 아예 무신론자라고 우기고 있어
무신론자가
상팔자야
싫다! 싫어!

죄 아래 있는 사람들은 참 하나님 대신 다른 신을 만들
어서 섬겼지
₩
God

성령이 가르쳐 주시는 참 하나님을
예배하지 않고

자기도 알지 못하는 신을 예배한 거야. 참으로 무익하고 허망한
짓을 한 거지
주님,
아시지요?
한심하다

그러므로 죄에 대한 책임은 전적으로 사람에게 있어

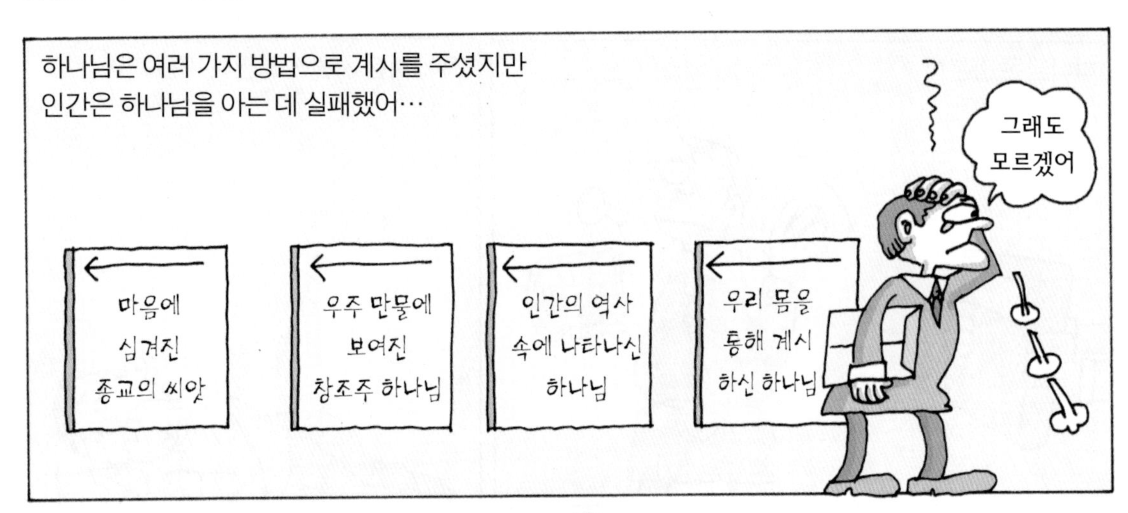

이런 인간에게 하나님은 어떻게
그 사랑을 보여주셨을까?

5장 '줄거리 보기'를 읽고
그 다음 6장에서 만나자

✤ 1권 5장 원전 줄거리 보기

미신과 오류에 의해 질식된 하나님을 아는 지식

하나님에 관한 지식은 우주 창조와 그 계속적인 통치에서 빛을 발한다

1. 하나님의 자기현현(自己顯現)은 명백하기 때문에 어떠한 변명도 허용되지 않는다
2. 하나님의 지혜는 온 인류에게 제시되었다
3. 인간은 신적(神的) 지혜의 최상의 증거이다
4. 인간은 배은망덕하게 하나님을 대항한다
5. 피조물과 창조주의 혼동
6. 창조주는 자신의 주(主) 되심을 창조에서 계시하신다
7. 하나님의 통치와 심판
8. 하나님의 주권은 인간의 생활을 지배한다
9. 우리는 머리로 하나님을 생각할 것이 아니라 그 하신 일을 보고 숙고해야 한다
10. 하나님에 관한 지식의 목적
11. 창조물에는 하나님의 증거가 나타나 있지만 우리에게는 아무 유익도 주지 못한다
12. 하나님의 현현은 인간의 미신과 철학자들의 오류에 의해서 질식되었다
13. 성령은 인간이 고안해 낸 일체의 예배 행위를 거절하신다
14. 자연에 나타난 하나님의 현현(顯現)은 인간에게 아무것도 말해 주지 못한다
15. 어떠한 변명도 용납되지 않는다

✤ 이상의 내용은 생명의말씀사에서 출간한 칼빈의 **기독교 강요** 원전(전 4권) 각 장의 세부 항목을 모아놓은 것이다.

CHAPTER 6

안내자요 교사로서의 성경

하늘에서나
땅에서나
하나님의 영광이
눈부시게 비치고
있지만

사람은 죄로 가려져서 그 빛을 볼 수 없게 되었다는 것, 이제 알았지?
왜 이리 컴컴하노…

그래서 하나님은 또 다른 빛을 주셨는데

그 빛이 '말씀의 빛' 이야

인간이 하나님 앞에 나아가는 유일한 길을 가르쳐 주는 것이 바로 성경이야
따라 오세요
성경
하나님

사람들은 성경을 통해서만 온 땅에 가득한 하나님의 영광을 볼 수 있어
성경
심봤다

성경을 뭘로 설명할까?

그래, 바로 안경과 같아

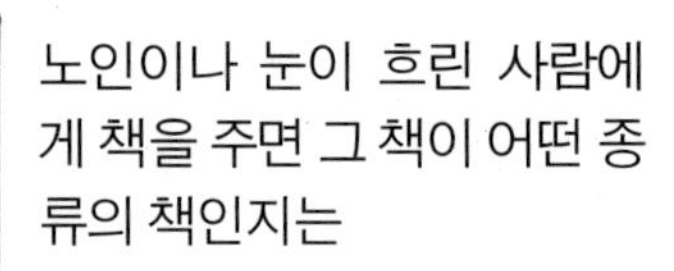
노인이나 눈이 흐린 사람에게 책을 주면 그 책이 어떤 종류의 책인지는

겨우 알 수 있겠지만 낱말 해독은 불가능하지
보여야 읽지

그러나 안경을 써봐. 똑똑하게 읽어 내려갈 수 있잖아

성경은 안경처럼 하나님에 대한 혼란한 지식을 우리 마음에서 바로잡아 주고
← 성경
진리
믿음

우둔함
우리의 우둔함을 쫓아 버리며 참 하나님을 보여주지

자연이 침묵하는 교사라면

성경은 말하는 교사야

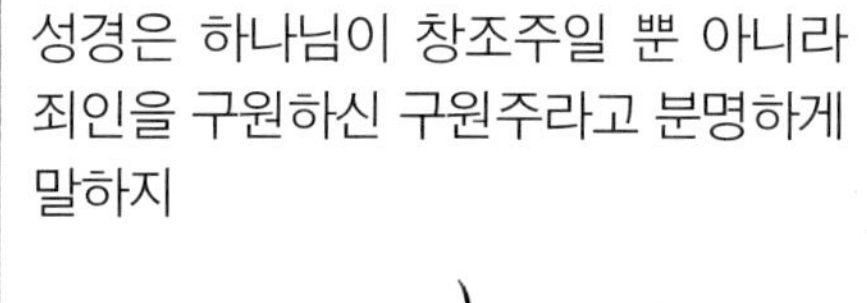
성경은 하나님이 창조주일 뿐 아니라
죄인을 구원하신 구원주라고 분명하게
말하지

창조주
구원주

자연과 역사를 통해서는 구원주의 지식을 얻어낼 수 없지만
이걸 보고 어떻게 하나님을 알 수 있지
그러게

성경은 가장 확실하고 단순하게
하나님의 구원주 되심을
선포하고
있어

하나님은 옛적에 말씀, 꿈, 일 등을 통해
자신이 누구인지를 가르쳐 주셨어
하나님, 제가 여기 있습니다. 말씀하세요

아브라함 등 믿음의 조상들은 직접 말씀하시는 하나님을 통해 믿음을 갖게 되었지

하나님은 그 진리들을 기록으로 남겨 세상에 영원히 남겨질 수 있도록 하셨는데

그것이 이스라엘에게 주신 율법과 선지서야

그리고 예수 그리스도를 통해 그 말씀들을 완성하셨어

예수 그리스도

구약

하나님의 말씀을 통해서만 비로소 창조주 하나님과 화목하는 방법을 알게 되는 거야

하나님의 말씀

불경

코란

공자

성경이야말로 하나님이 사람을 배려하신 가장 탁월한 섭리 중 하나야

인간은 죄악된 본성이 있기 때문에 가만히 놔두면 하나님을 잊어버리고 하나님을 나름대로 날조해 버리며

이게 하나님 인가?

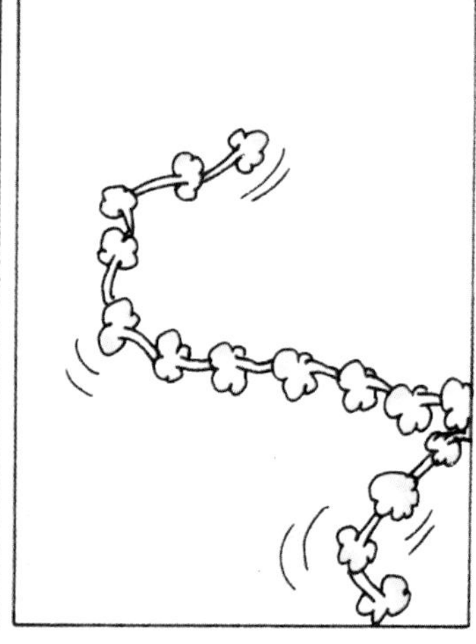

성경을 펼치지 않고 하나님을 알겠다고
하는 사람은 모두
난! 성경
필요 없어

필연적으로 오류에
빠질 수밖에 없어

오류에 빠져 전속력으로 달려가는 것보다
오류

절면서 천천히 걷더라도 진리의 길을 가는 것이 낫지 않겠어?
진리

우주 만물이 하나님의 영광을 선포
하지만

말씀이 없는 자들은 두려워 떨면서 스스로 신을 만들어 숭배할 거야

하지만 말씀이 있는 자들은 하나님의 위엄을 느끼고 하나님을 찬양하며 예배할 거라구

그래서 그리스도인들의 입에만 하나님께 돌리는 영광이 있고

교회 안에만 하나님에 대한 바른 노래와 예배가 있는 거야

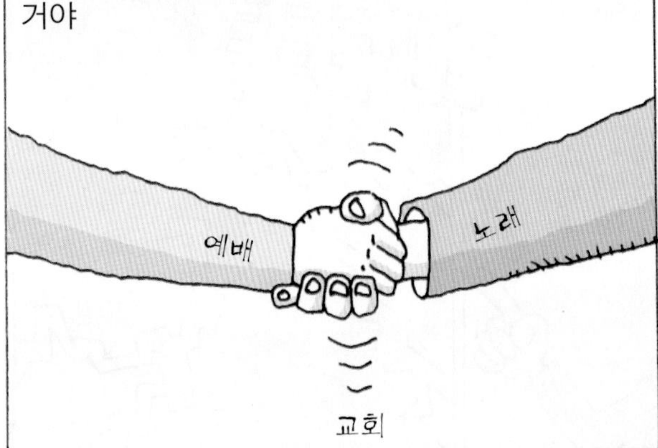

인간의 마음은 하나님의 거룩한 말씀으로만 하나님께 도달할 수 있거든

✤ 1권 6장 원전 줄거리 보기

안내자요 교사로서의 성경

성경은 창조주 하나님을 알게 하는 안내자요 교사로서 필요하다

1. 하나님이 실제적으로 자신을 알리신 것은 성경에서뿐이다
2. 하나님의 말씀으로서의 성경
3. 성경을 떠나면 오류에 빠지게 된다
4. 창조의 계시가 전할 수 없는 것을 성경은 전할 수 있다

✤ 이상의 내용은 생명의말씀사에서 출간한 칼빈의 **기독교 강요** 원전(전 4권) 각 장의 세부 항목을 모아놓은 것이다.

CHAPTER 7

성경과 교회의 관계

종교개혁 정신 중의 하나가 '오직 성경'인 것은 알고 있지? 로마 가톨릭이 교회를 최고의 권위로 믿을 때

오직 성경
종교개혁자들은 성경을 최고의 권위로 믿었어

성경의 권위는 어디서 온 거냐구?

당연히 하나님으로부터 온 것이지
성경의 저자는 성령님 이시다!

교회가 성경에 권위를 부여한 것이 아니야
이의 제기

교회가 있기 전에 이미 성경이 있었거든
성경
교회
7.8.2003
이런 것이 아니야~

사람들이 오해하고 있는 것이 있는데

성경의 권위를 교회가 승인해 준 것으로 생각하는 거야
나도 그런 오해는 안한다

정경으로 승인한 곳이 교회가 아니냐구? 아니야

태초부터 있었던 진리의 말씀이 어떻게 인간의 결정에 의해 좌우될 수 있겠어

그래도 교회가 성경을 만들지 않았냐구? 합리적이고 맞는 말 같은데 아니야. 내 말을 들어 봐

사람들이 책을 모아서 성경을 편집했다는 생각은 하나님의 섭리를 배제시킨 매우 위험한 생각이야

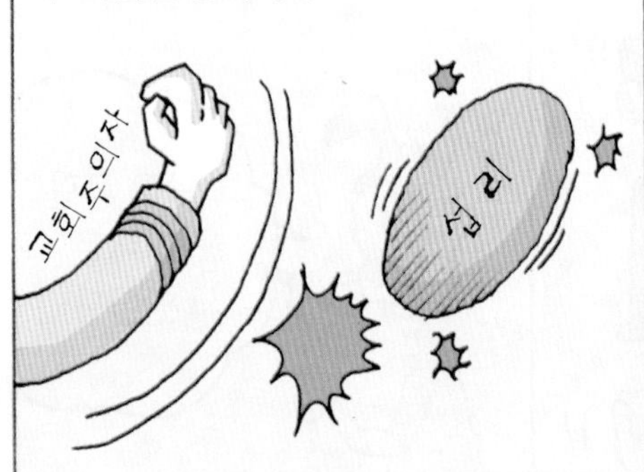

교회는 사람들의 모임이기 때문에 불완전해

불완전한 교회가 성경을 재고 자르고 짜깁기하였다면 성경도 불완전하다는 결론이 나온다구

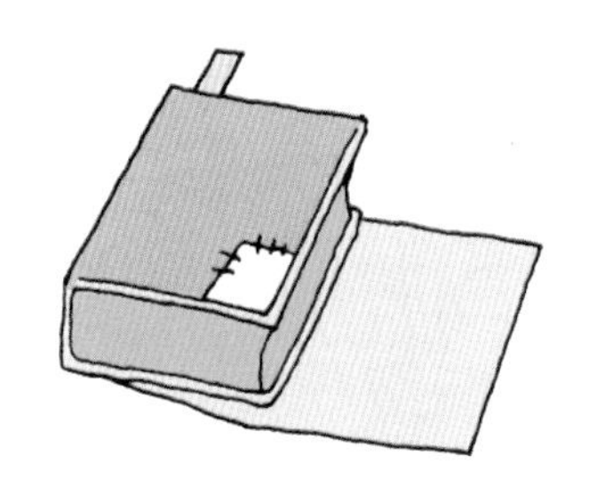

세상의 불신자들도 우리의 신앙을 의심하고 조롱할 수밖에 없어

성경은 교회가 인정하건 안하건 상관없이 하나님의 말씀이야

다시 말하지만 성경이 먼저 있었고 후에 교회가 있었어

성경은 교회가 존재하기 훨씬 이전에 이미 존재했다구

하나님의 말씀은 천지가 창조되기 이전부터 있었잖아?

성경은 하나님의 말씀이기 때문에 사람들이 지어낸 세상의 수많은 글들로부터 자기를 스스로 '나는 하나님 말씀이다' 라고 선포해

성령이 교회를 감동시키시고 인도하셔서 교회로 하여금 정경 66권을 받아들이게 하신 거야

성경이 하나님의 말씀인 것을 확실하게 증거해 주는 것이 무엇일까?

바로 성령이야

선지자들이 하나님으로부터 받은 말씀을 기록하고 선포한 것이 성경인데

여보쇼, 보이지도 않는 성령이 증거가 된다니! 무슨 뚱딴지 같은 소리요?

그들이 어떻게 성령의 역사를 알겠어?

성령이
어디다 쓰는
물건인데?

우리를 말씀 앞에
순종하지 않을 수 없게
만들 거야
할렐루야~

불신자들은 성경을 볼 때 왜곡된 눈과 불결한 정신과 삐딱한 마음으로 보기 때문에 성경을 성경으로 볼 수 없어
뭐가 뭔지 통 모르겠어

다시 말하지만 성령의 내적 가르침을 받은 사람만이 성경을 신뢰할 수 있어

성경이 그 문체나 주제나 내용에 있어서 위대한 것이기는 하지만
놀라워라

사람의 이성이나 의지로 성경이 하나님 말씀이라고 받아들일 수는 없는 거야
난 못 믿겠어

우리가 성경을 하나님의 말씀이라고 믿는 것은
성령이 성경을 하나님의 말씀이라고 깨우쳐 주셨기 때문이지
성령
보인다!

제아무리 뛰어난 자라 하더라도 하나님이 깨우쳐 주시지 않으면
노벨상 수상자
철학자
교수

성경을 하나님의 말씀으로 인정할 수도 없고 사랑할 수도 없어
얍!

성경을 하나님의 말씀으로 믿는 자는 어떻게 될까? 말씀 앞에 자발적으로 나가게 되지
룰루랄라~
하나님

나도 가리라… 주의 길을 가리라 주님의 말씀 앞으로 가리라
같이 가

⚜ 1권 7장 원전 줄거리 보기

성경과 교회의 관계

성경은 반드시 성령의 증거로 확증되어야 한다. 그러면 그 권위는 확실한 것으로 확립될 수 있다. 그리고 성경의 신빙성이 교회의 판단에 의해 좌우된다는 것은 악랄한 거짓이다

1. 성경의 권위는 하나님으로부터 온 것이지 교회에서 온 것이 아니다
2. 교회의 기초는 성경이다
3. 어거스틴의 말을 반증(反證)으로 내세울 수 없다
4. 성령의 증거는 다른 모든 증거보다 강하다
5. 성경은 자증(自證)한다

⚜ 이상의 내용은 생명의말씀사에서 출간한 칼빈의 **기독교 강요** 원전(전 4권) 각 장의 세부 항목을 모아놓은 것이다.

CHAPTER 8

성경의 신빙성

성경의 언어들은 대부분 순수하고
겸손한 표현으로 되어 있으며 화려
한 웅변이 없어

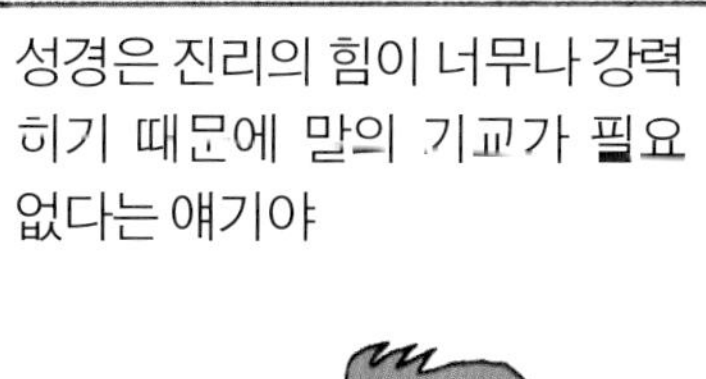

노자의 도덕경, 셰익스피어의 4대 비극을 읽어 보라구!
영국의 자랑이죠
4대 비극
셰익스피어

오~위대한 인간의 작품들이여!

좋아. 그들의 글을 읽은 다음 성경을 펼쳐 보라구!

어느새 사람들이 쓴 책들이 준 감동은 소리도 없이 사라지고
헉

우리 마음엔 성경의 진리가 찬란하게 빛나고 있어
유레카!

성경의 문장 안에는 인간으로서는 도저히 이해할 수 없는 지혜와 사상이 가득 담겨 있거든
명철
지혜
생명
사상
성경

사랑스러운 나의 성경

별것도 아닌 것 가지고 잘난 척하기는~

성경을 쉽게 무시하는 사람은 내용을 평가할 수 있는 능력이 전혀 없는 사람이거나

정신이 나간 사람이야

그리스의 저작자들이 애굽 신화에 대해 많이 말하고 있지만, 실상 모세 시대보다 훨씬 후대의 것 외에는 종교의 유적이 하나도 남아 있지 않아

모세가 수백 년 전의 조상 아브라함이 하나님으로부터 받았던 약속과(창 17:7)

애굽에서의 400년간에 걸친 노예 생활을 기록한 것을 보면

모세의 글들은 먼 옛날까지 거슬러 올라가야 해

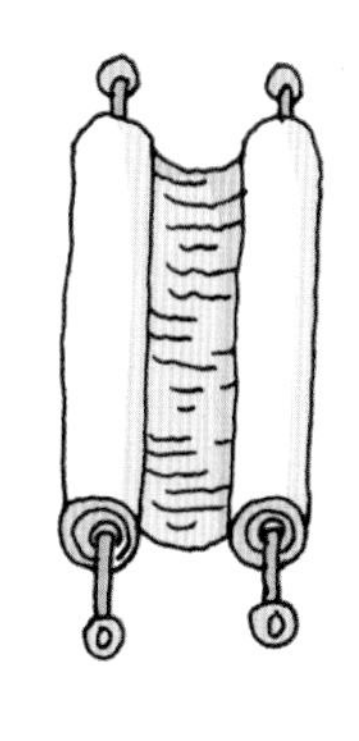

세상에서 이만큼 오래된 기록을 찾아본다는 것은 대단히 어려운 일이야

모세는 300여 년 전의 야곱의 예언을 전하면서

자기 종족인 레위 지파에 영원한 오명의 낙인을 찍어 버렸어

"시므온과 레위는 형제요 그들의 칼은 잔해하는 기계로다 내 혼아 그들의 모의에 상관하지 말지어다

내 영광아 그들의 집회에 참예하지 말지어다"
(창 49:5, 6)

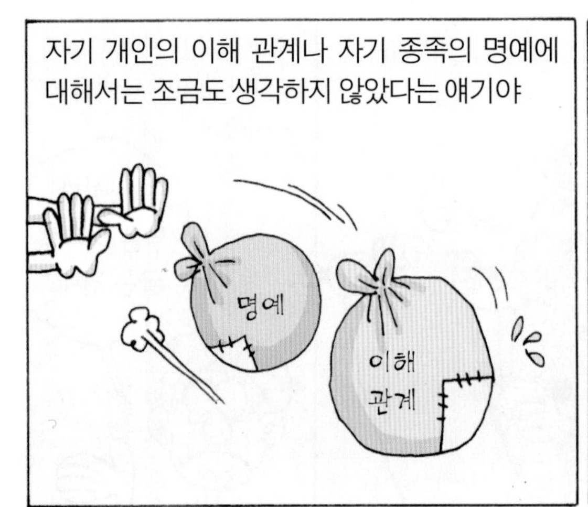

그는 최고의 권위에 있으면서도 자기 아들을 내제사장의 지리에 앉히지 않았어. 오히려 가장 낮은 자리에 두었지

여러 모로 보아 모세는 성경을 스스로 기록한 것이 아니라

하나님의 대언자로서 기록한 것이 분명해

성경만큼 이적이 많이 기록된 책은 아마 세상에 없을걸!

일일이 언급할 수 없을 만큼 많아

모세만 해도 그래

애굽을 친 열 가지 재앙이라든지

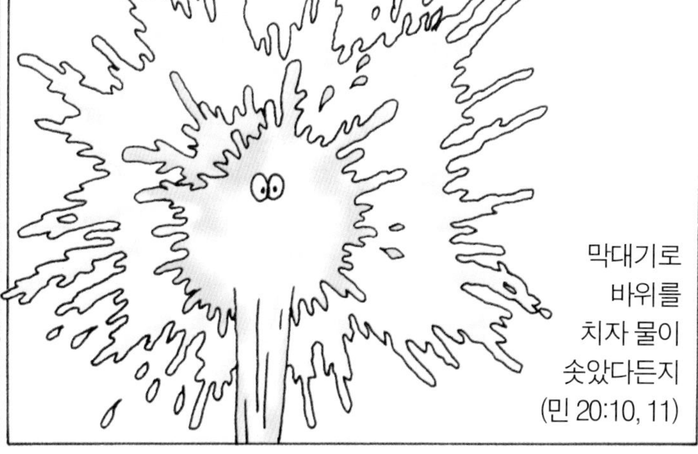

막대기로 바위를 치자 물이 솟았다든지 (민 20:10, 11)

이 수많은 능력과 기적들은 모세가 바로 하나님의 사자임을 증명하는 것들이야

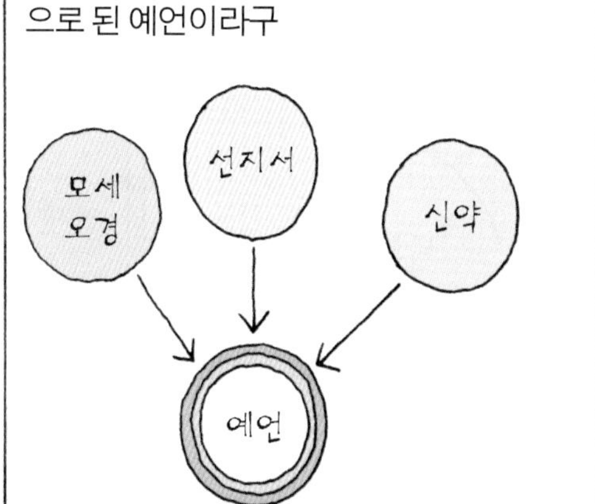

모세는 야곱의 예언을 소개하면서 유다 지파에서 왕이 날 것이라고 말했어

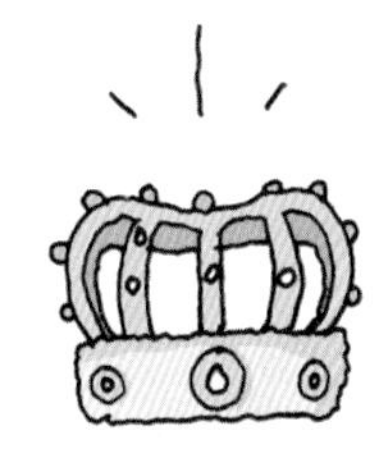

이 예언은 400여 년이 지나서 성취되었지(삼상 16:13)

이사야는 평안할 때 전쟁과 바벨론 포로 생활에 대해서 예언했고 (사 39:6, 7)

고레스란 사람을 통하여 해방될 것까지도 예언했는데(사 45:1), 이것은 그로부터 100년이 훨씬 지나서 그대로 성취되었어

예레미야는 포로 생활이 70년간 계속될 것까지 예언했고(렘 25:11, 12)

다니엘은 600년 후에 있을 일들을 마치 눈앞에 보고 있는 것처럼 예언했어

예언과 성취라는 성경의 구조는 역사를 통해 검증되었어

그토록 오래된 문서가 어떻게 지금까지 보존될 수 있었냐구

모세의 율법은 인간의 노력이 아니라 하나님의 섭리에 의해서 기적적으로 보존되었어

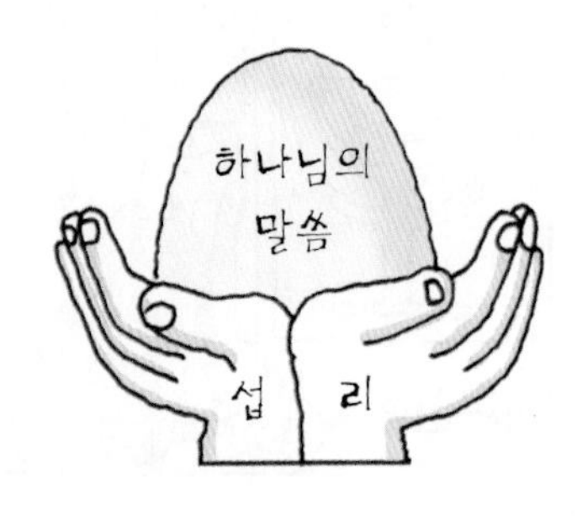

✣ 안티오코스(BC 215? - 163)

헬레니즘 시리아 왕국, 셀레우코스 왕조의 왕. 안티오코스 4세로서 에피파네스(現神王)라고 불렸다. 그리스, 로마 문화를 장려하여 헬레니즘에 입각한 국가 통일을 꾀했으며, 유대교를 박해하여 마카비 전쟁(유대 독립 전쟁)을 일으켰다. 셀레우코스 왕조는 그가 동방 원정 도중 죽은 후 쇠퇴하였다.

안티오코스가 그렇게 없애려고 했지만 오히려 헬라어로 번역된 구약성경이 완성되었고 종교개혁 시대에 또 다른 언어로 번역되었으며

지금은 전 세계에 수많은 언어로 보급되고 있어. 눈을 들어 세계를 보라구. 성경이 전 지구를 뒤덮고 있잖아

이런 사람도 복음서의 내용에 조금만 주의를 기울인다면 자신의 경솔함에 부끄러움을 느낄 거야

예수 그리스도의 설교를 요약하여 전달하는 복음서의 기록들은

세상 어떤 책도 흉내 내지 못할 단순 명료함과 위엄을 갖추고 있어

하나님을 비웃는 자들을 단번에 멈추게 하잖아

책상 앞에서 자기 잇속이나 챙기던 마태

갑자기 변하여 새사람이 되고

하늘의 신비한 진리를 장엄하게 가르치기 시작한 것은

성령의 역사하심 말고는 달리 설명할 길이 없어
신구약 성경이 세상에 공포된 이후
신약
구약

덤벼, 성경!
수많은 세상 지혜자들이 성경을 대적하는 데 심혈을 기울였지만
얏!
빠벙

장구한 세월 동안 성경은 세계 모든 곳의 교회로부터 그 권위를 인정받았어

뿐만 아니라 많은 성도들이 성경의 권위를 지키기 위해서 기꺼이 목숨을 바쳤다구
주님, 저들을 용서하소서

✤ 1권 8장 원전 줄거리 보기

성경의 신빙성

인간의 이성이 허용하는 한도 내에서 성경의 신빙성은 충분히 증명된다

1. 성경은 인간의 모든 지혜보다 뛰어나다
2. 결정적인 것은 문체가 아니라 내용이다
3. 성경의 고전성(古典性)
4. 모세의 예증(例證)이 보여주는 성경의 진실성
5. 이적은 하나님의 사자(使者)의 권위를 강화시킨다
6. 모세의 이적에는 논란의 여지가 없다
7. 예언은 인간의 기대와는 다르게 성취된다
8. 하나님은 예언의 말씀들을 확증하셨다
9. 율법의 전승(傳承)
10. 하나님은 율법과 예언자를 이적적으로 보존하셨다
11. 신약성경의 단순성과 천적(天的) 특성 및 그 권위
12. 성경에 대한 교회의 불변적인 증거
13. 순교자들은 성경의 교리를 위해 목숨을 바쳤다

✤ 이상의 내용은 생명의말씀사에서 출간한 칼빈의 **기독교 강요** 원전(전 4권) 각 장의 세부 항목을 모아놓은 것이다.

CHAPTER 9

성경과 성령의 관계

성경 없이 하나님께로 가려는 자들에 대해 생각해 볼까?
난 성경 필요 없어
성경
진리
꼭 성경을 통해서만 진리에 이를 수 있는 것인가?
아니야! 성경 없이도 하나님께로 갈 수 있어
이렇게 말하는 사람은 순간의 실수가 아니라
광란에 사로잡혀 있다고 봐야 해
뭐가 어째?
나는 꿈을 통해 성령의 계시를 직접 받았어. 그래서 내가 하는 말이 성경이야. 어서 받아써!
성령의 직접 계시에 비하면 성경은 시시콜콜한 죽은 문자에 불과해

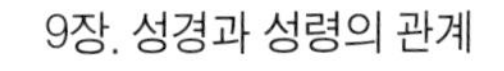

이처럼 광신자들은 성경보다 자신의 느낌에 더 의존하지. 성경과 상관없이 화끈하게 임하는

성령(?)의 가르침에 맛을 들였기 때문에

성경의 활자들에는 흥미를 느끼지 못해

성경의 교리를 유치하고 천한 것처럼 여긴다니깐

생각해 봐. 진정 성령을 알았다면 성경을 멸시하겠니? 그것이 성령이겠어, 악령이겠어?

성령은 성경의 절대 권위를 인정하고 증명하는 영이야

우리에게 임하시는 성령은 절대 자의로 말씀하시지 않는다구

성령은 성경을 가르치시고 우리를 성경으로 인도해(요 16:13)

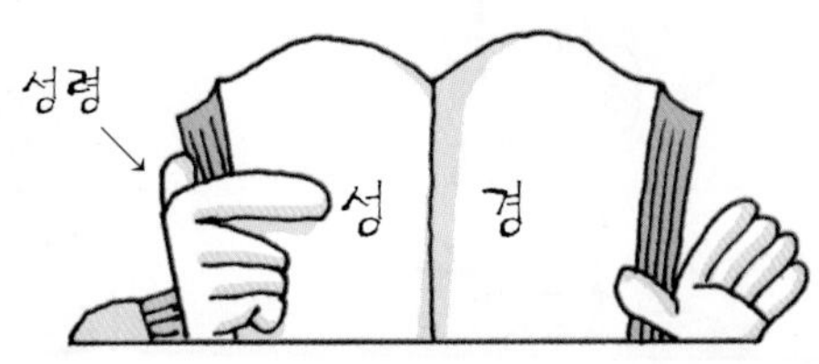

성령의 통치란 말씀의 다스림을 말해(사 59:21)

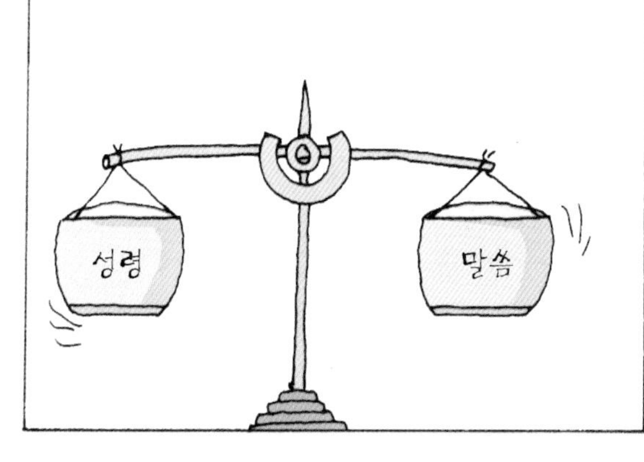

어떤 이들이 성령과 성경을 자꾸 분리하려고 하는데 큰 잘못이야

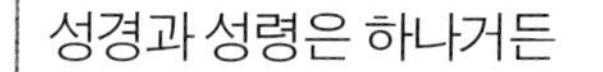
성경과 성령은 하나거든

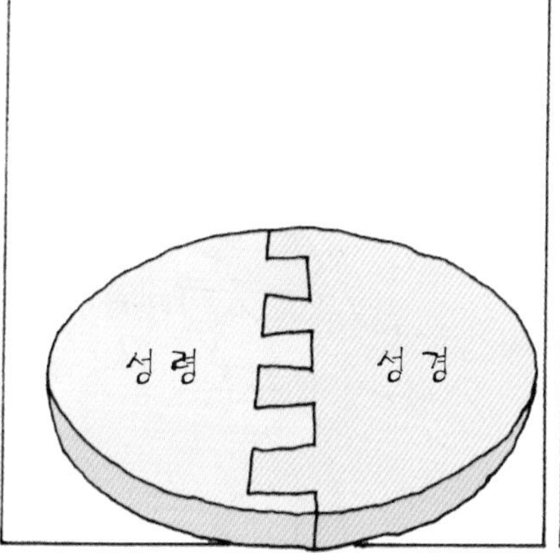

바울은 디모데에게 성경을 읽는 일에 착념하라고 했어(딤전 4:13)

성경이야말로 성도들에게 구원을 줄 뿐 아니라

성도들을 온전케 하는 책이기 때문이지(딤후 3:16, 17)

성령의 임무는 성경을 깨닫게 하고 확증시켜 주는 거야

따라서 성경과 아무 상관없이 만나는 영이라면 그 영이 과연 성령인지 의심할 수밖에 없어(요일 4:1)

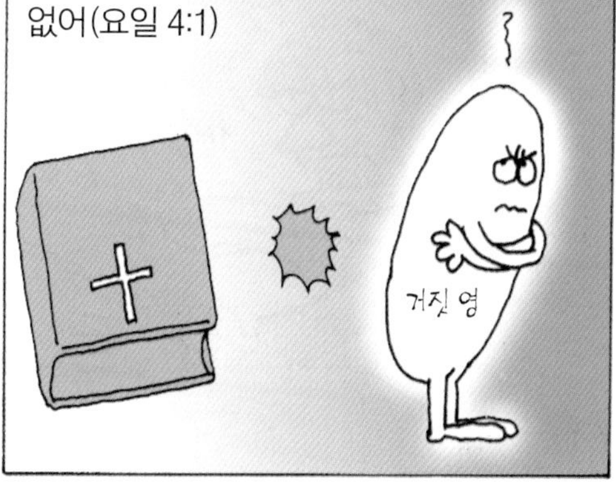

어때, 많은 사람들이 성령을 오해하고 있지?

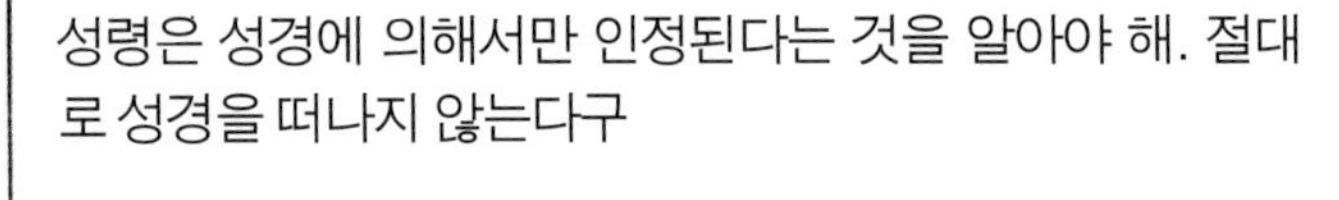

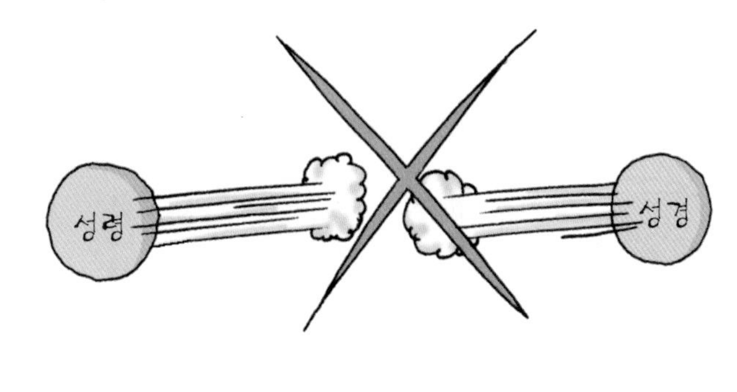

성령은 성경의 저자야

성령은 오직 성경에 계시해 주신 자신의 모습 대로만 우리에게 나타나신다는 것을 명심하라구!

바울이 말한 대로 성경은 영혼을 소생 시키며 우둔한 자로 지혜롭게 하고
나도 성경 배웠어
아인슈타인

생명을 주는 책이야
죽음

바울은 말씀을 전하는 직분을 영의 직분이라고 했어

성령은 성경을 통해 진리와 권능을 우리 가운데 나타내셨어
성령 없는 성경은 있을 수 없고
성령
성경

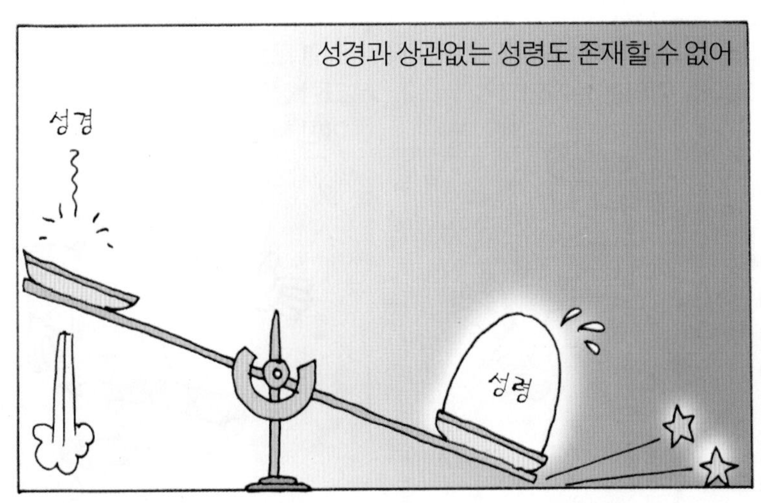
성경과 상관없는 성령도 존재할 수 없어
성경
성령

우리는 성경을 떠난 성령을 들은 적도 없고 받은 적도 없어

성령은 항상 성경 말씀으로 우리에게 나타나시고
또 성경 말씀 속으로 우리를
인도해 들이신다구
(눅 24:27, 45).
또 성령을 떠난
성경도 있을 수 없어

성령이 함께하실 때 비로소 성경은 구원의 능력을 발휘하고

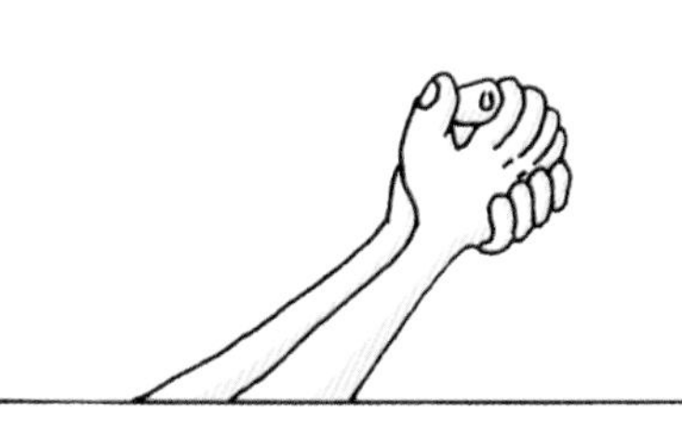
성도를 바르게 하고 선한 일을 행하기에 온전케 하는 위력을 나타내. 성령은 우리에게 빛을 비추어 주셔서 성경을 믿게 하고 성경에 계시된 성령을 영접하고 따르게 해주지

성령과 성경은 이처럼 서로 완벽하게 결속되어 있어
성령
성경

성경을 주신 하나님을 찬양합니다~

✤ 1권 9장 원전 줄거리 보기

성경과 성령의 관계

성경을 떠나 직접 계시로 비약하는 광신자들은 경건의 모든 원리를 파괴한다

1. 광신자들의 성령에 대한 잘못된 관심
2. 성령은 성경에 의해 인정된다
3. 말씀과 성령은 불가분의 관계를 가진다

✤ 이상의 내용은 생명의말씀사에서 출간한 칼빈의 **기독교 강요** 원전(전 4권) 각 장의 세부 항목을 모아놓은 것이다.

CHAPTER 10

우상과 구별되는 유일하신 하나님

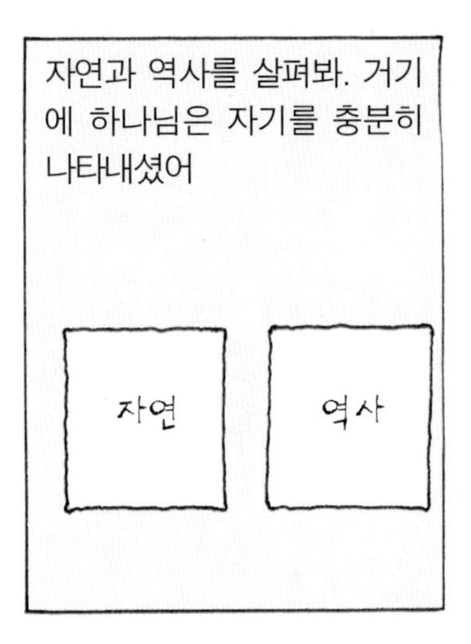

특히 말씀을 보라구. 더욱 명백하고 자세하게 하나님이 누구신지 알게 하시잖아

역사도 재미로 보지 말고 하나님이 각 시대마다 어떻게 역사하셨는가를 생각하면서 보라구

역사 공부를 하다가 하나님의 살아 계심을 발견하게 될거야

그런데 아무나 자연과 역사를 통해 하나님을 발견할 수 있는것은 아니야

성경이란 안경을 끼고 자연과 역사를
바라보아야 해

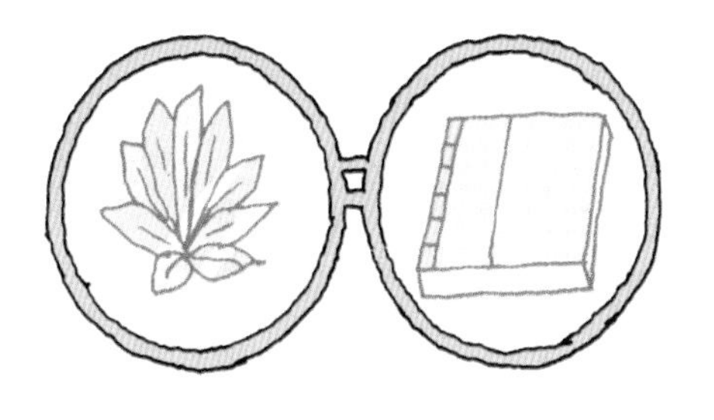

먼저 성경을 공부하지 않고 연구를 계속하면 반드시 오류에 빠져들고 말거야. 역사학도들이나 자연과학도들은 먼저 성경을 공부하고 전공에 들어가야 해

성경은 하나님이 우리의 아버지라고 말해
그분은 선하시고
은혜로우셔

아버지~

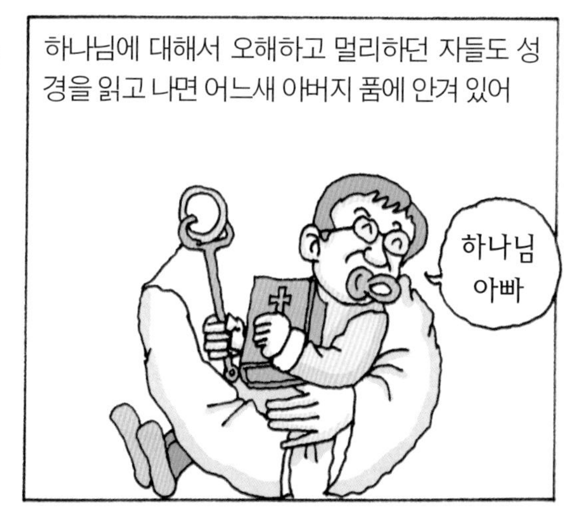

하나님은 아버지가 자기 자식에게 하듯 넘치는 사랑으로 우리가 살고 있는 자연과 우주를 다스리고 계셔

성경이 말하는
하나님은 어떤 분이실까?

성경은 우리와 아무 상관도 없는 하나님에 대해서는 설명하지 않아

성경은 철저하게 하나님을 항상 우리와 관계된 분으로 소개하고 있어

성경에서 소개되는 하나님의 속성들은 모두 피조물 속에서도 찾아볼 수 있는 것들이야

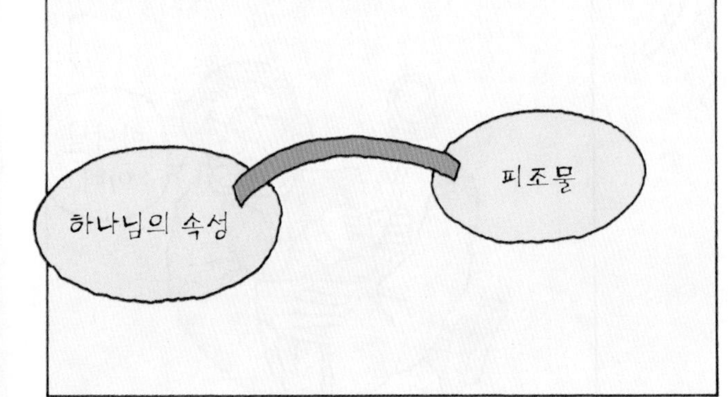

출애굽기 34장 6, 7절에서는 하나님이 자비롭고 은혜롭고 노하기를 더디하고
인자와 진실이 많으신
하나님이라고
찬양해

하나님은 영원하시며 스스로 존재하시고 완전
하신 분이셔
예레미야 9장 24절에서는 여호와는 인애로우시
며 공평하시며 정직을 땅에 행하는
하나님이라고
말해
인애
공평
정직

하나님의 이런 놀라운 성품이
자연과 성경에 드러나 있어
날마다
내 가슴을
떨리게
하시는
하나님

하나님이 자신을 아는 지식을 자연과 역사
그리고 성경에 드러내시는 이유는
우리로 하여금 하나님을 경외하고
신뢰하도록 하려는 거야.
자연
성경

우리가 하나님에 관한 지식을 알면 알
수록 순종과 순결한 생활로 하나님을
예배하게 되지. 무엇보다 전적으로 하
나님을 의뢰
하게 돼

세상에는 자칭 신들이 엄청 많아!
인도에는 수억의 신들이 있다지?
그리스.로마신화

과연 그 신들이 하나님일까?

사람들이 다른 신들을
만들어 내는 이유는
인간의
마음
우상
우상
우상
우상

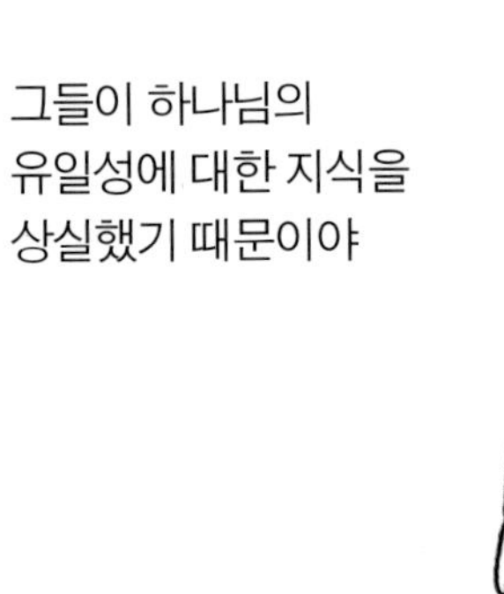
그들이 하나님의
유일성에 대한 지식을
상실했기 때문이야

그들은 정말 수많은 신들을
만들어 냈어
우상
공장
인간의
마음

그리스 신화만 보더라도 제우스, 헤르메스,
아프로디테, 아테나 등등 신들이
넘쳐
신들과 함께
질펀하게
놀아 볼래?

요즘 아이들이 성경은 멀리하고 그리스·로마 신화 속에 빠져 사는 것을 보면 참으로 안타까워

누구든 거짓 신들을 만들어 내고 유포하고 작업에 참여한 자들은 하나님의 진리를 부패케 한

그 변절의 책임을 면할 수 없어

하박국은 일체의 우상을 정죄 한 후에

선포했어

우리는 말씀으로 자신을 계시하신 하나님 외에 다른 어떤 신도 용납할 수 없어

✤ 1권 10장 원전 줄거리 보기

우상과 구별되는 유일하신 하나님

성경은 모든 미신의 잘못됨을 지적하기 위해 참되신 하나님을 이교도의 모든 신들과 대조하고 있다

1. 창조주 하나님에 관한 성경적 교리
2. 성경에서 말하는 하나님의 속성은 피조물들에게서 알 수 있는 속성과 일치한다
3. 하나님의 유일성은 이교도들에게도 계시되었으므로 우상 숭배는 더욱 핑계할 수 없다

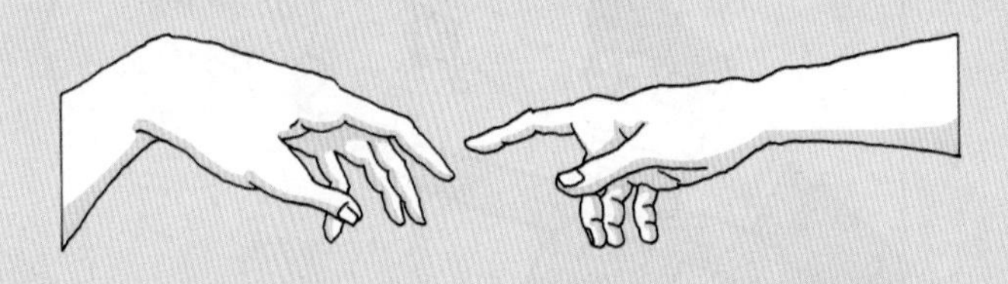

✤ 이상의 내용은 생명의말씀사에서 출간한 칼빈의 **기독교 강요** 원전(전 4권) 각 장의 세부 항목을 모아놓은 것이다.

CHAPTER 11

하나님을 대적하는 우상 숭배

에피쿠로스 학파의 한 시인
은 이런 시를 지었어

그럼에도 불구하고 바사(페르시아) 사람들은 하나님을 태
양과 별로 표현했고

하지만 성경은 우상들 일체를 예외 없이 거절해
우상

하나님은 우리에게 이렇게 말씀하셔
너희는 깊이 삼가라. 스스로 부패하여 자기를 위하여 우상을 새겨 만들까 하노라(신 4:15-18)

물론 성경을 보면, 하나님이 임재하실 때 구름과 연기와 화염이 나타나기도 했고 (신 4:11)

성령이 비둘기같이 임하시기도 했고 (마 3:16)

때로는 사람의 모양으로 보이시기도 했어 (창 18:2)

이것들은 순간적인 상징들이야

하나님을 눈으로 볼 수 있는 어떤 형상으로도 만들면 안 돼!
형상 사절
OO교회

교회 안에서 형상에게
예배드리는 것은 명백한
죄악이야
교회당 안에 화상들이
있어서는 안 되며
벽에 예배를 받거나 찬양받아야
할 것이 그려져
서도 안
된다구
하나님의 모
양을 상상하
여 새긴 조각
이나 그림들
때문에 하나
님에 대한 오
류가 증가하
고 하나님에
대한 경외가
감소되고 파
괴되었어
하나님의
영광
아니다
우상(형상)이야말로
무지한 자들을 도와 하나님을
이해하게 해주는
고마운 책이다
형상이
교회를
이롭게 하는
일곱 가지 이유
로마
교회

우상(형상)은 성결의 책이니까 마리아 상이나 성자, 순교자 상들을 적극적으로 예배하라

과연 형상이
정신 나갔군
교회 교사들의 임무를 대신할 수 있을까?

교회의 지도자들이 복음의 비밀을 가르치지 않았기 때문에

형상을 의존하는 결과를 낳은 거야
형상

말씀의 진리를 가르치지 않은 것을 회개하지 않고 우상을 합리화하는 것은 명백한 죄악이야
미쳤니
우상
교회
떨어져

타락한 사람의 본성은 우상을 만들어 내는 영원한 공장이라구.
교만과 무모함으로 가득 찬 사람의 마음은 감히 신을 상상해 내고

신?

그 상상해 낸 신을 수공으로 표현해 보려고 애쓴단 말야

일단 형상을 만들어 놓으면 신의 능력이 형상 안에 내주한다고 여기게 되고 마침내는 그것을 숭배하게 돼

예술은 물론 하나님의 선물이야

하지만 예술도 말씀의 지도를 받아야 해

처음 500년 동안에는 교회에 아무 형상물도 허락되지 않았어

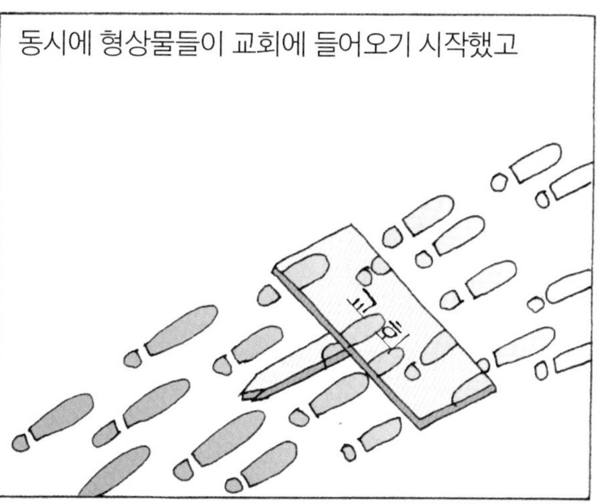

급기야 니케아 회의(787년)에서는 교회당 안에 형상을 설치할 뿐 아니라

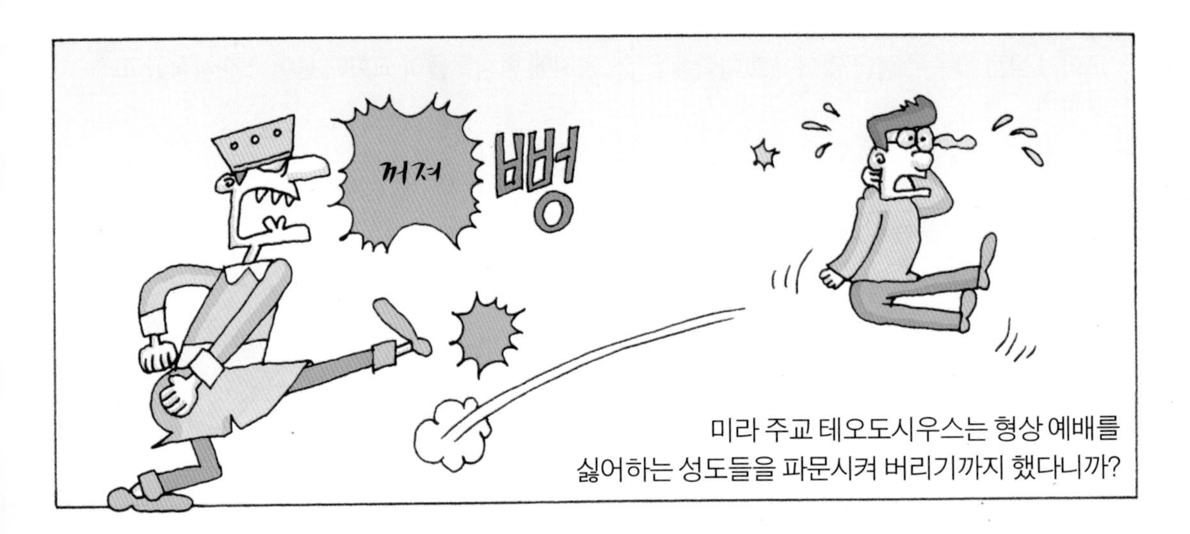
꺼져
뻥
미라 주교 테오도시우스는 형상 예배를
싫어하는 성도들을 파문시켜 버리기까지 했다니까?

한 가지 반드시 기억해야 할 일은 우리 몸은 우상 공
장이 아니라는 거야
우상
아니야,
난 우상이
좋아

우리 몸은 우상 공장이
아니라 성령이
거하시는 성전이야

그래서 우리는 내 안에 거하시는 하
나님께 기도할 수 있는 거야

자, 다음 장으로 갈까?

✤ 1권 11장 원전 줄거리 보기

하나님을 대적하는 우상 숭배

하나님을 볼 수 있는 형태로 만드는 것은 불신앙적이다. 그리고 우상을 세우는 자는 일반적으로 참되신 하나님을 배반하는 자이다

1. 하나님은 가시적(可視的) 형태로 자신을 표현하려는 어떠한 노력도 금하신다
2. 하나님을 조형적(造形的)으로 표현하는 것은 하나님의 존재와 모순된다
3. 신적(神的) 임재의 직접적인 표징도 형상을 정당화하지 못한다
4. 형상과 화상(畵像)은 다 같이 성경과 반대된다
5. 우상에 대한 성경의 판단
6. 교회의 교리도 우상에 대하여 달리 판단한다
7. 교황주의자들의 형상물(形像物)은 전적으로 잘못된 것이다
8. 형상의 기원 : 유형적인 신격(神格)에 대한 인간의 욕구
9. 형상물의 사용은 마침내는 우상 숭배에 빠지게 한다
10. 교회에서의 형상물 예배
11. 교황주의자들의 어리석은 회피
12. 예술의 기능과 한계
13. 교리가 순수하고 건전할 때에는 교회가 형상물들을 거절하였다
14. 니케아 회의(787년)에서의 형상물에 대한 유치한 논쟁
15. 성경 본문에 대한 엉뚱한 오용(誤用)
16. 형상물에 대한 모독적이며 무서운 주장

✤ 이상의 내용은 생명의말씀사에서 출간한 칼빈의 **기독교 강요** 원전(전 4권) 각 장의 세부 항목을 모아놓은 것이다.

CHAPTER 12

완전한 예배의 대상이신 하나님

히나님을 바르게 섬기면 자연스럽게 예배에 관심을 갖게 되지

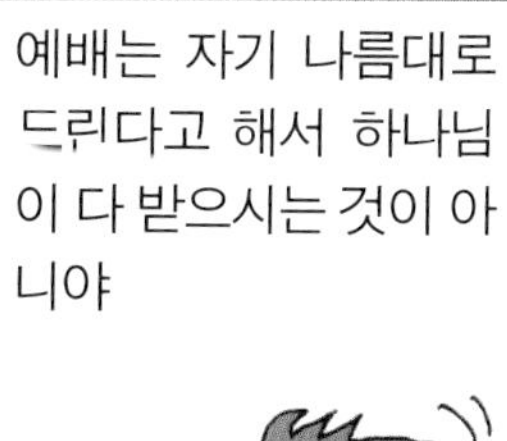

드리는 것은 자유지만 받으시는 것은 하나님께 달려 있어

그리고 하나님이 받으실 만한 예배를 드리려면 성경으로 돌아가야 하지. 하나님은 우리가 바르게 예배할 수 있도록 성경을 통해 가르쳐 주셨거든

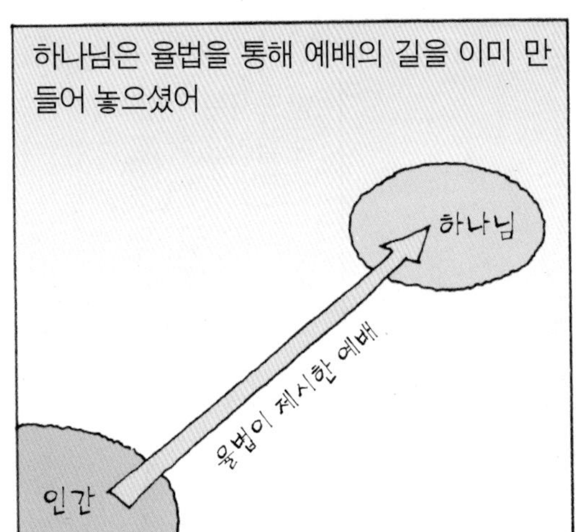

이상한 논리이며
새빨간 거짓말이야

예배와 섬김을 나누는 것은 하나님께만 드릴 영광을 가로채려는 음모라구
예배
섬김
형상 앞에 절하는 것과 하나님께 절하는 것은 다르다니까~
정말 열 받네!
성경은 형상에게 절하는 행위 자체를 정죄해
성경
우상
절하는 행위는 오직 하나님께만 드려야 하는 사랑 표현이야
나한테 절해 봐! 돈 줄게
마귀
사탄아, 물러가라! 기록되었으되 주 너의 하나님께 경배하고 다만 그를 섬기라 (마 4:10)
퍽
마귀
뇌물

예수님은 경배와 섬김을 구별하지 않았어

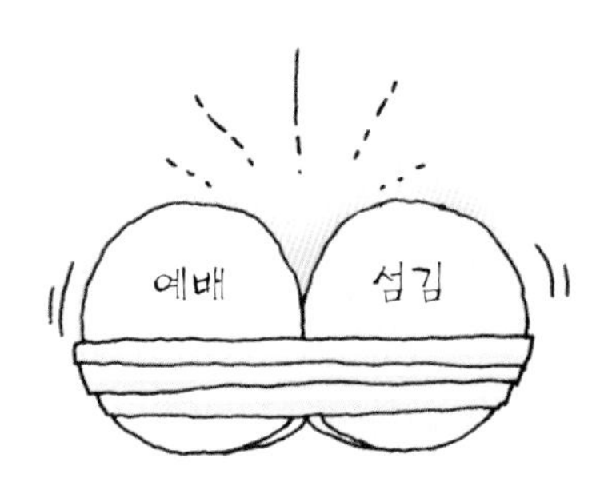

사탄에게 한번 절하는 것은 곧 하나님께 드린 경배와 섬김을 도적질하는 행위야

요한은 천사 앞에 무릎을 꿇으려다 책망을 받았어(계 19:10)

베드로도 고넬료가 자기에게 절하려고 하자 급히 막았지

사람들은 쉽게 하나님에 대한 예배와 사람에 대한 예배를 혼동해 버린다구

오직 하나님 한 분만을 소유하기를 원한다면 하나님의 영광을 티끌만큼도 손상시켜서는 안 돼

하나님은 이를 위해서 예배를 위한 율법의 굴레를 우리에게 만들어 주신 거야

✤ 1권 12장 원전 줄거리 보기

완전한 예배의 대상이신 하나님

하나님은 우상과 구별되며 하나님만이 완전한 예배를 받으실 수 있다

1. 참 종교는 우리를 유일신이신 하나님께 결속시킨다
2. 차이점이 없는 구별
3. 형상 예배는 하나님의 이름을 더럽히는 행위이다

✤ 이상의 내용은 생명의말씀사에서 출간한 칼빈의 **기독교 강요** 원전(전 4권) 각 장의 세부 항목을 모아놓은 것이다.

CHAPTER 13

삼위일체 하나님

삼위일체설은 칼빈이 발명한 학설이 아니라

초대 교회 때 교부들이 확립한 교리를 칼빈이 재진술한 것이라고 할 수 있어

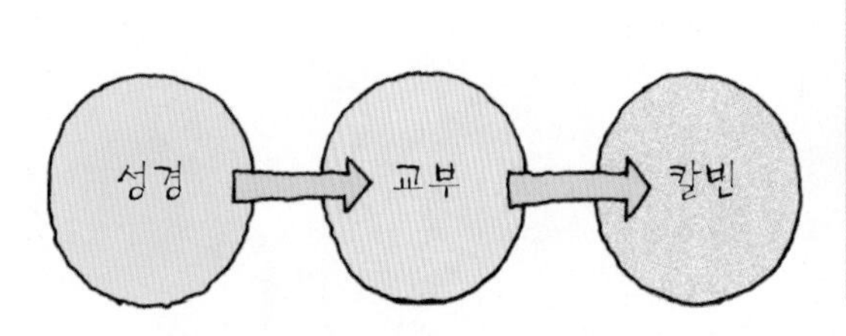

도대체
예수님과
하나님의 관계가
어떻게 되는
거야?
예수님도
하나님이고 성령님도
하나님이라면
도대체
어떻게 돌아
가는 거야?
유일신 신앙에 기초한 유대인들이 삼위일체를 이해하기란 쉽지 않았어

이 문제는 속히 정립되었어야 했지. 그런데 교회가 탄생하고 300년간은 실제로 신학을 정립할 여유가 없었어
교 회
로마의 10대 박해
기간이었죠
AD 33년
300년
핍박 속에서 교회의 생존 문제가 더 급했거든

그러나 콘스탄티누스의 기독교 공인 이후 지하에 있던 교회가 지상으로 나오면서
신학적인 문제가 이야기되기 시작했어
그 동안
궁금했던 것 풀어
보자

따져 보자구~
진짜 예수님이 하나님 인가?
그 중에 알렉산드리아 교회에 아리우스라는 장로가 있었는데
그는 비난할 데 없는 경건한 선생이었어. 그런데 그가 예수님은 하나님이 아니라고 주장했어
생각해 보세요. 어떻게 사람이 하나님이 될 수 있습니까?
분명히 말하겠는데 예수님은 하나님이 아닙니다
많은 사람이 아리우스의 이런 견해를 따랐지. 많은 사람이 흔들렸어
맞는 것 같소
옳소
그렇소
아리우스의 견해는 당시 대중 가요로 만들어져 시장과 상점과 거리에서 불려졌고 말야
나도~ 믿을래
아리우스주의

난 알아요!
예수가 하나님이
아니라는 것을~
오빠~ 꺄

여기에 유세비우스 같은 대학자까지 동조했어

이때 알렉산드리아 교회에 아타나시우스라는 장로가 일어섰어

이래서는 안 된다!
아타나시우스

그는 단호하게 말했어
그리스도는 하나님이시다

예수님은 나의 구속자, 그는 하나님과 동등된 분 이시다

교회는 교리 문제로 양분되어 싸우기 시작했어
갈라서자
맞다
틀렸다

교회가 둘로 나누어져 찢어질 위기에 처하자

콘스탄티누스 황제는 급히 종교회의를 소집했어

이것이 325년에 열린 니케아 종교회의야. 이때 300명 이상의 교회 감독들이 참석했는데

그들 대부분이 몸에 장애를 가지고 있었대. 기독교가 공인되기 전 갖은 박해를 다 받았기 때문이지

수없는 논쟁 중에 결론적으로 아리우스의 잘못된 견해가 이단으로 정죄되었지

✤ 아리우스(250? - 336?)

알렉산드리아의 사제, 아리우스파의 주창자.

그리스도의 피조성을 주장하다가 321년 알렉산드리아 주교 알렉산더에 의해 파문당했다. 또한 325년 니케아 종교회의에서 아타나시우스와 논쟁한 결과 패하여 이단으로 정죄되고 추방당했다.

✤ 아타나시우스(296? - 373?)

알렉산드리아의 주교. 니케아 신조로 대변되는 서방교회의 정통 교리를 수립한 인물.

니케아 종교회의에 참석하여 아리우스의 이단설을 논파, 배격하였다. 아리우스파가 동로마 제국의 보호 아래 있던 기간에는 박해를 받고 유배 생활을 하기도 하였다.

✤ 니케아 종교회의

소아시아 니케아에서 개최된 두 차례의 교회 회의. 1차 회의는 325년에 로마 황제 콘스탄티누스가 소집하였다. 그리스도의 신성을 부정하는 아리우스파를 정죄하고 분열된 교회를 통일시키기 위해서였다. 여기서 니케아 신조가 공포되었고 아리우스파는 추방되었다. 2차 회의는 성상 파괴 문제를 해결하고자 787년에 소집되었다.

니케아 종교회의를 통해 처음으로 그리스도의 인격에 대한 참된 설명이 신앙으로 선포되었어

그러므로 칼빈이 말하는 삼위일체 교리는 초대 교회에서 물려받은 신앙이야

사람이 만들어 낸 교리가 아니라구

✤ 세르베투스 (1511 - 1553)

스페인의 신학자, 의학자. 반(反)삼위일체론자. 반교황 입장을 취했으나, 삼위일체론을 부정하여 1531년 삼위일체론의 오류에 대하여를 출간하는 등 급진적인 신학을 주장하다가 정통파 신학자들로부터 이단으로 정죄되었다. 1553년 이단 혐의로 칼빈이 주도한 제네바 법정에서 재판을 받고 결국 화형에 처해졌다.

문제는 칼빈 당시에도 아리우스적인 주장을 하는 사람들이 있었다는 거야. 세르베투스라는 사람은 제네바까지 와서 반(反)삼위일체설을 퍼뜨렸어

나가 놀아라!
빼엥
세르베투스
제네바

칼빈은 혼란한 종교개혁 시대에 초대 교회의 연장선상에서 다시 삼위일체 교리를 세우고 있어

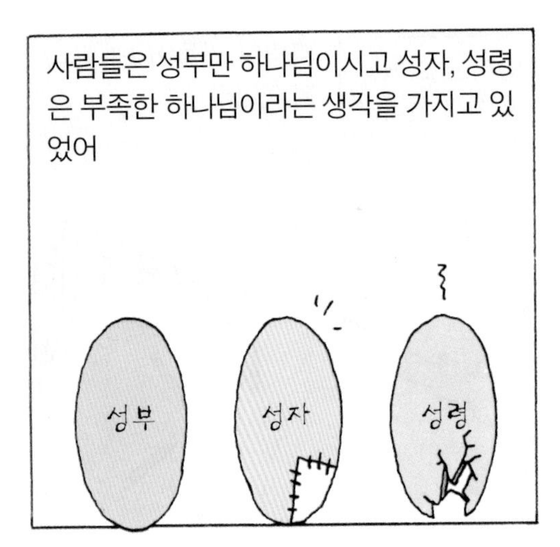
사람들은 성부만 하나님이시고 성자, 성령은 부족한 하나님이라는 생각을 가지고 있었어
성부
성자
성령

어떻게 사람인 예수가 하나님이 될 수 있단 말인가?

실제로 아리우스는 마지못해 그리스도를 하나님이라고 고백하는 척했어

그리스도는 하나님이 아니다으 다으 다으…

✣ 사벨리우스(3세기경)

양태론적 단일신론을 표방한 기독교 이단의 주창자.

이집트 펜타포리스 출신이며 로마의 장로라고 추측될 뿐 그의 생애에 관해서는 거의 알려진 바가 없다. 성부, 성자, 성령이 하나의 위격에 대한 세 가지 양태라는 그의 주장은 정통적인 삼위일체론에 대한 부정이다. 교황 칼릭스투스 1세에 의해 이단 선고를 받고 그를 논박하던 로마 신학자 히폴리투스와 함께 파문당했다.

훗날, 그의 주장은 스페인의 신학자이자 의사인 세르베투스에 의해 재정립되었다.

성부, 성자, 성령은
서로 구별되는 분이시다.
성부는 하나님이시며
성자도 하나님이시며
성령도 하나님이시다.
성부, 성자, 성령, 세 분
(삼위)은 하나님으로서
동등하시다(일체)

신적 본질(신성)은 하나밖에 없어. 그러나 신적 본질을 가지신 분은 세 분이야

그러므로 삼위일체 하나님(신성은 하나, 신성 소유자는 셋)은

일신교의 신(신성은 하나, 신성 소유자도 하나)과도 다르고

삼신교의 신(신성도 셋, 신성 소유자도 셋)과도 다른 거야

성부, 성자, 성령은 하나님으로 동등하셔

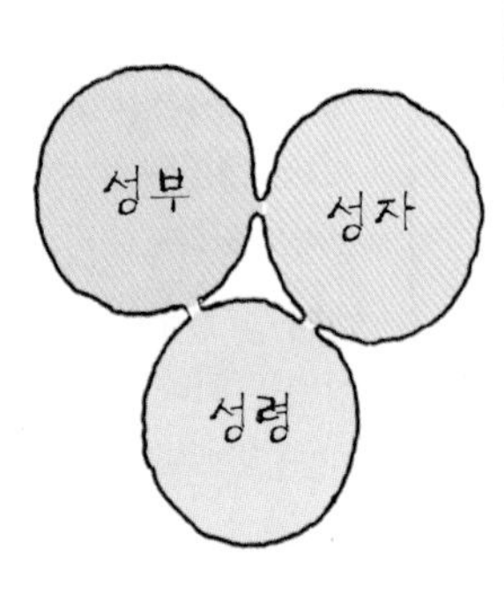

동시에 성부, 성자, 성령은 서로 구별되는 분이셔

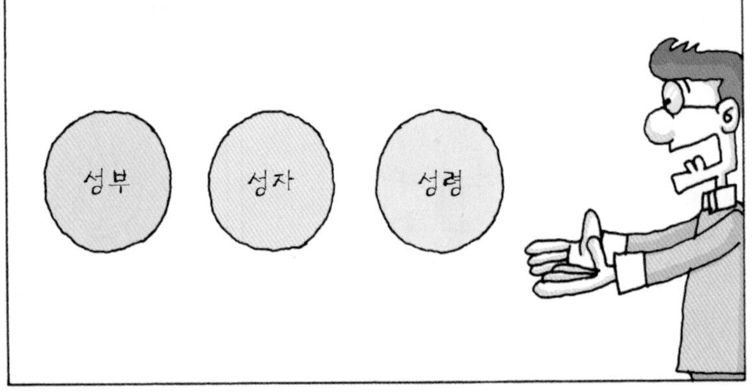

본질은 하나이지만 그 본질을 소유하신 분은 셋이라는 뜻이야

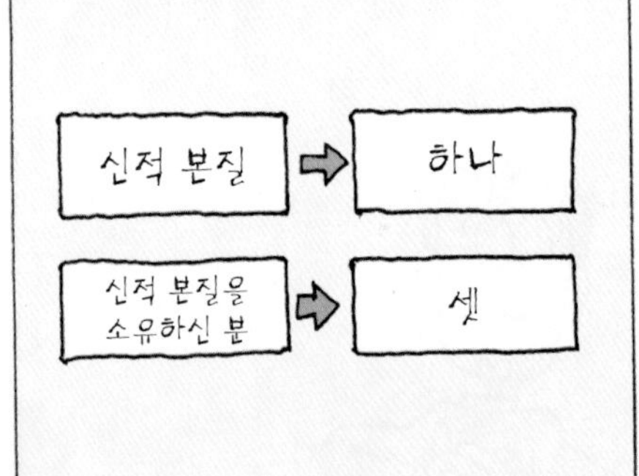

그래서 성부, 성자, 성령은 한 하나님이 여러 모양으로 나타나는 것이 아니고

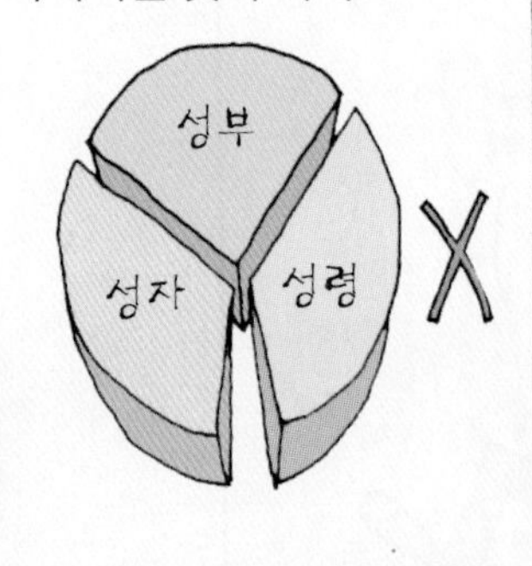

삼위로 계신 한 하나님을 말하는 거야

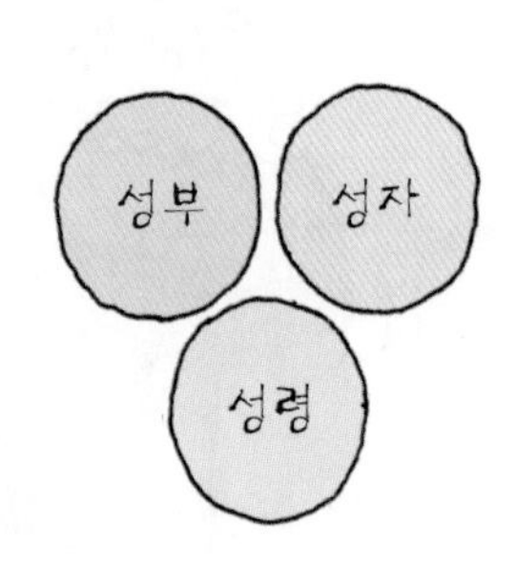

성경의 주된 내용이 그리스도가 성부 하나님과 동등한 하나님이시라는 것을 증거하고 있어

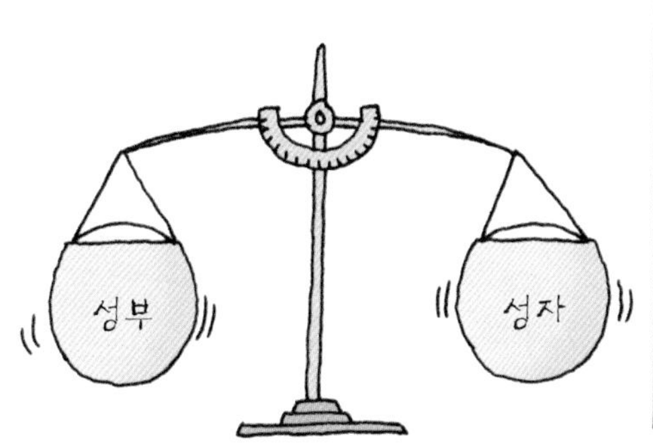

'말씀' 으로도 소개되는 성자 하나님은 천지를 창조하셨고, 만물을 붙들고 계시며, 이미 태초에 하나님과 함께 계셨고

창세 전에 아버지와 함께 영화를 가지셨던 하나님이시지(히 1:2, 3)

구약의 선지자들도 장차 오실 그리스도께

성자 하나님은 신약에서 성육신 하시기 전에도 이미 구약에서 천사의 모습으로 중보자의 직무를 수행하셨고

하나님(여호와)이란 이름으로 불림 받았어(삿 6:11, 12, 20, 21, 22, 7:5, 9)

신약에 나오는 기도는 곧 그리스도께 하는 기도야(행 7:59)

바울은 그리스도에 대한 지식 외에는 어떤 교리도 교회에 절대로 소개하지 않았어

성경은 성령도 하나님이심을 증거해

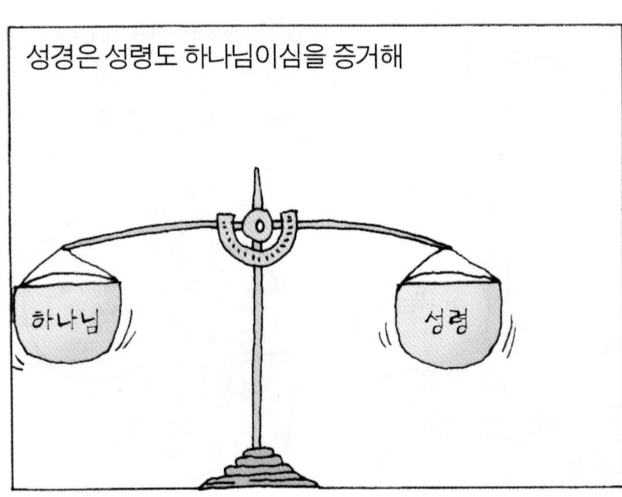

성령은 창조주이시며(창 1:2), 선교의 영이시고 (사 48:16, 행 1:8),

중생과 영생의 창시자야 (요 3:5, 롬 8:2)

성령은 하나님의 모사이시고 (롬 11:34, 고전 2:10), 칭의와 성화

모든 은사의 근원이시지(고전 6:11, 12:4, 11)

성령이 우리 안에 거하시므로 우리는 곧 하나님의 전이야

성령의 뜻이 곧 하나님의 뜻이지(고전 3:16, 17). 성령을 속인 것은 곧 하나님을 속인 것이고(행 5:4), 모든 예언은 성령에서 나온 것이며(벧후 1:21), 성령을 거역하면 용서받지 못해 (마 12:32)

성자와 마찬가지로 성령이 하나님이시라는 성경의 증거는 너무나 분명하다구

성부, 성자, 성령, 세 분은

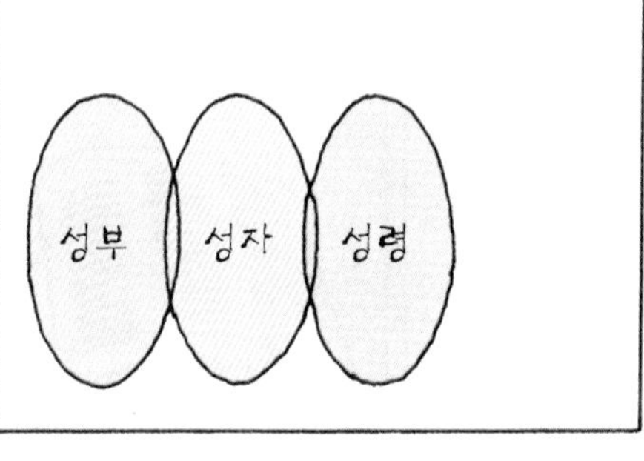

동등한 하나님이시지

믿음이 하나이고, 주(하나님)도 하나이며, 세례가 하나야

때문에 믿음 또한 하나라고 말씀하고 있어

성경은 성부 하나님, 성자 하나님, 성령 하나님이 구별된 존재임을 분명히 가르쳐 준다구(마 28:19)

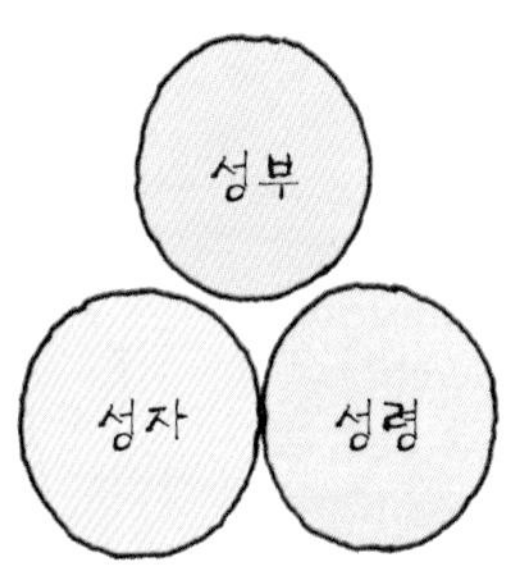

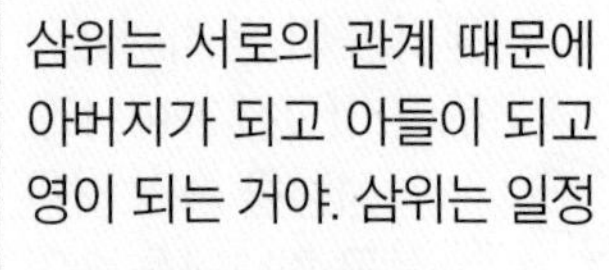

삼위는 서로의 관계 때문에 아버지가 되고 아들이 되고 영이 되는 거야. 삼위는 일정

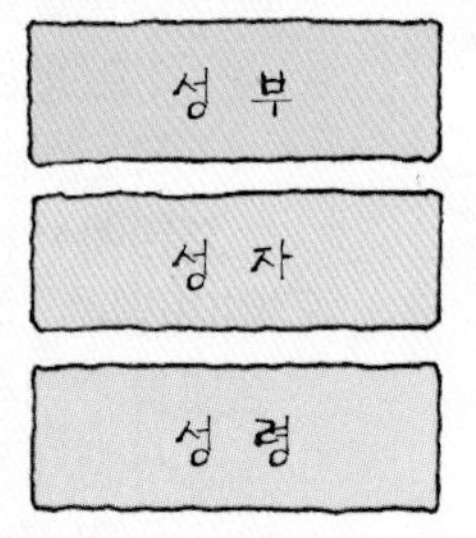

한 순서를 갖게 돼

삼위는 서로의 안에 거하시고 서로를 통하여 거하시고, 서로를 향하여 거하시지(요 14:10)

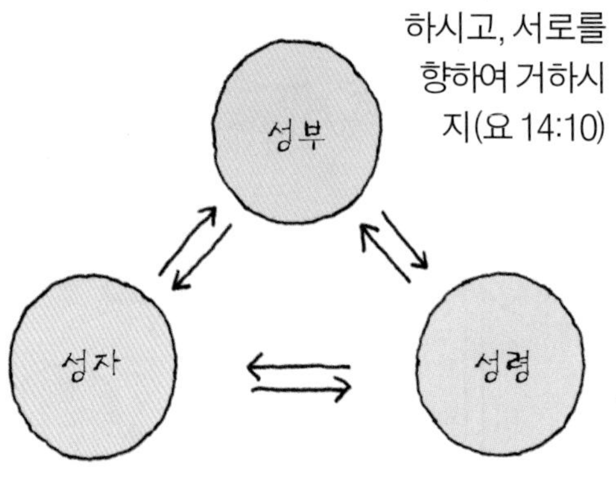

성자는 성부에게서 나시고(요 1:18, 17:5), 성령은 성부와 성자에게서 나시지(요 14:16)

사람의 생각에서 나온 하나님이 단일신이라면

성경이 말하는 하나님은 삼위일체 하나님이셔 (고후 13:13)

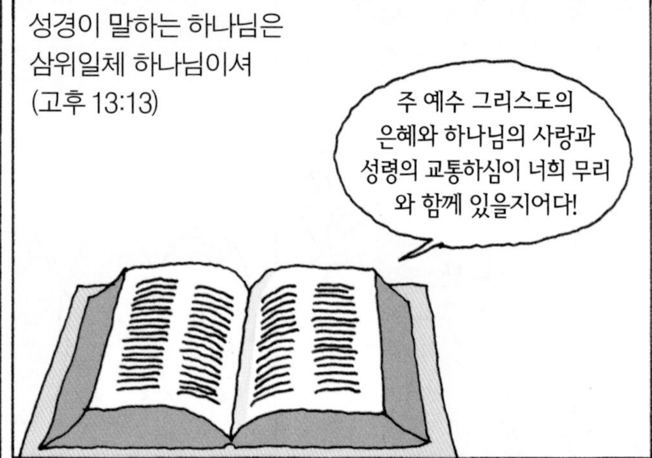

성령이 함께하셔야만 믿을 수 있는 진리이지

당신이 믿는 하나님은 어떤 분이신가?

✢ 1권 13장 원전 줄거리 보기

삼위일체 하나님

성경은 창조 이래로 하나님은 한 본체이시며 이 본체 안에 삼위(三位)가 존재한다는 것을 가르친다

1. 하나님의 본성은 불가해하며 영적이다
2. 하나님 안에 삼위가 계신다
3. '삼위일체' 와 '위' (位)라는 표현은 성경 해석에 도움을 주는 말이므로 인정할 수 있는 표현이다
4. 교회는 거짓 교사들을 폭로하기 위해서는 '삼위일체' 나 '위' (位)와 같은 표현들이 반드시 필요하다고 생각하였다
5. 신학적 용어의 한계성과 필요성
6. 가장 중요한 개념의 의미
7. 말씀의 신격
8. 말씀의 영원성
9. 구약성경에 나타난 그리스도의 신성
10. 영원하신 하나님의 찬사
11. 신약성경에 나타난 그리스도의 신성 : 사도들의 증거
12. 그리스도의 신성은 그분의 사역에서 입증된다
13. 그리스도의 신성은 그분의 이적을 통하여 입증된다
14. 성령의 신성은 그분의 사역에서 입증된다
15. 성령의 신격에 대한 명백한 증거
16. 하나님의 하나 되심
17. 삼위
18. 성부와 성자와 성령의 차이점
19. 성부와 성자와 성령의 관계
20. 삼위일체 하나님
21. 모든 이단의 근거 : 모두에 대한 경고
22. 세르베투스의 반(反)삼위일체론
23. 성자는 성부와 동일한 하나님이시다
24. 성경에 나오는 '하나님' 이라는 명칭은 성부만 지칭하는 것이 아니다
25. 삼위는 공통적으로 신성을 소유한다
26. 성육신하신 말씀이 성부에게 예속된다는 증거는 하나도 없다
27. 반대자들은 이레니우스를 잘못 인용한다
28. 터툴리안을 인용하는 것 또한 아무런 소용이 없는 일이다
29. 교회의 인정을 받은 학자들은 모두가 삼위일체 교리를 확증하였다

✢ 이상의 내용은 생명의말씀사에서 출간한 칼빈의 **기독교 강요** 원전(전 4권) 각 장의 세부 항목을 모아놓은 것이다.

CHAPTER 14

창조

삼위일체 하나님이 하신 일이 천지창조야

창조에 대하여 말할 때 주의할 것이 있어
창조의 비밀을 밝힌다

인간의 사색으로는 이 창조의 뜻을 살필 수도 없고 살펴서도 안 된다는 거지

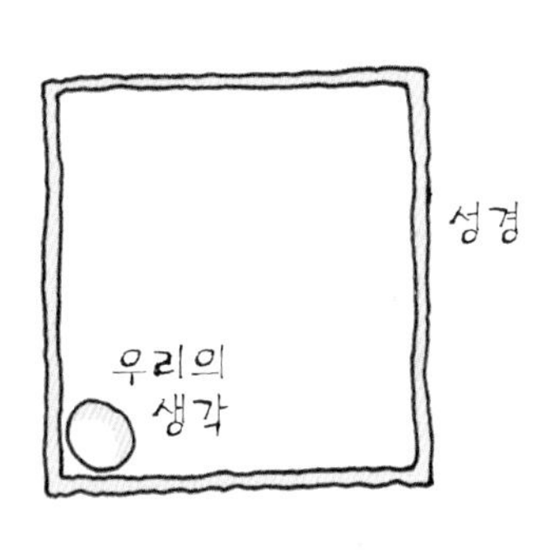
그러니까 성경이 말하는 부분 안에서만 말하라는 거야
성경
우리의 생각

성경을 떠난 상상력은 방탕으로 흐를 수밖에 없어!
상상력
성경

어떤 사람이 경건하고 지혜로운 이에게 물었어
뭘 질문했어?

하나님은 세계를 창조하기 전에 무엇을 하고 계셨습니까?

성경의 범주를 넘어서는 질문으로서 하나님을 조롱하는 말이야

당신 같은 사람을 위해 지옥을 준비하고 계셨다네

우리는 성경을 떠난 세상의 이런 저런 말들에 흔들릴 필요가 없어

우리는 성경에 기록된 대로 하나님은 우주의 창조자시요 형성자이심을 믿는 사람들이야
창조주 찬양~

물론 성경은 우리에게 모든 것을 충분히 설명해 주지 않아.
우리의 이해력은 한계가 있고,
하나님이 의도적으로 감추신 부분들이 있지

그러나 성경은 우리의 구원과 경건을 위한 지식을 주기에는 조금도 부족함이 없어.
천지 창조 순서만 보아도
구원
경건
성경

인간에 대한 하나님의 사랑이 얼마나 깊고 큰지를 확실히 알 수 있다구
하나님, 이쁜 배필 주셔서 감사해요. 잘 살게요
창조

천사에 대해서 생각해 볼까? 사람들이 천사에 관해 호기심이 많더라구. 천사는 하나님의 명령을 수행하도록 임명받은 봉사자로서 역시 하나님의 피조물이야

그런데 얼빠진 어떤 사람들이 천사를 하나님으로 섬긴다는 거야

호기심도 절제가 있어야 해

천사에 대한 온갖 호기심 때문에 각종 미신에 빠지는 사람들이 종종 있거든

우리는 천사에 대해서도 성경이 말한 만큼만 말해야 해. 분명한 것은 천사는

관념 속에 존재하는 것이 아니라 실재라는 거야

천사의 존재를 부인한다면 그만큼 하나님의 사역을 제한하는 것이 되고 말지
하나님의 세계

"천지와 만물이 다 이루니라" (창 2:1)라는 말씀 속에 천사의 창조도 들어 있어
천사의 창조

천사는 하늘의 영으로서 하나님이 봉사하는 존재로 지으셨어
감옥에 있을 때 천사가 도와줬어
베드로

하나님은 천사들을 통해 우리의 연약함을 돕고 계시지

게하시는 엘리사와 자기를 지키는 무수한 천군의 불말과 불병거를 보고 힘을 얻었어(왕하 6:16, 17)

우리는 성경에 그려진 천사들의 활동들을 통해 하나님에 대한 더 확실한 소망과 신뢰를 갖게 되었다구
믿음 배가!

오늘날에도 천사들은 믿는 자들을 돕고 있어. 그렇다고 천사들에 대한 믿음이 도를 넘어서는 안 돼

어떤 이들은 천사의 계급과 수와 모양을 단정지어 말하는데
천사는 백만 개 사단 100억 명이다
이것은 쓸데없는 짓이야

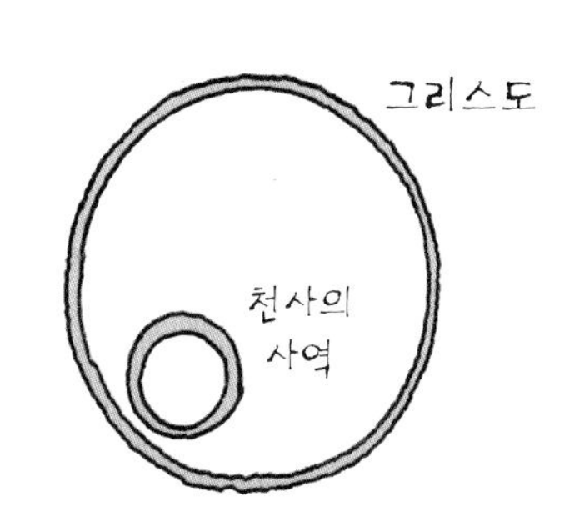
천사들의 모든 사역은 오직 그리스도의 중재의 은혜를 통해서만 우리에게 비진다는 것을 명심해야 해(창 28:12, 요 1:51)
그리스도
천사의 사역

마귀에 대한 호기심도 마찬가지란다

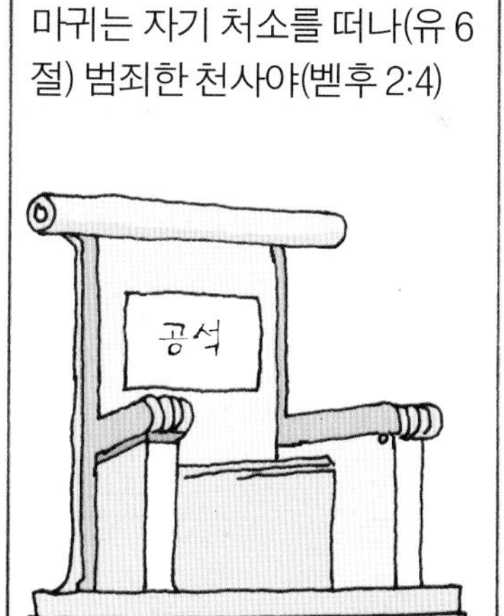
마귀는 자기 처소를 떠나(유 6절) 범죄한 천사야(벧후 2:4)
공석

천사가 우리를 돕는 존재라면 마귀는 우리를 대적하는 원수지
마귀
악

마귀도 관념이 아니라 실제로 존재해

성경은 원수 마귀를 두려워 말고 대적하라 고 해
덤벼! 마귀

우리나라 군복무는 3년이지만 마귀와 싸워야 하는 병역은 평생 동안 계속되어야 해
평생 …

성경이 마귀에 대해 자세히 가르치는 이유는 우리로 하여금 항상 깨어서 말씀과 기도로 무장하여 마귀를 무찌르도록 하기 위함이야 (벧전 5:8, 9)

둘 다 틀렸어! 마귀를 너무 과소평가했거나 혹은 너무 강하게 보았어

이 땅에서 성도들을 시험하고 공격하다가 장차 영벌에 처하게 할 존재야(요 8:44). 마귀는 타락한 자기의 본성으로 끊임없이 하나님을 대적하고 성도들을 공격하지만

그 모든 것을 다 하나님이 허락하시는 범위 안에서만 할 수 있어

하나님은 권능의 고삐로 사탄을 억제하고 조정하시지

성도들은 자주 마귀의 공격에 쓰러지고 실패하지만 절대 마귀에게 아주 지지 않아

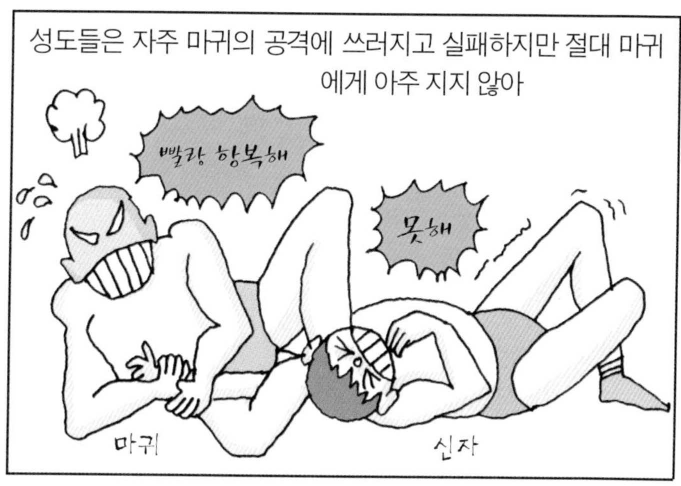

상처를 받기는 하지만 치명적이지 않다구

전 생애를 통해 그 싸움 때문에 수고하지만

마침내는 승리해(롬 16:20)

✤ 1권 14장 원전 줄거리 보기

창조

우주와 만물 창조에 있어서까지 성경은 참 하나님과 거짓 신들을 명백한 특징들을 가지고 구별한다

1. 인간의 사색으로써는 하나님의 창조 행위의 참 뜻을 살필 수도 없고 또 살펴서도 안 된다
2. 6일간의 사역은 인간에 대한 하나님의 선하심을 보여준다
3. 하나님은 만유의 주이시다
4. 우리는 천사에 대하여 사변에 빠질 것이 아니라 성경의 증거를 찾아내야 한다
5. 성경에 나타난 천사의 명칭
6. 신자의 보호자이며 조력자인 천사
7. 수호 천사들
8. 천사의 계급과 수와 모양
9. 천사는 단순한 관념이 아니라 실재이다
10. 신적 영광은 천사들에게 속하지 않는다
11. 하나님은 천사들을 사용하시되 자신을 위해서가 아니라 우리를 위해서 사용하신다
12. 천사는 우리가 주님만을 바라보는 것을 방해하지 않는다
13. 성경은 우리를 무장시켜 원수와 맞서게 한다
14. 사악(邪惡)의 영역
15. 화해할 수 없는 싸움
16. 마귀는 타락한 피조물이다
17. 마귀는 하나님의 권능하에 있다
18. 승리의 확신
19. 마귀는 어떤 사상이 아니라 실재이다
20. 창조의 위대함과 부요함
21. 하나님의 사역을 우리는 어떻게 보아야 하나
22. 창조에 나타난 하나님의 선하심을 숙고할 때 절로 하나님께 대한 감사와 신뢰가 우러난다

✤ 이상의 내용은 생명의말씀사에서 출간한 칼빈의 **기독교 강요** 원전(전 4권) 각 장의 세부 항목을 모아놓은 것이다.

CHAPTER 15

인간 창조

사람이 어떤 존재인가를 안다는 것은

타락한 후의 상태를 동시에 아는 것이야

처음 창조된 때의 인간의 상태만 알고

범죄로 인한 본성의 부패를 알지 못한다면 사람에 대해 안다고 볼 수 없어

이 질문이 타당하다면 인간은 처음 창조 때부터 결함이 있었다는 말이야

그러나 분명히 말하는데 하나님은 사람을 만드실 때 완전무결한 최고의 걸작품으로 만드셨어

Very~
good!

사람은 흙으로 지음받았지만 그 속에 불멸의 영혼을 가지고 있어

그래서 하나님의 형상을 지닌 고귀한 존재가 된 거야

성경은 우리가 육체와 영혼으로 되어 있다고 분명히 말해

우리의 영혼에는 탁월한 은사들과 신적인 그 무엇이 새겨져 있어

성경은 인간이 하나님의 형상으로 만들어졌다고 해(창 1:27). 그럼 그 형상이란 무엇일까?

하나님의 형상은 의와 거룩과 진리야

하나님은 인간을 완전한 존재로 지으셨어

아담은 바른 이해력과 감정, 분별력으로 만물을 보존하고 다스리며

하나님을 예배할 수 있는 탁월한 은사들을 갖고 있었어

이 모든 것이 다 인간의 영혼 속에 깊이 새겨진 하나님의 형상에서 오는 것이거든

인간이 하나님의 형상을 따라 지음받았다는 것은 타락했던 죄인이

예수님을 영접함으로 거듭나서 회복되는 장면을 볼 때 사실임이 입증되지

그리스도는 죄로 인해 파괴되고 부패한 하나님의 형상을 완전한 본래의 모습으로 회복시켜 주신다는 의미에서 제2의 아담이라고 불려져

첫 아담은 산 영으로 지음받았으나 둘째 아담인 그리스도는 살려주는 영이야(고전 15:45)

우리 가운데 회복되는 하나님의 형상은 지식과 순결한 의와 거룩함이야

하나님의 형상이 내 안에서 발견될 때 기쁨이 충만해지지

때가 되면 인간의 몸은 무너지지만 우리의 영혼은 불멸해!

영혼이 보이지 않는다고 해서 육체의 죽음과 함께 사라진다고 믿는 사람들이 있어

영혼은 공간적 제한을 받지 않지만 우리의 육체를 집처럼 간주하고 거기에 머무르며

육체의 각 부분에 생기를 불어넣어 주고 육체의 각 기관을 각각의 행동에 적절하고 유용하게 조화시킬 뿐 아니라

생각과 행동을 다스리며 모든 생활의 의무를 다하게 하고

하나님을 예배하도록 충동하고 자극해

인간의 영혼은
오성과 의지로
되어 있어
내 영혼아!
주를 찬양하라!
오성
의지

오성이 하는 일이 어떤 대상을 인식하고 분별하는 것이라면

의지는 오성이 분별한 것을 선택하는 것이야

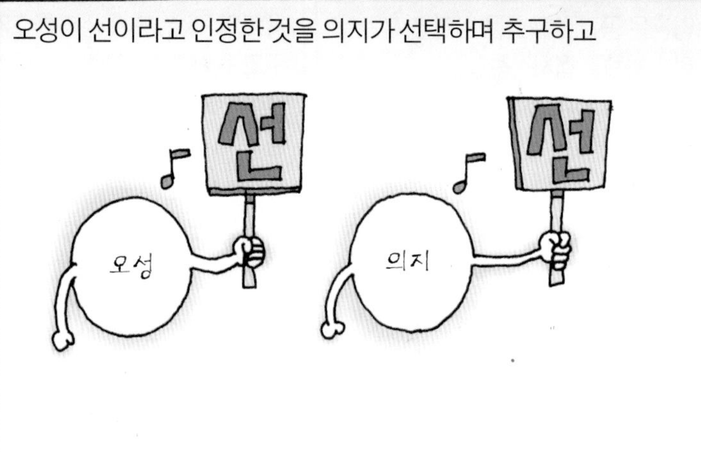
오성이 선이라고 인정한 것을 의지가 선택하며 추구하고
선
오성
선
의지

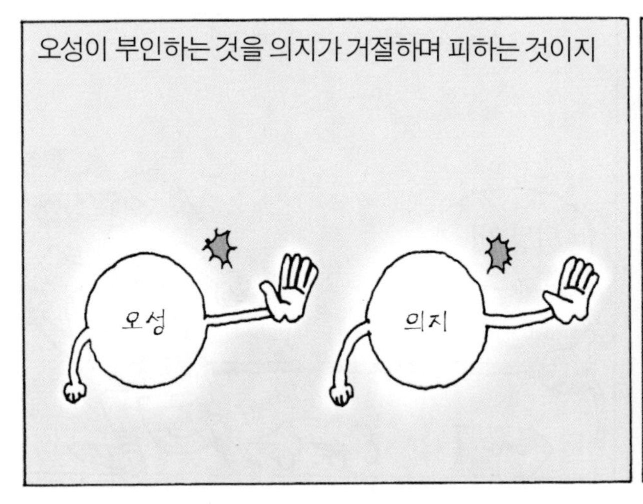
오성이 부인하는 것을 의지가 거절하며 피하는 것이지
오성
의지

오성은 영혼의 지도자며 의지는 그 종과 같은 것으로서
오성
의지

오성의 명령에 항상 귀를 기울이고 있고
의지

오성의 판단을 받아들일 욕망을 갖고 있어
의지

하나님은 인간의 영혼 속에 마음을 주셨어
mind

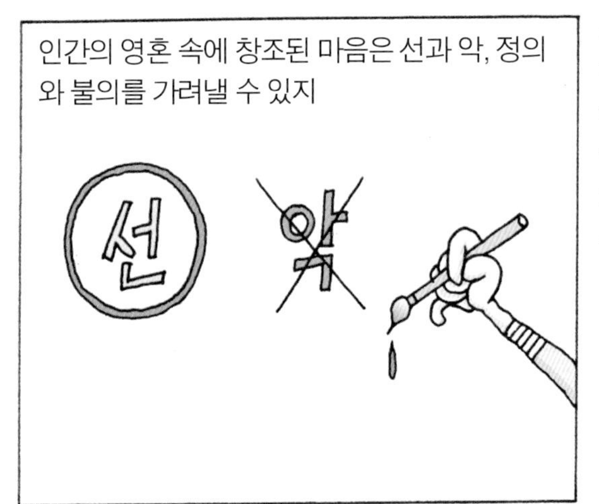

인간의 영혼 속에 창조된 마음은 선과 악, 정의와 불의를 가려낼 수 있지
선
악

이성의 안내를 받은 마음은 마땅히 따를 것과 버릴 것을 구별해 낼 수 있어.
하나님은 마음이 선택한 것을 실현하도록 의지를 덧붙여 주셨어
마음
의지

타락하기 전의 인간의 상태는 완벽해서 인간의 이성은 하나님의 명령대로 살아갈 수 있는 분별력을 충분히 갖고 있었어

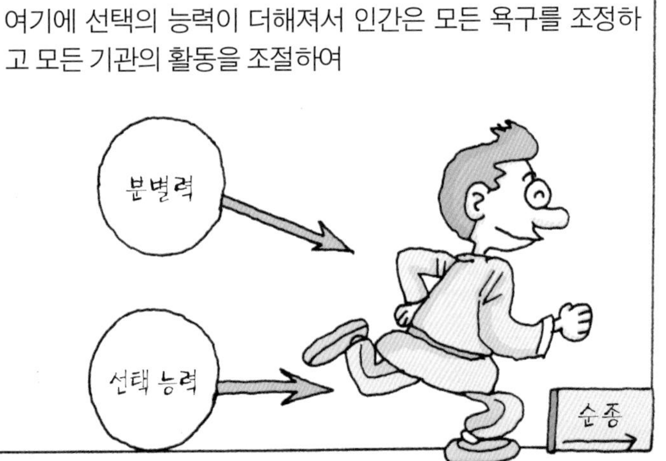

여기에 선택의 능력이 더해져서 인간은 모든 욕구를 조정하고 모든 기관의 활동을 조절하여
분별력
선택 능력
순종

그러나 타락한 이후에는 자유 의지를 박탈당하고 노예 의지를 소유하게 되었어

우리의 의지는 진리를 추구하는 것이 아니라 죄악을 추구하게 된 거야

하나님은 창조하실
때부터 아예 인간이 죄나
악을 원하지도 않도록
만드셨다면 더 좋았을
것이 아닌가?
왜 범죄하려는
아담을 붙들어
주지 않으셨
는가?
아직도 성경의 범주
를 넘는 질문을 하는
사람들이 있어!

하나님의 은밀한 예정과 계획을 존중하여
그 이상을 캐내려 하지 않는 사람이
지혜로운 자야
예정의
비밀
알고
말거야~
명심해. 성경이 말한 만큼 말하고 성경이 멈추면 함께
멈추어야 한다는 것을…

✤ 1권 15장 원전 줄거리 보기

인간 창조

창조된 인간의 본성, 영혼의 기능, 하나님의 형상, 자유 의지, 인간성의 원초적(原初的) 순결

1. 하나님은 인간을 순결하게 창조하셨으므로 인간은 죄에 대한 책임을 창조주에게 돌릴 수 없다
2. 육체와 영혼의 상이점
3. 하나님의 형상대로 창조된 인간
4. 하나님의 형상의 참 성질은 그리스도로 말미암아 회복된다고 말하는 성경에서 찾아볼 수 있다
5. 영혼 유출에 관한 마니교도의 오류
6. 영혼과 그 기능
7. 근본적 기능으로서의 오성(또는 지성)과 의지
8. 자유 선택과 아담의 책임

✤ 이상의 내용은 생명의말씀사에서 출간한 칼빈의 **기독교 강요** 원전(전 4권) 각 장의 세부 항목을 모아놓은 것이다.

CHAPTER 16

섭리

칼빈은 과부와 결혼했으나,
결혼한 지 9년 만에 사별했고

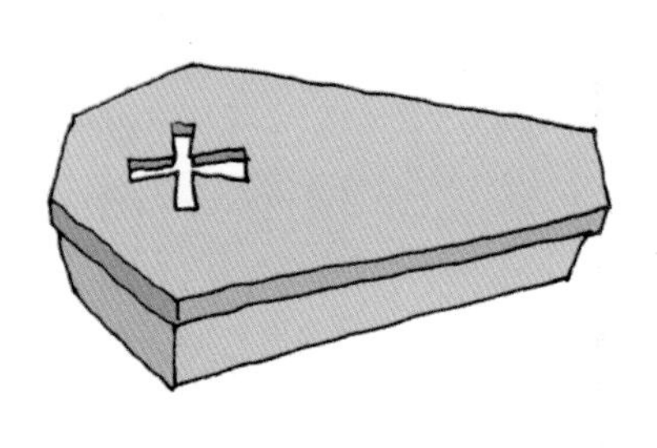

칼빈은 몸에 고통을 달고 다니면서 정처 없는 나그네 삶을 살았어

그런데 거기서 종교개혁자 파렐을 만나 종교개혁을 하게 된 거고

칼빈은 자신의 인생을 돌아보면서
하나님의 섭리를 뼈저리게 느꼈어.
그런데 이런
사람들이
있더군

과연 그럴까? 하나님은 창조만 하시
고 세상일을 방치하실까? 그럴 리가
없지. 창조와 섭리는 절대로 분리될
수 없어

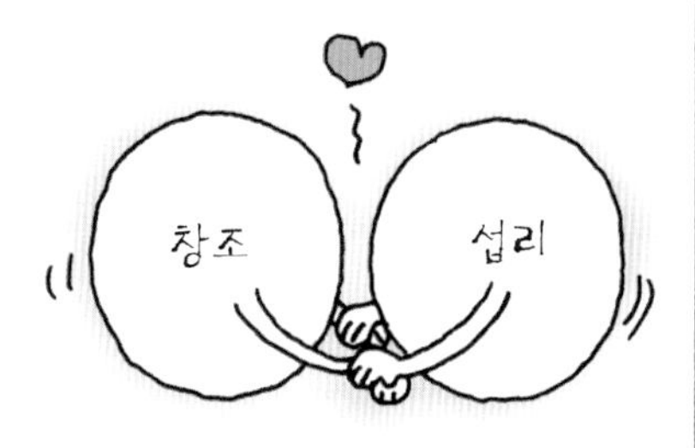

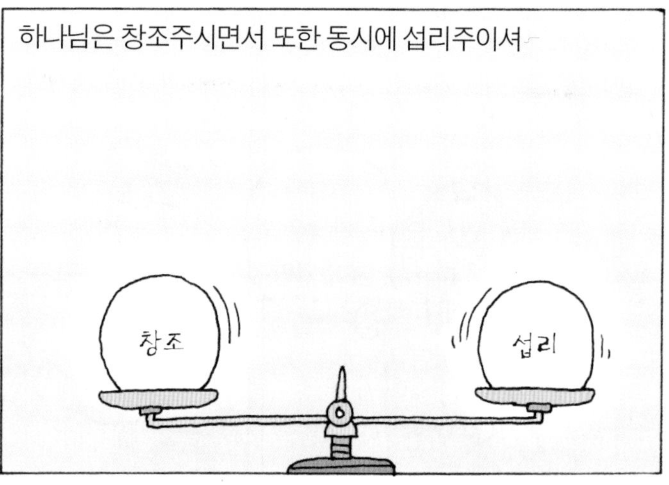

하나님은 천지를 창조하셨고 그 천지를 계속 다스리시고 보호하신다구

만약 창조만 하시고 섭리하지 않으신다면 하나님은 창조주가 아니야.

하나님은 참새 한 마리까지도 직접 다스리시고 보호하시며(마 10:29)

때를 따라 만물에 식물을 주시고, 죽이기도 하시고 살리기도 하셔(시 104: 27–30)

하나님! 짱!

그러므로 우연, 운명이란 없어

사람들은 섭리를 모르기 때문에 불행한 일들은 다 운명에 돌림으로써 위로를 받으려 해

원인을 잘 알 수 없는 일들은 모두 우연으로 돌린다구

하지만 모든 일은 다 하나님의 작정과 간섭과 다스림 아래 있어

우리의 머리털 하나까지도 하나님의 허락을 받고서야 빠져(마 10:30)

지구에 있는 모든 생물을 기르는 저 태양도 운명처럼 정해진 자연 법칙에 따라 뜨고 지는 것이 아니야

하나님이 날마다 그렇게 할 수 있는 힘을 주시는 거지

때로는 멈추게 하시고(수 10:13), 반대로 뒤로 물러가게도 하실 수 있어(왕하 20:11)

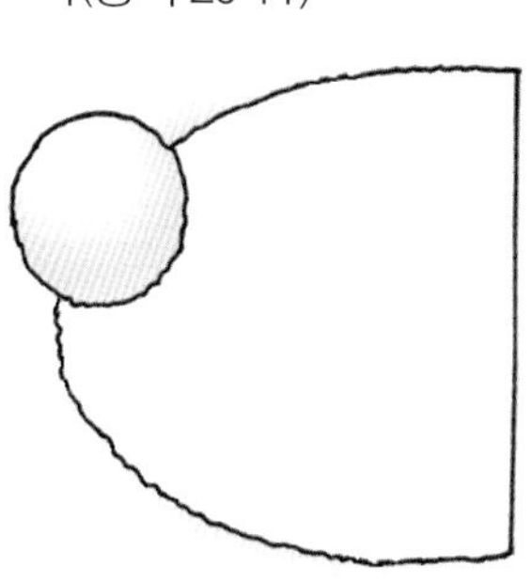

매일 아침 부지런히 떠오르는 태양을 보면

오늘도 섭리를 베푸시는 하나님의 변함없으신 사랑을 찬양해야 해(애 3:23)

이렇게 되면 만물을 직접 다스리고 보존하는 것은 태양이나 별들이 되는 꼴이야

날 섬겨

이런 생각에서 벗어나지
못하는 사람은

세상 만사는 다 우리를 사랑하시는
하나님의 은밀한 뜻과 보이지 않는
손의 능력 안에 있기 때문이지

하나님은 우리 주변에서
일어나는 크고 작은
모든 일들과

만사를 주관하시는 하나님을 믿으니 맘이 평안해요

또 우리 각 사람
하나하나의 모든 일들

하나님이 나의 일까지 관여하실까?

✤ 에피쿠로스 학파

그리스 철학자 에피쿠로스에 의해 세워진 윤리 철학 체계. 에피쿠로스는 감각이 진리의 유일한 판단 기준이라고 주장하였다. 신의 존재를 부인하지는 않았지만, 인간에게는 무관심한 존재라고 보았다. 인간의 최고 목적은 행복이며, 이는 평정과 초탈을 통해 도달할 수 있다고 믿었다.

섭리는 멀리 있는 게 아니야. 우리 주변에서 일어나는 모든 일들을 통해 하나님을 발견할 수 있다구

자세히 살펴보면 사건 사건 속에 때로는 하나님의 심판이 담겨 있기도 하고

때로는 하나님의 사랑이 담겨 있기도 해

사건을 섭리하시는 하나님을 깨닫는다면 우리의 하루하루 생활이 풍성하고 감사가 넘치게 되겠지

하나님의 섭리는 특별히 인간과 관계가 있어

내가 내 맘대로 사는 것 같지만 사람의 모든 걸음은 하나님이 결정하시고 말의 응답도 하나님이 하셔 (렘 10:23)

하나님은 사람들의 생사와 빈부와 높아지고 낮아지는 것을 결정하셔(삼상 2:6-10)

마찬가지로 하나님은 자연의 모든 현상들도 조정하시는데

광야에서 바람을 일으켜 메추라기로 자기 백성을 먹이기도 하셨고(출 16:13, 민 11:31)

큰 동풍으로 홍해를 가르기도 하셨고(출 14:21)

도망가는 요나를 배에서 찾아내기도 하셨어(욘 1:4)

한마디로 하나님은 모든 자연의 세력을 자기 사자로 삼고 사용하시지(시 104:3, 4)

사람이 자식을 낳는 것도 본래 갖고 있는 생식력 덕분이라고 생각할 수 있지만, 사실은 출산 하나 하나가 다 하나님의 특별하신 은혜요 섭리며(시 113:9)

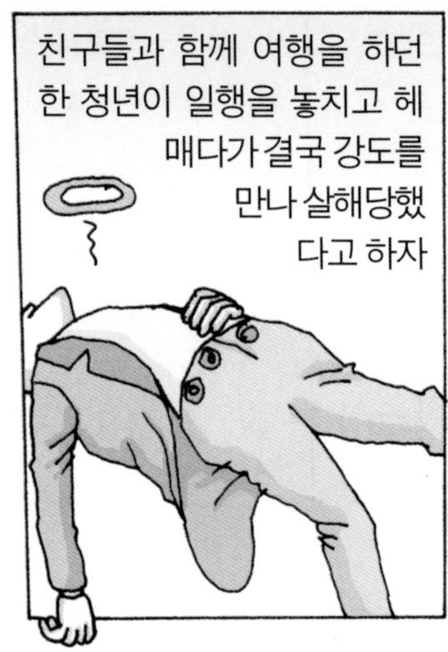

하나님께서는 그의 죽음을 미리 아셨고 또한 그렇게 되도록 작정하신 거야(욥 14:5)

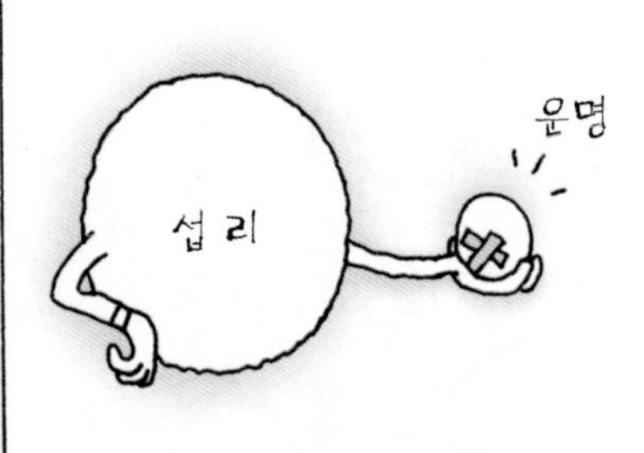

세상에서 일어나는 모든 일들이 우리 눈에는
우연인 것처럼 보이지만
역사
우연의
산물이 역사
아닌겨?

그 모든 것 뒤에서 하나님의 보이지 않
는 손이 다스리시고 조
정하신다구

그래서 만물이 다 하나님의 작정하신 뜻을 이루어 나가는 거야
기관사
하나님
역사 호

자, 이제
17장으로
가자구
하나님의
뜻

✤ 1권 16장 원전 줄거리 보기

섭리

하나님은 창조하신 세계를 권능으로 양육하시고 유지하시며 섭리로써 그 모든 부분을 다스리신다

1. 창조와 섭리는 분리될 수 없다
2. 운명이나 우연과 같은 것은 존재하지 않는다
3. 하나님은 섭리로 만사를 지배하신다
4. 섭리의 성질
5. 하나님의 섭리는 또한 개개의 사건들을 지도하신다
6. 하나님의 섭리는 특별히 인간과 관계가 있다
7. 하나님의 섭리는 '자연' 발생 사건들도 조정한다
8. 섭리의 교리는 스토아 철학의 숙명론이 아니다
9. 모든 사건의 참된 원인은 감추어져 있다

✤ 이상의 내용은 생명의말씀사에서 출간한 칼빈의 **기독교 강요** 원전(전 4권) 각 장의 세부 항목을 모아놓은 것이다.

CHAPTER 17

섭리의 유익

하나님의 섭리를 알 때 얻는 유익에 대해서 살펴볼까?

하나님의 섭리는 과거와 현재와 미래의 모든 일들을 다 포함해

하나님의 섭리는 모든 만물의 결정적 원리야. 세상이 복잡해 보이지만 섭리의 눈으로 보면 만사가 풀리게 되지

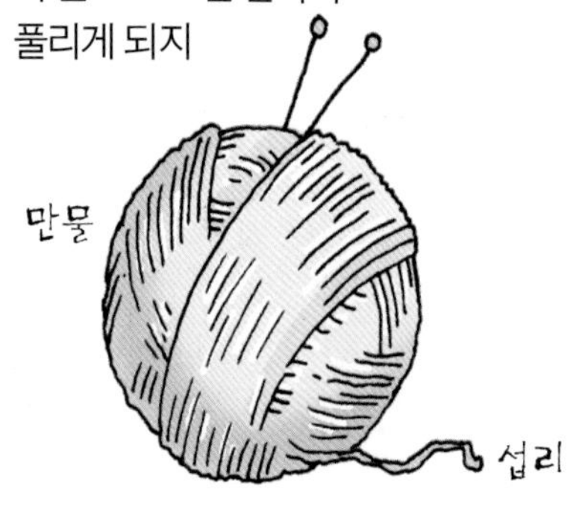

섭리는 매개체(사람)를 통하여 일어나기도 하고

때로는 매개체 없이 친히 일하기도 하며

때로는 매개체(어떤 사람의 뜻)와 정반대로 작용하기도 해

하나님의 섭리는 온 인류 역사 가운데 나타나지만

특별히 섭리의 목적은 교회를 보호하고 다스리는 데 있어

호메로스의 일리아스에서 아
가멤논도 이렇게 말했지

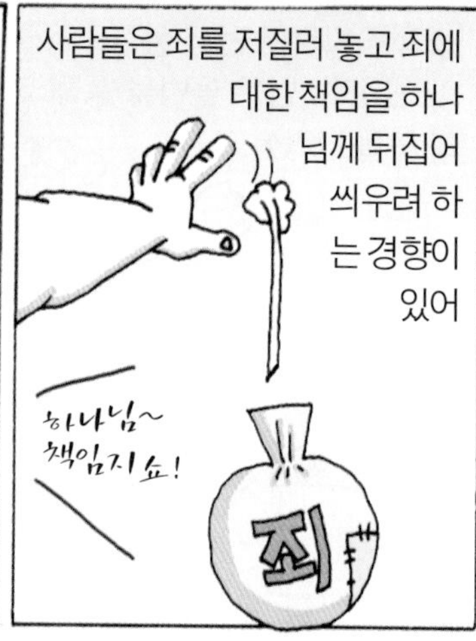

그렇게 되면 살인자도 간음자도 도둑놈도 다 하나님의 뜻을
수행한 섭리의 대행자가 되는 거야

길에 개 한 마리가 죽어 버려져 있었어. 며칠이 지났지. 태양열로 부패되어 악취가 났어

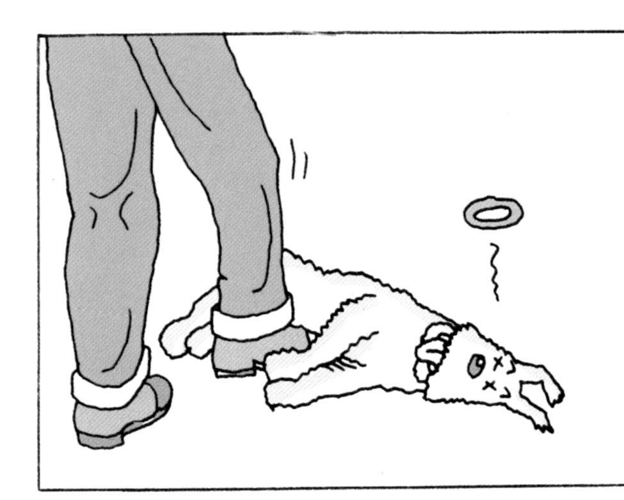

그렇다면 그 악취는 태양에서 난 것일까? 아니면 죽은 개 때문일까?

아무도 태양 빛이나 태양열에서 악취가 난다고 말하지 않을 거야

살아 있는 개라면 태양 빛과 열이 생기를 더해 주지 않았겠니?

범죄도 마찬가지야

머리카락 하나 빠지는 것도 우연이나 운명이 아니야

섭리를 믿을 때 조심해야 할 것이 있어. 하나님이 섭리의 도구로 사용하시는 중간 원인들을 무시해서는 안 된다는 거야

꼭 그래야 돼?

또한 그 일의 사역자로 쓰임받은 사람에 대해서도

존경심과 감사하는 마음을 가져야 해

이 말은 우리를 돕는 사람들이 많다고 사람만을 신뢰하거나

반대로 아무도 없다고 불안해 하고 두려워하지 말라는 거야. 하나님이 계시잖아

일의 원작자이신 하나님께 감사하고 쓰임받은 사람에게도 적극적으로 감사하는 게

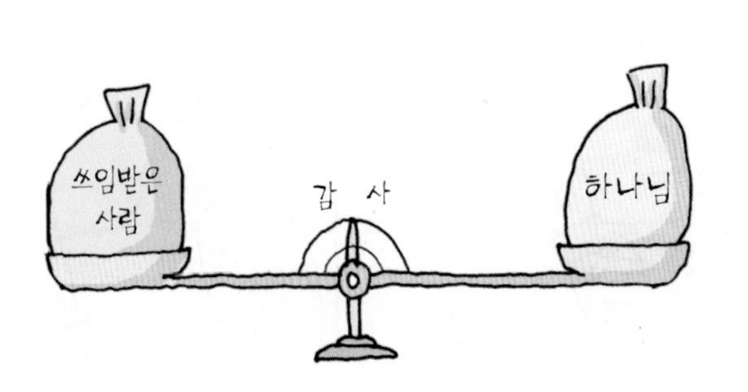

섭리를 믿는 올바른 태도야. 알겠지?

⚜ 1권 17장 원전 줄거리 보기

섭리의 유익

섭리 교리에 대한 올바른 적용은 우리에게 큰 유익을 준다

1. 하나님의 방법의 의미
2. 우리는 하나님의 통치를 존경하는 마음으로 관찰해야 한다
3. 하나님의 섭리는 우리의 책임을 약화시키지 않는다
4. 하나님의 섭리는 인간의 숙고(熟考)와 조화된다
5. 하나님의 섭리는 우리의 악함을 무죄로 하지 않는다
6. 신자의 위안이 되는 하나님의 섭리
7. 하나님의 섭리의 유효성
8. 하나님의 섭리에 대한 확신은 모든 역경에서 우리를 돕는다
9. 중간 원인을 경시하지 않는다
10. 하나님의 섭리에 대한 확신이 없는 한 우리는 비참한 존재이다
11. 하나님의 섭리에 대한 확신은 기쁜 마음으로 하나님을 신뢰하게 만든다
12. 하나님의 '후회'에 대하여
13. 성경은 인간의 이해를 고려하여 하나님의 '후회'를 말한다
14. 하나님은 자신의 계획을 단호하게 실행하신다

⚜ 이상의 내용은 생명의말씀사에서 출간한 칼빈의 **기독교 강요** 원전(전 4권) 각 장의 세부 항목을 모아놓은 것이다.

CHAPTER 18

섭리의 수행

사탄이 아합왕을 속이기 위하여 모든 선지자들의 입에 거짓말하는 영을 두었어

복음서에서는 가룟 유다가 예수님을 대제사장의 무리들에게 넘겨 주었지

압살롬은 자기 아비의 후궁들을 대낮에 왕궁 위에서 욕보인다구

이 모든 사건에 하나님은 얼마나 또 어떻게 관계하셨을까?

대답하기가 곤란하지

그 모든 일을 하나님이 작정하셨고 행하신 것이라고 하면 하나님께 죄를 돌리는 것 같고

그렇다고 하나님은 구경만 하셨다고 하면 하나님을 허수아비로 만드는 것 같지

이런 난처함을 피하기 위해 사람들이 만든 궁색한 답변이

바로 '허용하셨다' 라는 말이야

하나님이 사탄의 소원대로 잠시 악을 허용하신다는 뜻이야

분명히 말하겠는데 허용이란 속임수야

하나님은 세상 모든 일 중 그 어느 것도 단순히 허용하지 않으셔!

하나님은 세상 모든 일을 하나도 빠짐없이 오직 자기 뜻대로 작정하시고 시행하시거든(시 115:3)

욥을 공격한 사탄의 역사도 하나님이 그렇게 하시기로 원하신 거야

사탄이 아합왕을 미혹한 것도 하나님이 원하신 거야(왕상 22:20, 22)

사탄의 충동질로 가룟 유다가 예수님을 넘긴 것도

하나님의 권능과 뜻대로 이루려고 예정하신 것이었어(행 4:28)

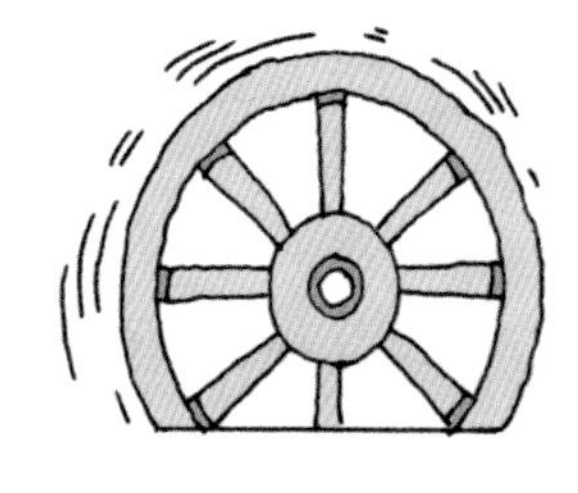

그것은 하나님의
정하신 뜻과 미리
아신 대로 내어 준
바 된 것이지
(행 2:23)

압살롬이 근친상간으로 아버지의 침상을 더
럽힌 것도 하나님이 이미 그렇게 하기로
작정하신 거야(삼하 12:12)

개인이든 가정이든 나라든 그 일어나는
모든 일들이
개인의
역사
국가의
역사
다 하나님의 의지와 명령에 따라 온다는 것을 성경은
지칠 줄 모르고 증거한다구
하나님의
의지와 명령
역사

그러므로 하나님의 섭리 속에 단순한 허용
이라는 괄호를 은근히 집어넣으려는 것은
허용
섭리
지독히 어리석은 짓이지

사람이 사탄의 충동질로 죄를 지을 때 하나님은 그 사람 속에서

하나님이 사람에게서 은혜를 거두어 가시면

또 두목들은 총명을 빼앗기고 방황하게 될거야(욥 12:24, 시 107:40)

내 시대는 끝났다

하나님이 은혜를 거두어 가시면 인간은 더욱 악해지고

어두운 마음은 더 어둡게 되지(사 29:14). 사탄이 믿지 않는 자들의 마음을

혼미하게 한다고 성경은 말하는데(고후 4:4)

그 사탄의 유혹하는 역사도 바로 하나님 자신에게서 나오는 거야(살후 2:11)

마귀

하나님의 주권

사람이 악을 행할 때 하나님이 그것을 단순히 허용하시는 것이 아니라

적극적으로 모든 악을 심판의 도구로 활용하시고 또 그것을 바꾸어 선을 이루신다구

하나님은 한마디로 말
한다면 토기장이셔
도자기를
만들어
볼까?

선한 그릇이든 악한 그릇이든

다 그의 손에 들린 토기일
뿐이라구

하나님은 사탄의 충동질 때문에 즉석에
서 욥에게 시련을 허락하신 것이 아니었어
그 고난은 처음부터
작정된 하나님의 의
로우신 채찍이었지

욥도 믿음으로 그 사실을 인정
했어(욥 1:21)
득득득..
맞습니다,
맞고요

예수 그리스도의
죽음도 가룟 유다의
배신 때문이 아니라
하나님이 처음부터
작정하신 거지
만약에 그렇지 않다면 우리의 구원은 어디서부터
오는 것이겠어?
안 그래?

세상의 어떤 재앙도 하나님이 시키지 않으시면 임하지 않는다고 말씀하셔(암 3:6)

이런 사람들이 있더군

이런 질문은 죄를 짓는 사람들의 책임을 모두 하나님에게 떠넘기려는 것이야

압살롬이 아버지의 후궁들을 더럽혔어(삼하 16:22)

물론 하나님이 이 일을 명하셨지. 그럼 압살롬에게는 죄의 책임이 없을까? (삼하 12:11, 12)

아니지! 압살롬이 붙잡고 따라야 했던 것은 당연히 근친상간하지 말라는 하나님의 계명이지(레 20:11, 12)

같은 사건을 놓고 다윗은 그것이 곧 하나님의 채찍이라고 인정했어

그는 하나님의 교훈과 범한 죄를 잘 알고 있었지(삼하 16:10, 11)

그러나 압살롬은 자신의 정욕에 따라 하나님의 거룩하신 교훈을 파괴한 거야

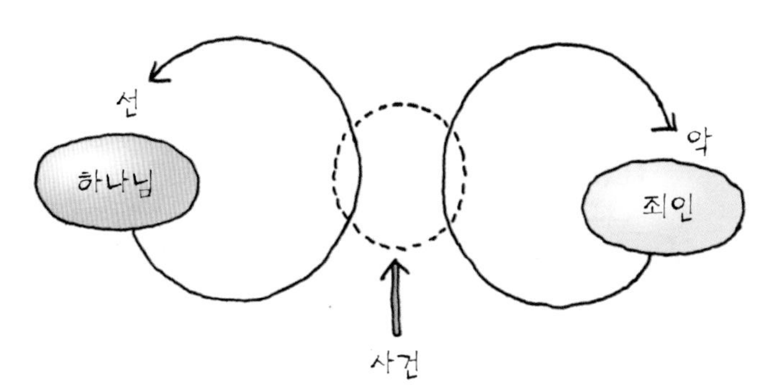

그러니까 사람이 어떤 행동을 했느냐가 중요한 것이 아니야. 그 행동을 어떤 생각으로 했느냐가 더 중요하지

행동

원인/동기

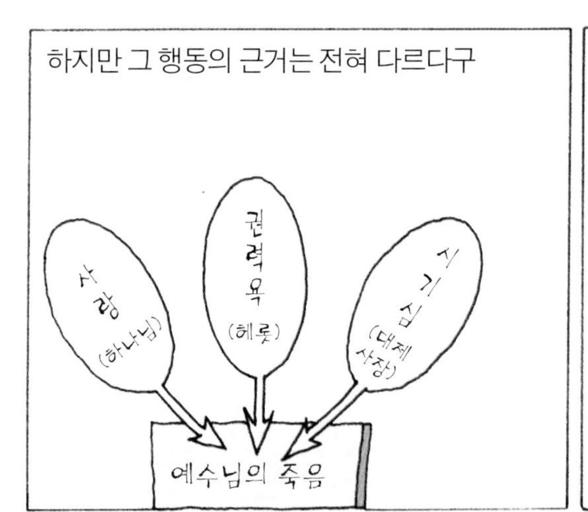
하지만 그 행동의 근거는 전혀 다르다구
사랑 (하나님)
권력욕 (헤롯)
시기심 (대제사장)
예수님의 죽음

결과보다 그 과정이 얼마나 중요한지 알겠지? 하나님의 섭리의 비밀은 참으로 놀라운 거야

온 우주를 창조하시고 섭리하시는 하나님을 찬양하라!
목놓아 외치며 찬양하라

이렇게 해서 제1권 창조주 하나님을 아는 지식론을 마쳤어.
제2권 그리스도를 아는 지식론으로 넘어가 볼까?

✤ 1권 18장 원전 줄거리 보기

섭리의 수행

하나님은 불경건한 자의 일을 사용하시며 저들의 마음을 굴복시켜 자신의 심판을 수행하심으로써 모든 더러움에서 순결을 유지하신다

1. 단순한 '허용'이 아니다
2. 하나님은 인간 안에서 어떻게 일을 추진하시는가
3. 하나님의 의지는 단일하다
4. 하나님이 자신의 목적을 위하여 불경자의 행위를 사용하실 때에도 하나님은 비난의 대상이 되지 않는다

✤ 이상의 내용은 생명의말씀사에서 출간한 칼빈의 **기독교 강요** 원전(전 4권) 각 장의 세부 항목을 모아놓은 것이다.

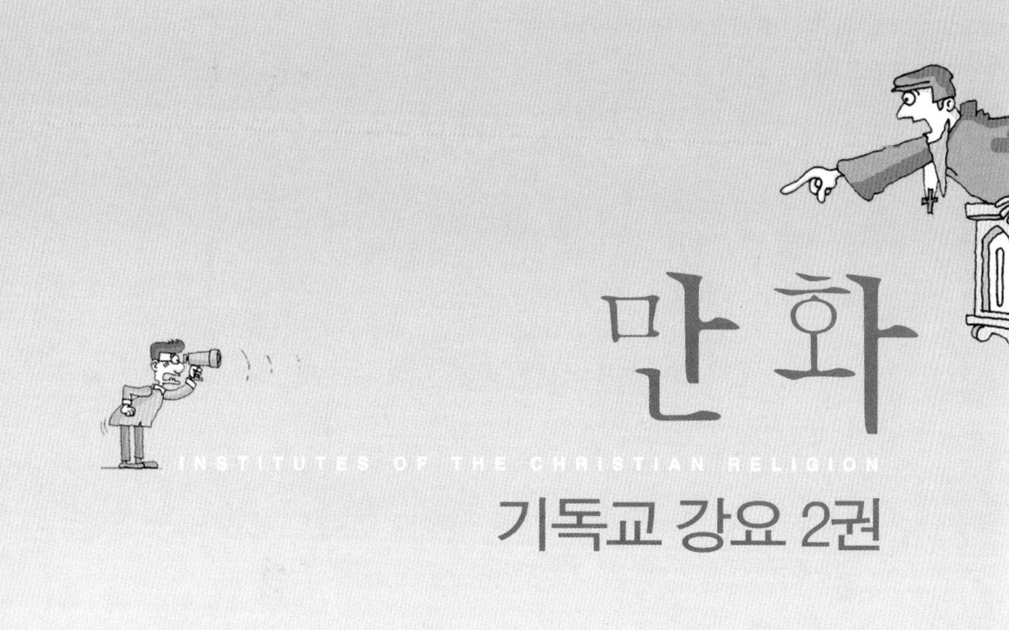

만화

INSTITUTES OF THE CHRISTIAN RELIGION

기독교 강요 2권

만화

INSTITUTES OF THE CHRISTIAN RELIGION

기독교 강요 2권

C o n t e n t s

기독교 강요 제2권 _그리스도를 아는 지식

P A R T **O N E** 서론

기독교 강요의 역사, 저작 목적, 사상적 배경

기독교 강요를 중심으로 본 칼빈의 생애

P A R T **T W O** 기독교 강요

헌사 _프랑수아 1세에게 보내는 편지

기독교 강요 제1권 _창조주 하나님을 아는 지식

기독교 강요 제3권 _그리스도의 은혜를 받는 길

기독교 강요 제4권 _교회와 국가

기독교 강요 제2권

그리스도를 아는 지식

2권의 전체 흐름

안녕!
잘 있었어?

왜 대답이 없어? 무슨 일 있었구나

아하~ 2권을 배우고 싶어서 병이 났다구
킥킥

우리는 1권을 통해 창조주 하나님에 대하여 배웠어. 다시 한번 정리해 볼게
기독교강요
1권

1권 총 18장 가운데 1-5장을 통해 하나님을 아는 지식을 배웠고
깊도다 지식의 부요함이여~

6-9장에서는 성경에 대하여 배웠으며
성경
또 10-13장을 통해 삼위일체 하나님을 배웠고 14-18장에서는 창조와 섭리에 대하여 배웠어

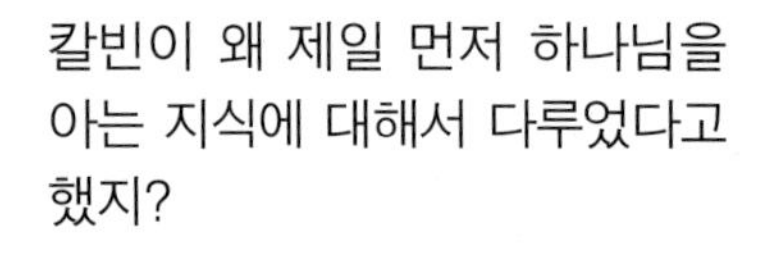
칼빈이 왜 제일 먼저 하나님을 아는 지식에 대해서 다루었다고 했지?

까먹었다

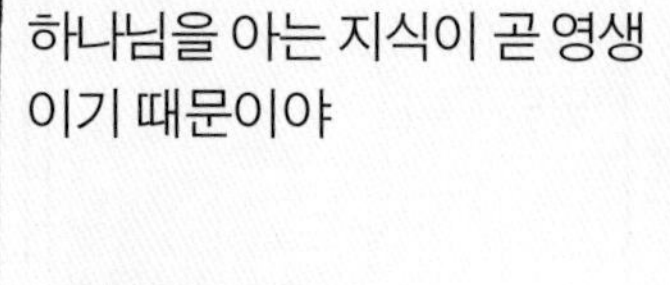
하나님을 아는 지식이 곧 영생이기 때문이야

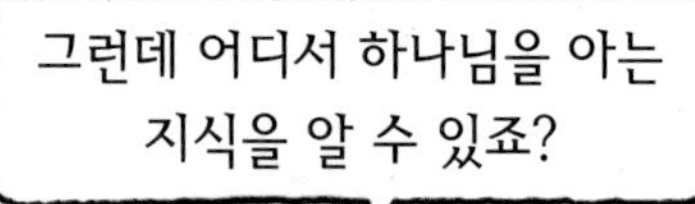
그런데 어디서 하나님을 아는 지식을 알 수 있죠?

하나님은 자신을 잘 알 수 있도록 특별한 계시를 주셨어
계시?

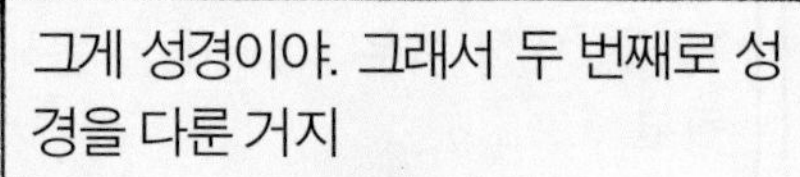
그게 성경이야. 그래서 두 번째로 성경을 다룬 거지

우리가 믿는 하나님은 성경이 계시한 하나님이야
성
경

성경이 말하는 하나님은 바로 삼위일체 하나님이셔
우리가 믿는 알라는 뭐야?
몰라요
삼위일체 하나님이 하신 일이 무엇일까? 바로 창조야. 그분은 창조하신 세계를 완전하게 섭리하고 계셔

그래서 1권이 하나님을 아는 지식, 성경, 삼위일체, 창조, 섭리 순으로 짜여진 거라구

지식 | 성경 | 삼위일체 | 창조 | 섭리

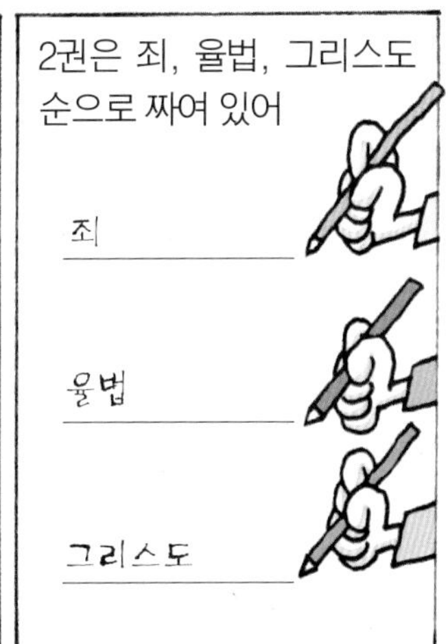

우리는 그리스도를 알기 전에 먼저 두 가지를 알아야 해

그게 바로 죄와 율법이야

죄 | 율법

죄가 무엇인지 알지 못하는 사람이 어떻게
난 죄가 없는데 무슨 얼어죽을~
구원
구원이 무엇인지 알 수 있겠니?

자신이 불타는 집안에 있는 줄을 모르는 사람이 어떻게 절박하게 구조를 요청할 수 있겠어
박에 불났는데요
잠 좀 자자! 씨끄럽다아~

예수님이 누구신지 공부하기 전에 반드시 죄가 무엇인지를 알아야 해
죄
그리스도
죄의 깊이를 알 때 비로소 예수님에 대해 간절해지고 매달리게 된다구
각종 죄악

죄가 무엇인지 알고 나면 율법을 알아야 해

율법은 구약 시대로 끝난 거 아니에요?

죄와 예수님만 알면 되지 굳이 율법에 대해서 알아야 합니까?

먼저 죄와 율법과 그리스도의 관계에 대해 살펴보는 게 필요하겠지?

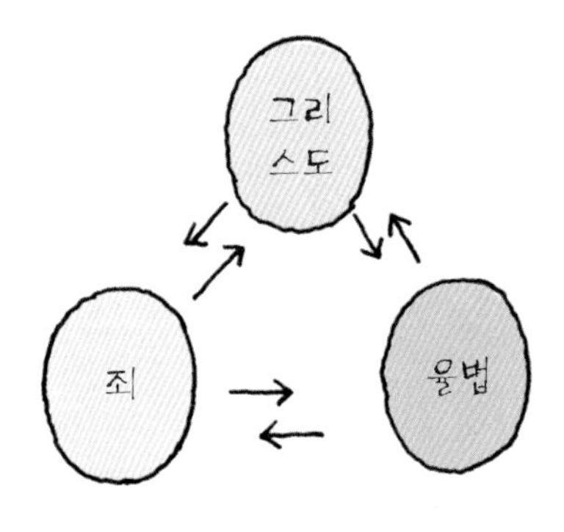

세상에서는 이처럼 죄 인식이 시대 상황에 따라 달라져

간통만 하더라도 전에는 무서운 죄악이었으나 지금은 죄가 아니야

능력 없으면 간통도 못해

부럽당

오늘날 죄에 대한 교리가 무시된다는 것은
곧 성경의 권위가 땅에 떨어졌다는 거야

예수님은 세상 죄를 지러 오셨는데 사람들이 예수님을
자꾸 다른 데로 이끌어 가려고 해
상관
마세요
예수님
죄

설교자들은 강단에서 슬그머니 죄에 대한 교리를
빼 버리고
넌 빠져
오늘날의 설교
죄의 교리

성공주의적 인생을 살도록
격려하는 경우가 많아
오늘은
하나님께 복받는
일곱 가지 법칙을
선포하겠습니다!

과연 이런 곳에서 성도들이
복음으로 인해
기뻐하고
우리 아들이
사법고시에
합격했어요
얼쑤
절쑤

복음적인 삶을 사는 것이
가능할까?
저는
새로 지은
교회가 아니면
안 갑니다
전
인터넷 설교로
예배를 대신
합니다

전적으로 부패했고 전적으로 타락한 나 자신을 알 때 비로소 구원의 필요성을 절실히 깨닫게 되겠지
심판
그러므로 예수님을 알기 전에 죄가 무엇인지 알아야 하며
살려도~

십자가 앞에서 나 자신이 누구인지 발견해야 한다구
성경을 읽던 중 누가 그러더군

왜 구약이 신약보다 많은 거죠?

어떤 설교자는 복음을 강조한다는 이유로 구약성경을 찢어서 쓰레기통에 버렸다는 거야
구약

우리 시대는 성령 시대이므로 구약은 필요 없다는 거지
우린 율법과 상관없는 자유인이오

우린 직접 성령을
의지하여 살아가는
사람들이오
멋져!

과연 그럴까? 그들은 성령을 의
지하여 살아가는 것이 아니라
내적 충동에 의해서 살아가는
거야

오늘날에도 율법이 꼭 필
요한 세 가지
이유가 있어

첫째, 율법은 나의 죄를
비추어서 깨닫게 하는
영혼의 거울이야
율법

만약 율법이 없었다면
죄를 지어도 죄가 무엇
인지 모르고 방자하게
행동했을 거야
쾌락

둘째, 율법은 악을 제어하는 기능을 해. 율법이
요구하는 형벌 때문에 사람들은 형벌이 무서워
서라도 악을 제어하지
율법의
형벌

셋째, 율법은 신자들에게 삶의 지침서야.
율법이 제시하는 도덕법들은 여전히 우리
가 순종해야 할 삶의 길잡이라구
율법
삶

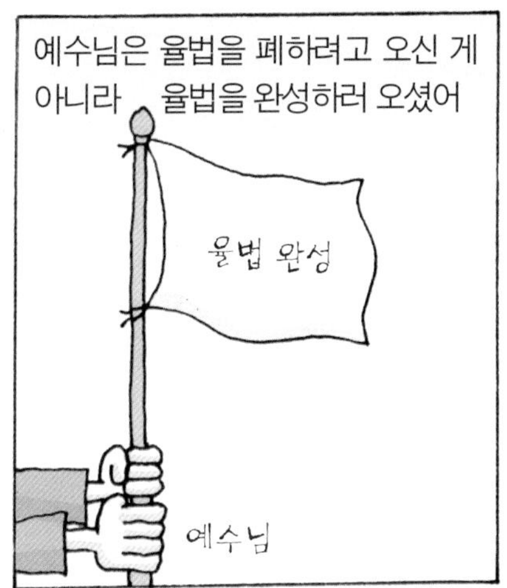
예수님은 율법을 폐하려고 오신 게
아니라 율법을 완성하러 오셨어
율법 완성
예수님

몇몇 종교개혁자들은 율법을
무시해 버렸지
난 네가
싫어!
율법

그러나 칼빈은 율법을 매우 중요시했어
구약
신약

구약과 신약을 대립시켜
본 것이 아니라
상호보완적으로
보았거든
신약
구약
그리스도

칼빈은 예수님에 대하여 말하기 전에 6-11장을 할애하여 율법에 대해서 다루고 있어. 그 다음 12-17장까지는 예수님에 대해서 다루고 있어

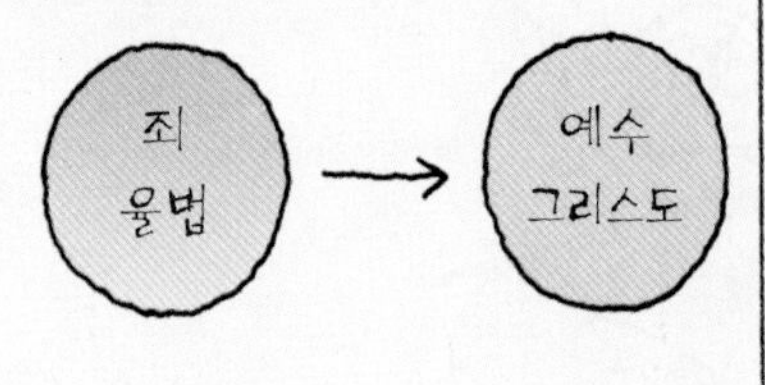

사람들에게 "예수님은 당신에게 누구십니까?" 하고 묻는다면 별의별 대답이 다 나오겠지

한국 교회 저변에는 은연중에 예수 잘 믿으면 만사가 잘 풀린다는 믿음이 깔려 있어

예수 믿는 것이나 다른 종교 믿는 것이나 별 다른 게 없어

너도?

나는 원불교 믿고 부자 되었는데?

우리가 예수님을 믿는 이유는 이런 것이 아니잖아

그렇다면 예수님은 진정 누구실까?

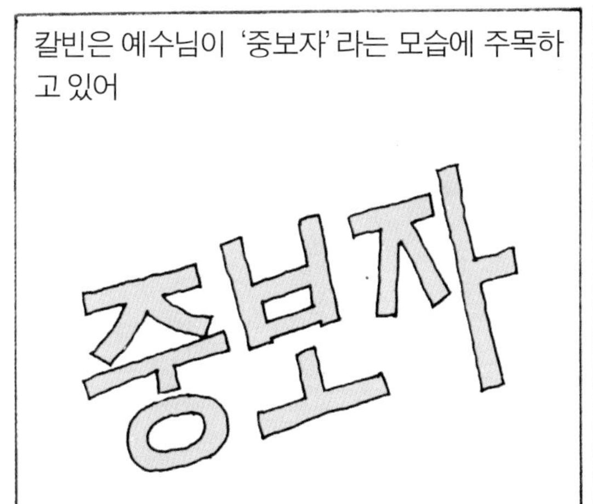
칼빈은 예수님이 '중보자' 라는 모습에 주목하고 있어
중보자

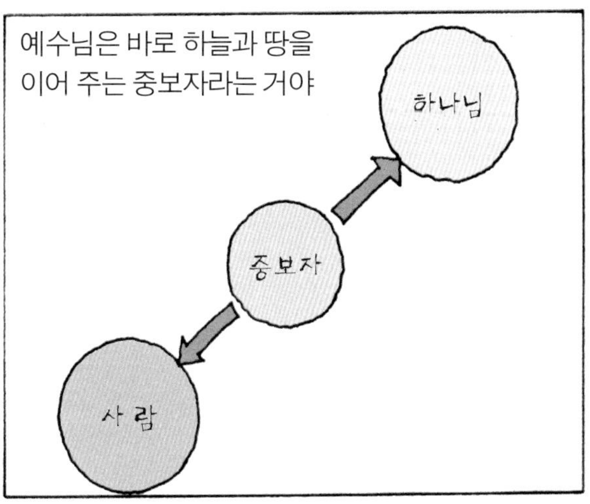
예수님은 바로 하늘과 땅을 이어 주는 중보자라는 거야
하나님
중보자
사람

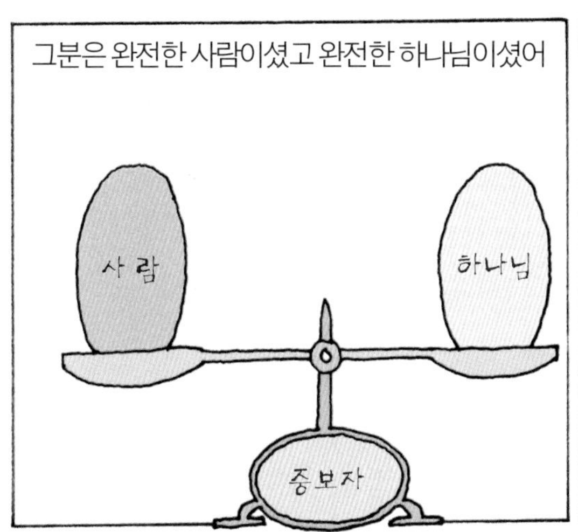
그분은 완전한 사람이셨고 완전한 하나님이셨어
사람
하나님
중보자

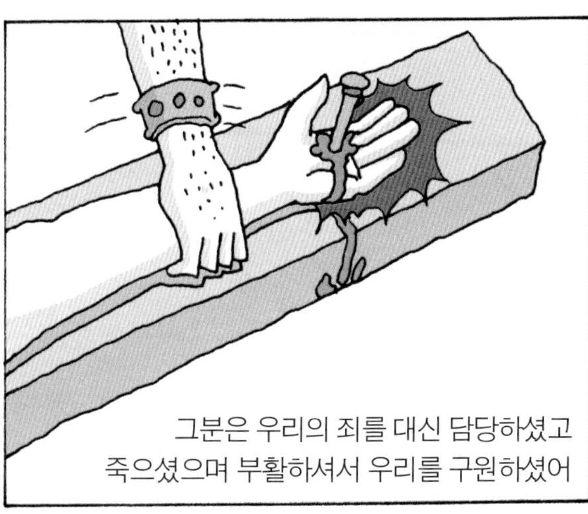
그분은 우리의 죄를 대신 담당하셨고 죽으셨으며 부활하셔서 우리를 구원하셨어

그분은 우리를 아버지께로 이끄는 유일한 길이 되셨어. 우리는 12-17장을 통해 그리스도가 누구신지 배우게 될거야
하나님
예수 그리스도
사람
예수 그리스도
자, 지금부터 각 장으로 들어가 볼까?

CHAPTER 1

원죄론

소크라테스가 이렇게 말했어
너 자신을 알라!
나?
맞는 말이야. 칼빈은 이 말을 '너의 영혼을 알라' 는 뜻으로 인용했어

나 자신이 누구인지 알지 못 한다면

비참한 자기 기만에 빠져 눈뜬 소경처럼 살게 되겠지
막가는 인생이 되어 버렸어요

성경은 우리 자신에 대해 두 가지 지식을 가르쳐 주고 있어

하나는 인간은 창조시부터 선천적으로 우수한 성품을 타고 났다는 거야

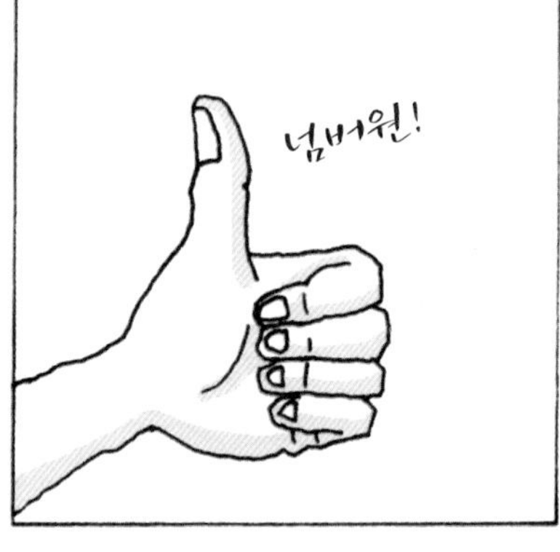
모든 피조물 중에 최고의 걸작품으로 지어졌지
넘버원!

하나님은 인간의 마음속에 선에 대한 열망과 영생에 대한 거룩한 소원을 심어 주셨어
선·영생

두 번째로 우리가 알아야 할 것은 아담의 타락 이후에 불행하게 된 우리의 처지야

인간은 아담의 타락으로 말미암아 좋은 것들을 다 잃고 말았어

이처럼 인간을 안다는 것은 처음 창조된 우수한 성품과 타락한 이후의 비참한 모습을 동시에 아는 거야

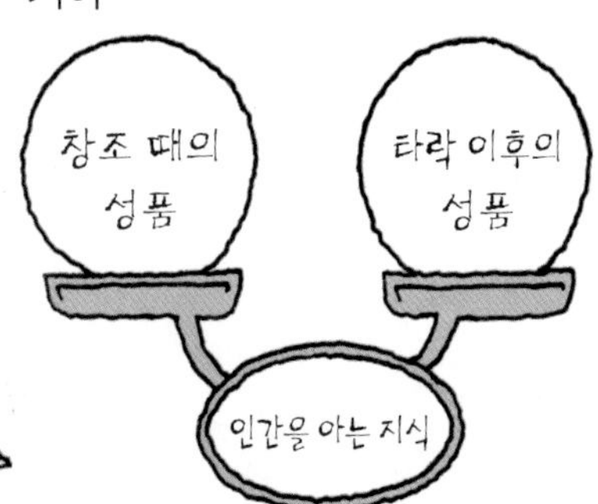

이 두 가지 지식을 동시에 가진 자들만이 타락으로 인해 잃어버린 성품을 회복하기 위해 하나님께 매달리게 되지

철학자들은 아직도 정신을 못 차렸어

마음에서 들려 오는 본성의 소리에 양심의 귀를 기울여 봐. 그럼 죄인인지 알게 될 테니까

우리에게는 다른 사람들에게 아첨 듣기를 간절히 바라는 마음이 있어

겉으로는 겸손한 척하지만 속으로는 자신을 과신하며

더 나아가 맹목적으로 자신을 사랑하지
나를 찬양해 줘
당신은 나의 왕!

사람들은 자존심을 만족시켜 주는 말이라면 거짓말에도 쉽게 빠져들게 되고
선생님, 정말 잘생기셨어요
사람 보는 눈은 있어 가지고~

마음이 교만해져서 하나님의 보좌까지 올라가
그뿐만이 아니야. 하나님께만 돌려드려야 할 공로까지 슬쩍 취하다가
제가 안수 하면 어떤 병도 다 낫습니다
우리 목사님 짱!
결국에는 하나님이 받으셔야 할 영광의 자리까지 자신이 차지해 버리고 말지
내가 왕!
보좌
성인 군자같이 보이는 사람도 속에는 음흉한 늑대와 간사한 여우가 살고 있어
주인님! 실망 했어요

심 판
인간은 완벽한 존재로 창조 되었지만 타락하여 온 인류는 멸망 당하게 되었어
으악~

하나님! 잘못했어요~

그렇다면 아담이 범죄하게 된 원인이 무엇일까?
여자 때문이다
죽고 싶어서 안달 났군~

히포의 어거스틴은 범죄의 원인을 교만이라고 말해
하나님 처럼 되고 말거야

아담이 하나님이 주신 복에 만족하지 못하고 욕심 때문에 교만해졌다는 거야

교만이 범죄의 동기가 된 것은 사실이지만 성경은 불순종이 근본적인 범죄의 원인이라고 말해
불순종
성경

인간이 하나님의 말씀에 불순종하므로 교만이 찾아온 거야
불순종
교만
형님

여자는 하나님의 말씀을 업신여겼고 아담은 하나님의 말씀보다 여자의 말을 앞세웠어
자기야,
나 사랑하지?
내 말대로
할거지~
그럼~
닭살~

아담은 하나님의 말씀을 멸시하자마자
하나님에 대한
경외심을
잃어버렸고
계
명

거짓과 야망에 사로잡혀 결국 불순종하게 된 거야
선
악
과
나에게
지혜와 힘을
줄거야
아담
불순종
순종

죄가 아담의 내면에 침투하자 인간의 탁월했던 성품들은 변질되고 부패했어
멍~
아리송~

지혜와 거룩과 의와 진실은 파괴되었고
지 혜
거룩·진실

무지와 무기력과 불의와 허영만 가득해졌지
죄

펠라기우스는 아담의 죄가 유전된다는 교리를 정면으로 대적했어

죄는 유전되는 것이 아니라 단지 모방될 뿐이다

✣ 펠라기우스(360?-420?)

영국의 신학자. 금욕적 수도사로서 고전과 성경에 대한 교양이 풍부한 인물이었으나, 인간의 자유 의지를 강조하고 원죄를 부정하여 이른바 펠라기우스파의 시조가 되었다. 어거스틴 등과 논쟁하였으며, 결국 카르타고, 안디옥, 에베소의 종교 회의에서 이단 선고를 받았다.

펠라기우스의 말이 맞을까? 소크라테스나 석가, 공자는 죄가 유전되지 않았을까? 인간적인 기준으로 보면 물론 그들은 선한 사람들이야

하지만 하나님의 기준으로 보면 각종 부패가 득실거리는 사악한 죄인에 불과해

칼빈은 인간이 선하다고 주장하는

성경은 한 사람의 죄로 말미암아 세상의 모든 사람이 더럽게 되었다고 분명히 말하고 있어

살려도~

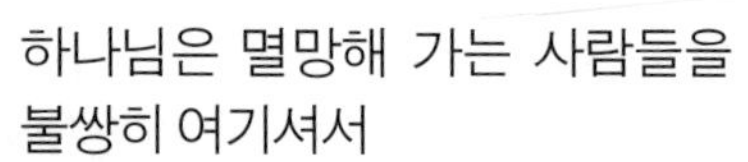
하나님은 멸망해 가는 사람들을
불쌍히 여기셔서

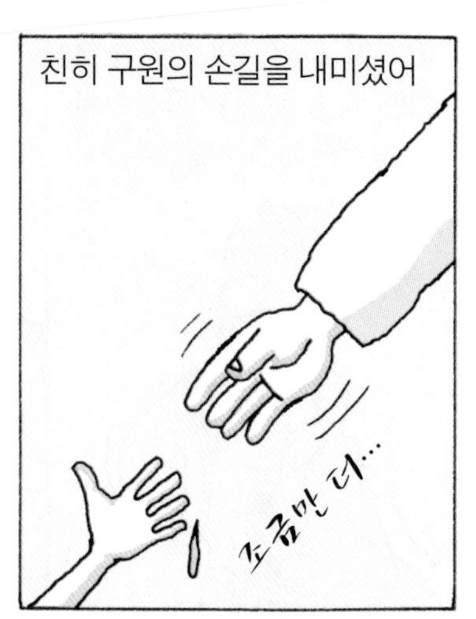
친히 구원의 손길을 내미셨어
조금만 더…

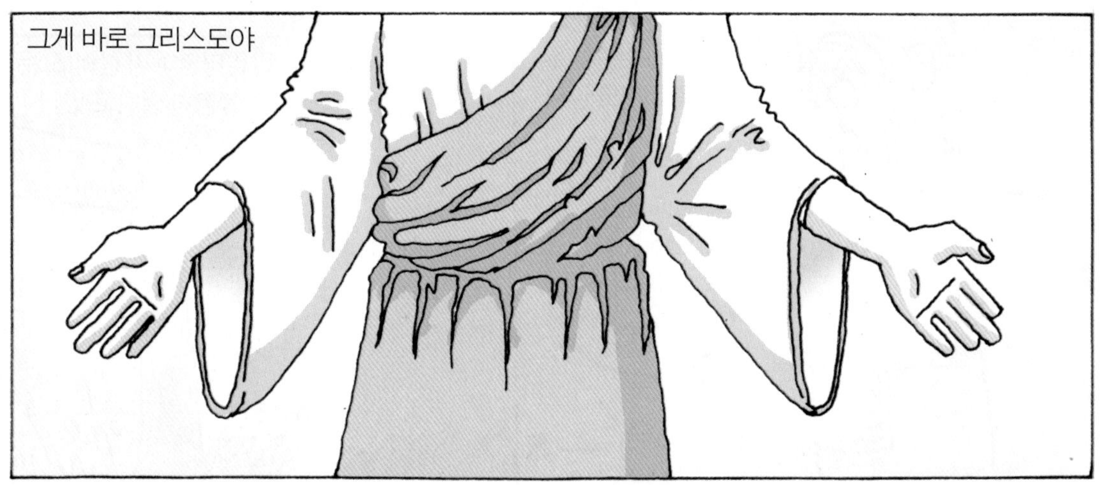
그게 바로 그리스도야

죄로 인해 멸망당할 수밖에 없는
우리에게 그리스도가 생명을 줄
유일한 희망이 되신 거지
그리스도

그런데 아직까지도 인간이 선하다는 생각을 버리지 못한 사람들이 있어
인정 못해!

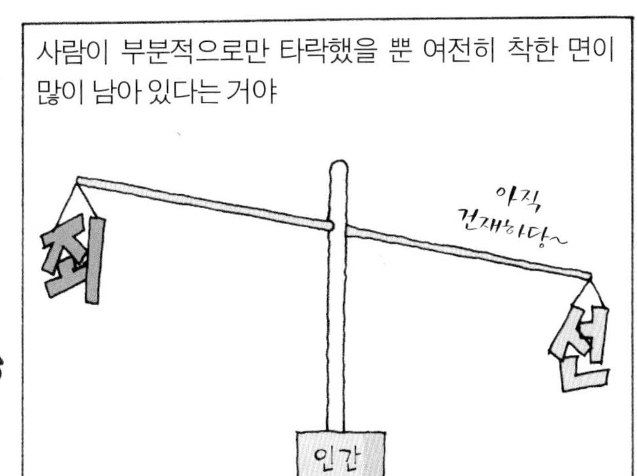
사람이 부분적으로만 타락했을 뿐 여전히 착한 면이 많이 남아 있다는 거야
죄
아직 건재하당~
선
인간

인간의 전적 타락을 인정하지 않기 때문이야
어떤 코스로 가든 정상에만 도달하면 되는 거 아닙니까?

사람이 진짜 원죄를 가지고 태어났는지 알고 싶다면

멀리 갈 필요가 없어. 자신의 내면을 찬찬히 들여다 보라구!

부패한 본성이 끓어 넘쳐서 끊임없이 다른 죄악의 불똥을 생산해 내고 있지 않아?
마음
죄악

원죄는 단순히 의가 조금 결핍된 상태를 말하는 것이 아니야

원죄는 적극적인 악의 생산을 말해

인간은 선에 대해서는 무능력해. 대신 악에 대해서는 능력이 충만하지

우리 인간이 비참하게 된 것은 바로 죄 때문이야

마치 폭우를 만난 사람처럼 머리끝에서 발끝까지 죄로 압도되어 버렸어

바울은 우리에게 어느 부분만 개조하라고 명령하지 않고
성격만 수술하면 안 되나요

완전히 심령으로 새롭게 되라고 요구하고 있어(엡 4:23)
마음까지 수술해 주세요

“너희는 유혹의 욕심을 따라 썩어져 가는 구습을 좇는 옛 사람을 벗어버리고
속옷까지 남김없이 벗으세요
정들었는데
오직 심령으로 새롭게 되어
예수탕
하나님을 따라 의와 진리의 거룩함으로 지으심을 받은 새 사람을 입으라” (엡 4:22–24)
나 어때요
좋다구나 ~♪

✣ 2권 1장 원전 줄거리 보기

원죄론

아담의 타락과 배반으로 인류 전체가 저주에 넘겨졌고 그 원상태가 부패하였다 : 원죄론

1. 자기에 대한 그릇된 지식과 바른 지식
2. 사람의 본성은 망상적인 자기 도취에 빠지는 경향이 있다
3. 자기 인식의 가장 중요한 두 가지 문제
4. 아담이 타락한 이야기는 죄가 무엇인가를 우리에게 가르쳐 준다(창 3장) : 그것은 배신이다
5. 최초의 죄가 원죄이다
6. 원죄는 모방에서 오는 것이 아니다
7. 죄의 유전
8. 원죄의 정체
9. 죄는 인간 전체를 전복시킨다
10. 죄는 우리의 본성이 아니고 착란 상태이다
11. 하나님이 창조하신 '천성'의 '선천적' 부패

✣ 이상의 내용은 생명의말씀사에서 출간한 칼빈의 **기독교 강요** 원전(전 4권) 각 장의 세부 항목을 모아놓은 것이다.

CHAPTER 2

선택의 자유를 박탈당함

죄가 처음 인간을 노예로 만든 후
죄의 지배력은 모든 인류에 미쳤고
인류
죄악의 바다
각 개인의 영혼까지도 완전히 점령당했다
는 것을 우리는 배웠어

이제부터 우리는
인간의 자유 문제를
다룰 거야
죄

인간에게 자유가 얼마나
주어졌는지 알아야 하겠지?

자유 의지에 대하여 알아보기 전에 먼저 철학자들은
이 문제를 어떻게 생각했는지 살펴보자구!
인간에게는
자유 의지가 있다
자유

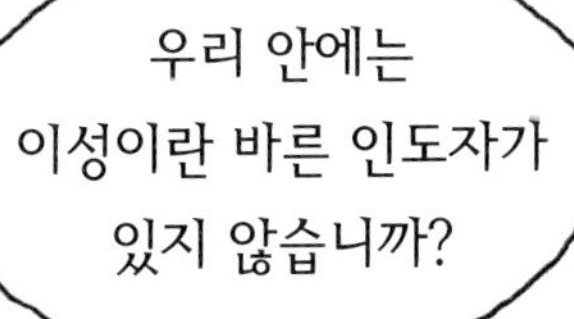

성경과 교회를 거짓 사상으로부
터 지켜야 할 교부들이 어리석
은 그들의 의견에 동조한 것은
정말 안타까운 일이야

인간의 이성은 죄 때문에 중상을 입었고 의지도 비참한 노예 상태로 전락했어

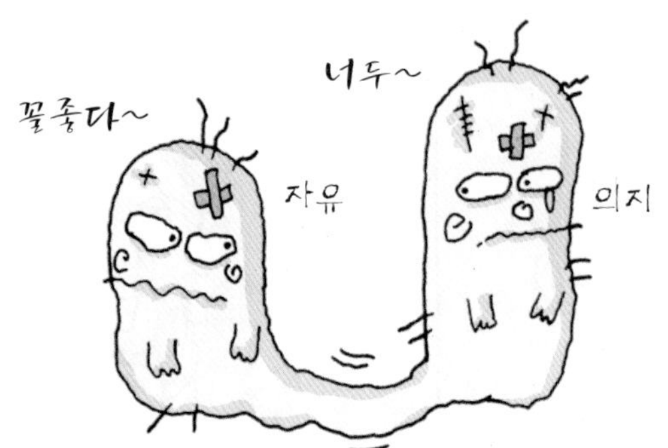

인간은 자유 의지를 소유한 것이 아니라 노예 의지를 소유했다구

사람들은 감성만 부패했고

이성과 의지는 대체로 손상이 없다고 말하는데, 역시 의지도 노예 상태야

의지는 여전히 노예 상태야

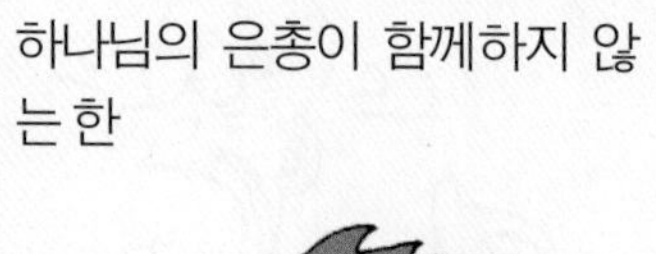

하나님의 은총이 함께하지 않는 한

인간의 의지란 본래부터 상하고 부서져 있거든

우리는 인간의 의지가 노예 상태에 있다는 것을 인정해야 해
하나님의 영광
자유 의지
사람이 자유 의지를 인정하게 되면, 성경은 거짓말이 되고

하나님의 영광은 무너져 버려. 사람은 더욱 교만에 빠지겠지 (창 3:5)
쾅!
성령이 함께하지 않는 한 인간의 의지는 악의 도구일 뿐이야
걸어다니는 살인 무기가 바로 사…람…
성령이 함께하지 않는 의지

그러므로 우리는 옛 의지를 의지하지 말고 주님이 주신 새로운 의지를 덧입어야 해
옛 사람

자유를 알려면 인간의 영혼을 알아야 해. 인간의 영혼은 오성과 의지로 되어 있어
오성
의지

오성이 뭐냐구?
오성이란 선악을 분별하고 사물을 이해하고 판단하는 능력을 말해
좋은 것
나쁜 것

의지는 그것들을 선택할 수 있는 능력이지
악
선
악

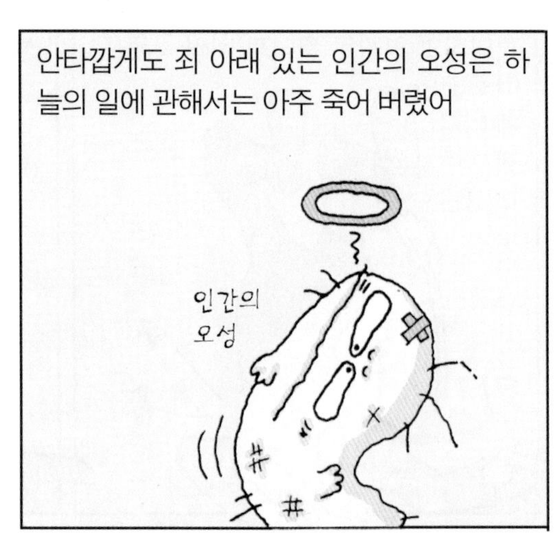
안타깝게도 죄 아래 있는 인간의 오성은 하늘의 일에 관해서는 아주 죽어 버렸어
인간의 오성

땡~
타락한 이성의 힘으로 하나님을 알려고 하는 것은

마치 번갯불 빛으로 캄캄한 밤길을 가려는 것과도 같애

죄 아래 있는 인간의 이성은 우리를 바르게 인도할 수 없어
으억!
심판
이성
의지

이성이 생각하고 계획하는 것은 모두 악할 뿐이야(창 6:5)
인간들은 참 나빠

성령의 빛이 없어 봐. 사람은 암흑 속에 갇혀서 헤매겠지
뵈는 게 없어
나도 마찬가지야…

인간의 이성이란 완전히 쓸모없는 걸까?
듣고 보니까 이성이라는 것 쓸데없군

그런 것은 아니야. 죄로 인해 하늘 일에는 죽었으나

땅의 일에서는 아직도 쓸 만한 게 남아 있어

사회에 필요한 법을 만들고 지키려 한다든지

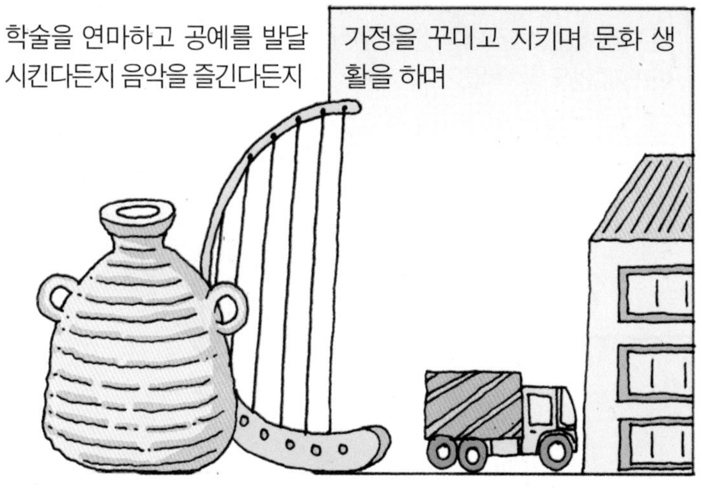
학술을 연마하고 공예를 발달시킨다든지 음악을 즐긴다든지
가정을 꾸미고 지키며 문화 생활을 하며

밤비 내리는 영동교를~~♪
홀로 걷는 이 마음~~♪

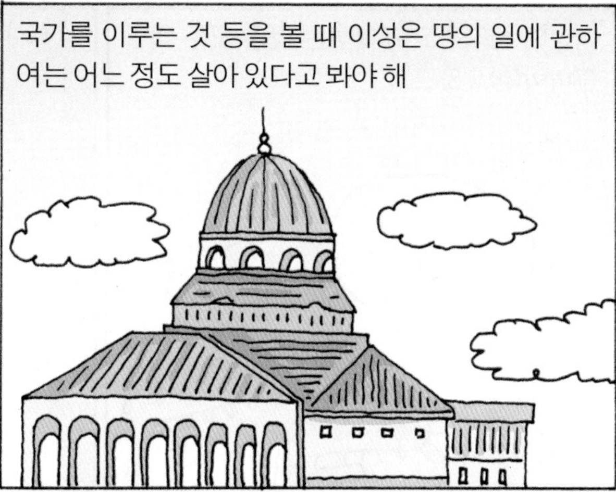
국가를 이루는 것 등을 볼 때 이성은 땅의 일에 관하여는 어느 정도 살아 있다고 봐야 해

죄로 인해 이성은 타락했지만 하나님은 여전히 인간성 안에 엄청난 선물을 남겨 두셨어
남긴 선물

그러나 인간의 이성이 근본적으로 부패했다는 사실만은 잊어서는 안 돼
날 너무 믿지 마
이크~
이성
타락한 의지

아직 썩지 않은 부분이 남아 있어서 약간의 선한 욕망을 선택할 수 있다 하지만, 인간의 의지 역시 심각하게 부패했어

바울도 고백하기를
내가 원하는 바
선은 행하지
아니하고
내가
왜~
이러지
선
악

도리어 원치 아니하는 바
악을 행한다고 했어

원함은 있지만 선을 행하는 능력이 없다는 거야(롬 7:18, 19)
악
성령의 은총이 아니면 의지는 악을 선택할 수밖에 없어
다시
돌격!
악
의지

인간의 이성이나 의지는
구원에 이르는
어떤 능력도 가지고
있지 않아
쾅!
의지
이성

구원에 이르는 능력은 오직 하나님께만 있지

그래서 거듭난 사람만이 선을 향한 열망을 덧입게 돼

우리는 이렇게 고백할 수밖에 없어

2권 2장 원전 줄거리 보기

선택의 자유를 박탈당함

인간은 지금 선택의 자유를 박탈당한 채 비참한 노예의 신분으로 전락해 있다

1. 인간에게 남아 있는 선은 전혀 없다 : 인간의 지혜와 덕성은 인정받지 못한다
2. 철학자들은 이해력의 힘을 믿는다
3. 이와 같이 철학자들은 결국 의지의 자유를 주장한다
4. 교부들의 생각은 분명하지는 않지만 대체로 의지의 자유를 인정했다. 자유 의지란 무엇인가
5. 교부들이 생각한 '의지'와 '자유'는 여러 가지였다
6. '역사하는' 은총과 '협력하는' 은총
7. 사람은 필연적으로 죄인이지만 강제적인 것은 아니라고 하는 사실은 자유 의지론을 확립하지 못한다
8. 어거스틴의 '자유 의지론'
9. 교부들 사이에 있는 진리의 음성들
10. 자유 의지론은 하나님의 영예를 빼앗을 위험성을 항상 가지고 있다
11. 진정한 겸손은 하나님께만 영예를 돌린다
12. 초자연적인 천품들은 소멸되었고 자연적인 천품들은 부패했지만, 사람과 짐승을 구별할 만한 이성(理性)은 남아 있다
13. 지상의 일과 인간 사회의 형태에 관한 오성의 능력
14. 학술과 기예에 관한 지성
15. 학술은 하나님의 선물이다
16. 학예에 관한 인간의 재능도 하나님의 영으로부터 온다
17. 12-16항까지의 요약
18. 우리의 오성의 한계
19. 요한복음 1:4-5로 사람들의 영적 맹목을 증명한다
20. 사람이 하나님을 아는 것은 하나님이 알려 주시기 때문이다
21. 성령의 빛이 없으면 모든 것은 암흑이다
22. 사람은 하나님의 뜻에 대한 증거를 가졌으므로 책임을 면할 수 없으나, 그 증거에서 바른 지식을 얻지는 못한다
23. 임의로 선악을 판단할 때에는 그 판단은 분명한 것이 못 된다
24. 인간의 지식은 율법의 첫째 돌판에 관해서는 전연 무력하며, 둘째 돌판에 관해서는 결정적인 경우에 무력하다
25. 우리가 그릇된 길에 들지 않기 위해서는 날마다 성령의 도움이 필요하다
26. '선한' 것과 '가(可)한' 것을 동등시하는 자연적인 본능은 자유와는 무관하다
27. 성령이 없이 우리의 의지는 선을 사모할 수가 없다

이상의 내용은 생명의말씀사에서 출간한 칼빈의 **기독교 강요** 원전(전 4권) 각 장의 세부 항목을 모아놓은 것이다.

CHAPTER 3

부패한 본성

사람의 본성은 어떨까?

본성은 착하디 착합니다
세상을 살다 보니 조금 때가 묻었을 뿐이지요

두 사람의 의견이 맞을까? 성경을 보자구

인간적으로 훌륭한 니고데모가 밤에 예수님을 찾아갔어
끼익

니고데모는 흠잡을 데 없는 사람이었어
난! 거의 완벽한 사람이야. 명예, 부, 인품 등 부족한 게 없거든
그는 더 완전해지기 위해 예수님을 찾은 거야
잃어버린 조각을 찾아서
예수님의 능력
니고데모

그런데 예수님이 난데없이 육으로 난 것은 육이니(요 3:6) 거듭나라고 한 거야
다시 태어나거라, 어서
헉!
다시 태어나라는 거지
다 버리라구?

일부분만 개조하지 말고 전체를 다 갱신하라고 하신 것을 볼 때
인간의 본성 전체가 얼마나 부패했는가를 단적으로 알 수 있어
헤롱~

인간의 본성

인간의 본성은 부패해서 그 안에는 무덤처럼 썩은 것과 냄새나는 것과 죽음의 기운만이 가득해
누가 방귀 뀌었어?

다윗도 사람을 이렇게 표현했어. "허무와 함께 사람을 저울에 달면 들려 허무보다 경하리로다"(참조. 시 62:9)

예레미야도 사람의 마음이 만물보다 거짓되고 심히 부패했다고 했지

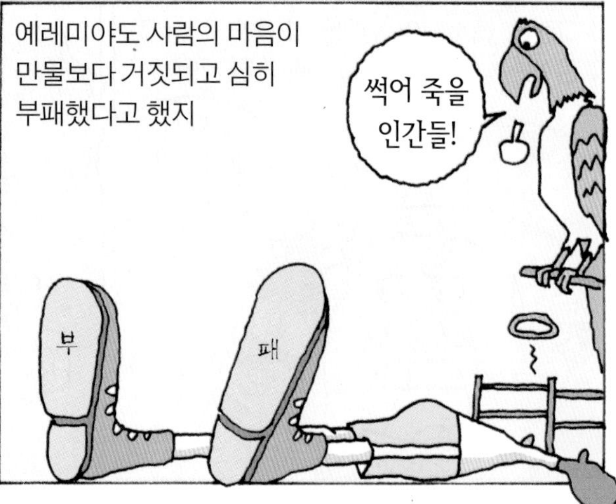

육신의 생각은 사망이며

중생하지 않은 사람은 그 전체가 다 부패했어

로마서 3장 10절 이하는 인간 본성이 얼마나 부패했는가를 단적으로 말해 주지. "저희 목구멍은 열린 무덤이요 그 혀로는 속임을 베풀며

그 입술에는 독사의 독이 있고 그 입에는 저주와 악독이 가득하고

그 발은 피 흘리는 데 빠른지라”
(롬 3:13-15)

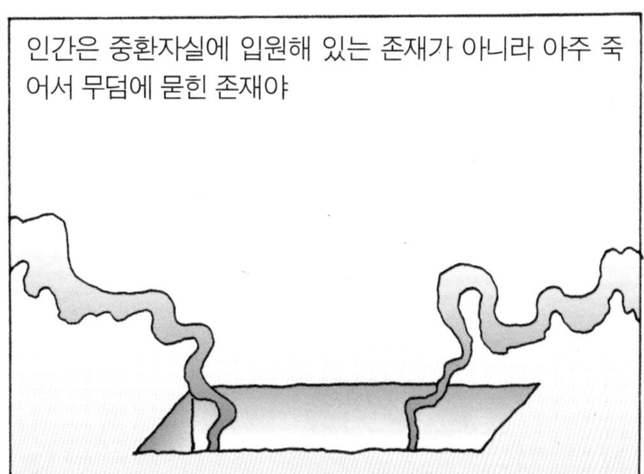

그들이 선해 보이는 것은 하나님이 그 속에서 끓어오르는 악한 본성을 억제해 주시기 때문이야

하나님이 잠깐 그 손을 떼기만 하시면 역시 그들도 마치 미친 짐승처럼 악을 쏟아 내겠지
끄악~

만약 하나님이 사람의 본성대로 살도록 내버려 두신다면

세상은 이미 멸망했을 거야

하나님이 저들의 악한 본성을 억제하고 계시기 때문에
꼼짝 마
악

세상 역사가 돌아가는 거야
쿵짜자 쿵짜~

하나님은 체면의 굴레로 죄를 짓지 못하게 해

어떤 사람은 죄 값에 대한 두려움 때문에 죄를 억제하고

어떤 사람은 남보다 위대해지려는 야망 때문에

또는 사람들의 눈총 때문에 죄악을 억제해. 이게 다 하나님이 세상을 보존하시기 위해 주신 굴레야

이것을 가리켜 하나님의 일반 은총이라고 하지

사실 우리 주변에는 정말 선해 보이는 사람들이 있어
평생 모은 돈 200억입니다. 가난한 자들을 위해서 써 주십시오
자선 사업가

무보수로 단칸방에서 살겠습니다
약속 꼭 지키세요
청렴한 지도자

저는 비폭력 무저항으로 인도를 독립 시켰소
간디

이처럼 세상에는 존경할 만한 사람들이 종종 있지

그렇다면 그들 안에는 죄가 없는가? 아니야. 그들 안에도 물론 죄가 넘실거려

하나님이 남들보다 더 강력하게 죄를 억제해 주신 것뿐이야

그들은 하나님이 이 사회의 보존과 인류의 유익을 위해 특별한 은총으로 세우신 인물들이라고 할 수 있어

그들이 잘나고 착해서 그런 것이 아니야

베르나르는 이렇게 말했어.
"악을 결심하는 것은 부패한 본성이 하는 일이며, 선을 결심하는 것은 은총이 하는 일이다"

그저 자기 속에서 끓어 넘치는 악 때문에 기를 쓰고 악을 행하는 거지

그래서 사람은 개조되는 것이 아니라 거듭나야 해

사람의 이성과 의지는 철저하게 갱신되어야만 한다구

인간이 전적으로 타락했다면 하나님의 자녀들은 어떻게 선을 행하게 되는 거냐구?

신자들이 선을 결심하고 행할 수 있는 것은

성령이 내주하셔서 선한 일을 하게 하시기 때문이야

하나님의 자녀들 안에서는 하나님의 의지가 작용해. 그러므로 성도들 안에서 일어나는 선한 일은

그것은 우리의 의지가 하나님의 은총과 협력하여 선을 행하는 것이 아니라는 거야

하나님이 우리의 약한 의지를 도우시는 것이 아니라 우리 속에 완전히 새로운 의지를 만드셔

♪~

새 의지

약한 의지

우리의 노력이 은총을 받게 하는 것이 아니라 하나님의 은총이 우리의 노력을 만드는 거야

⚜ 2권 3장 원전 줄거리 보기

부패한 본성

사람의 부패한 본성에서 나오는 것은 오직 정죄받을 일밖에 없다

1. 인간은 전적으로 육(肉)이다
2. 로마서 3장이 사람의 부패를 증언한다
3. 하나님의 은총은 정결하게 만들지 않고 다만 억제하는 때가 있다
4. 정직은 하나님의 선물이지만 인간성은 여전히 부패했다
5. 사람은 필연적으로 죄를 범하지만 강요되는 것은 아니다
6. 사람이 선을 행할 수 없다는 것은 무엇보다도 구속 사업에서 나타나며, 이것은 하나님이 단독으로 행하시는 일이다
7. 신자가 은총과 '협력' 하는 것이 아니라 은총이 먼저 의지를 움직인다
8. 우리에게 유익한 것을 성경은 모두 하나님께로부터 왔다고 한다
9. 우리의 축복의 시작과 계속과 결말이 하나님께로서만 온다는 것을 특히 성경에 있는 기도들이 밝힌다
10. 하나님의 활동은 우리가 모두 실현할 수 있는 가능성만을 만들어 내는 것이 아니라 우리가 더 첨가할 수 없는 현실을 만들어 주신다
11. 견인(堅忍)은 홀로 하나님이 하시는 일로서 결코 우리의 어떤 행동에 대한 보상이나 보충이 아니다
12. 하나님의 은총을 떠나서는 사람은 단 한 가지 선행도 자기에게 돌릴 수 없다
13. 어거스틴도 사람의 의지가 독립적으로 활동한다는 것을 인정하지 않는다
14. 어거스틴은 사람의 의지를 제외하는 것이 아니라 전적으로 은총에 의존시킨다

⚜ 이상의 내용은 생명의말씀사에서 출간한 칼빈의 **기독교 강요** 원전(전 4권) 각 장의 세부 항목을 모아놓은 것이다.

CHAPTER 4

인간의 마음속에 역사하시는 하나님

우리는 그 동안 사람은 스스로 선을 사모하거나 결심하거나 행할 수 없다는 것을 공부했어. 그러나 이것으로 끝난 게 아니야

욥기에서 예를 찾아보자구

그들의 악한 행동 뒤에는
사탄의 역사가 있었지
악으로
일보
전진!
마귀
갈대아 사람

그런데 욥은 그 사건을 두고 갈대아
사람들의 짓이나 마귀 짓이라고 하지
않고 이 모든 일은 하나님의 역사라
고 고백했어
주신 자도
여호와시요 취하시는 이도
여호와시니 여호와가 찬송
받으실 것이다!

그러면 이게 사탄의 역사인 거야?
하나님의 역
사인 거야?

이 사건 속에 숨겨진 하나님
과 마귀와 갈대아 사람의 동
기를 살펴보면 실마리가 풀려

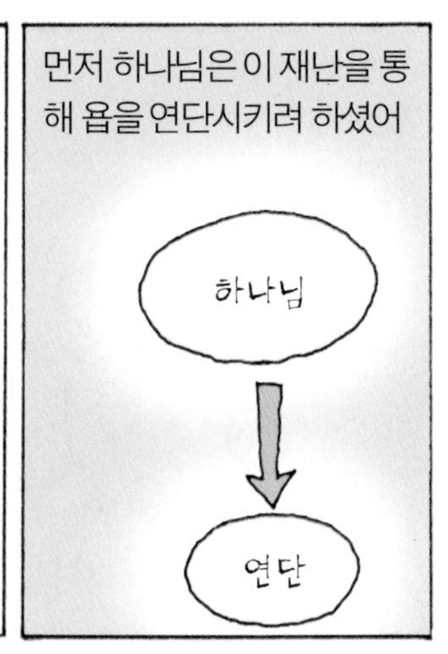
먼저 하나님은 이 재난을 통
해 욥을 연단시키려 하셨어
하나님
연단

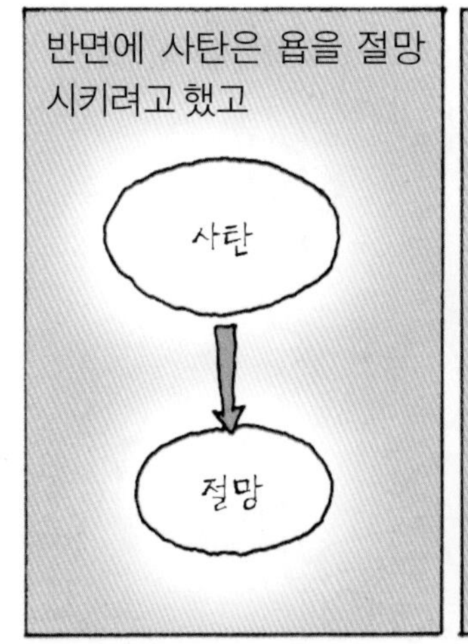
반면에 사탄은 욥을 절망
시키려고 했고
사탄
절망

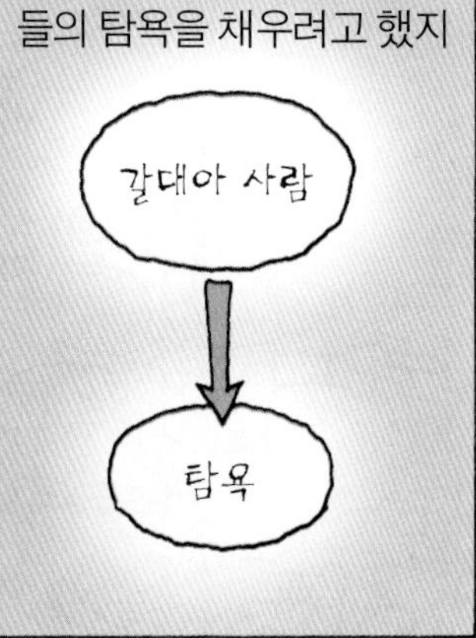
갈대아 사람들은 그저 자신
들의 탐욕을 채우려고 했지
갈대아 사람
탐욕

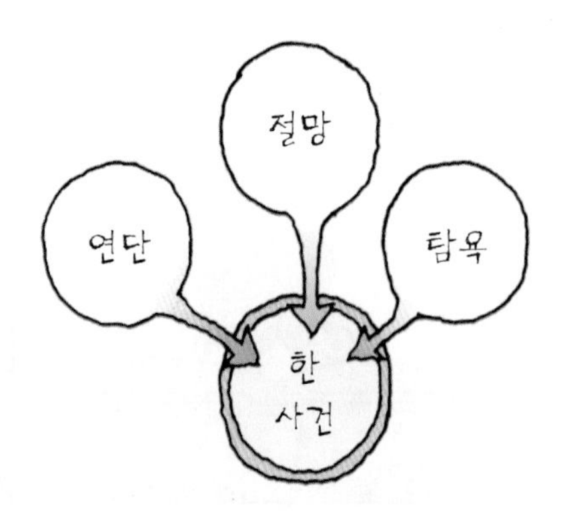
한 가지 사건이지만 각각 목적들이 크
게 달라
절망
연단
탐욕
한
사건

종합해 보면 하나님이 욥의 연단을 위해 사탄이 욥을 괴롭히도록 허락하셨고 갈대아 사람들을 심부름꾼으로 택하여 사탄의 지배로 넘기셨지

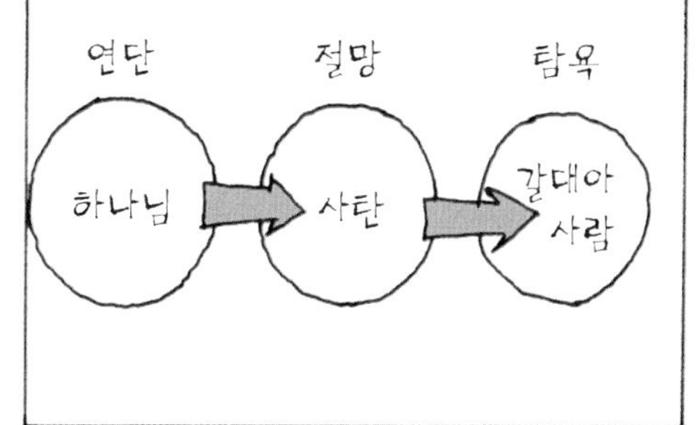

사탄은 갈대아 사람들의 악한 마음을 자극하여 악행을 실행하게 했어. 갈대아 사람들은 사탄의 충동질에 순종하여 미친 듯이 범죄로 돌진했지

한 사건을 각각 목적과 방법을 구별해서 살펴보면 하나님의 공의와, 사탄과 사람의 추악함이 어떻게 작용하는지가 분명하게 드러나

하나님이 때로 사람의 악한 성품을 더 악하게 하시고 강퍅한 마음을 더 강퍅하게 하실 때가 있어

하나님은 때로 허탄한 것을 쫓아가게도 하시지

이런 현상은 하나님이 은총을 거두어 가실 때 일어나는 거야

하나님이 사람에게서 바른 생각, 바른 선택을 할 수 있는 능력을 거두어 가시면

사람들은 판단력을 상실하고 강퍅해져

하나님이 사람의 마음을 강퍅하게 하는 것은

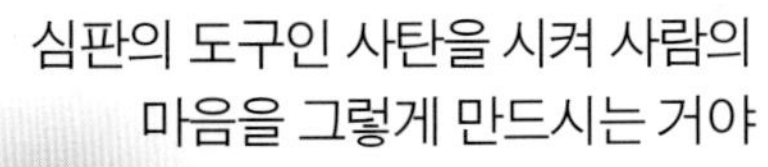

심판의 도구인 사탄을 시켜 사람의 마음을 그렇게 만드시는 거야

사람은 타락한 자기 본성대로 악을 행하고 사탄도 악한 짓을 충동질하지만, 이 모든 작정과 권능은 오직 공정한 심판과 무한한 사랑을 시행하시는 하나님께로부터만 나오는 거야

애굽 백성들을 보라구!
애굽 사람들은 이스라엘 백성을 수백 년 동안 노예로 부려먹었어

그런데 이스라엘 백성들이 애굽을 떠나 자유인이 되겠다고 나선 거야
자유가 아니면 죽음을 주쇼!
애굽 백성들은 그들을 죽이고 싶었어
일 더 시켜! 나쁜 시키들
옛썰!

그런데 출애굽하기 직전에 애굽 사람들은
죽일 놈들!
탕!
이스라엘 백성들에게 은 금 등 패물을 아낌없이 다 내어 주었어(출 11:2, 3)
다 가져가

예를 들어 사소한 일을
놓고는 용기를 잃고
헤매는 반면

작은 일

무섭고
두렵고 떨리고
괴로워

사람의 모든 의지는 하나님의 권능과 지혜
안에 있어

✤ 2권 4장 원전 줄거리 보기

인간의 마음속에 역사하시는 하나님

하나님은 사람의 마음속에서 어떻게 역사하시는가

1. 사람은 악마의 세력하에 있으며, 참으로 기꺼이 그를 다른다
2. 같은 사건 안에서 하나님과 사탄과 사람이 역사한다
3. 마음이 '굳다' 는 것은 무슨 뜻인가
4. 성경에서 하나님이 불경건한 자들을 대하시는 실례
5. 사탄도 하나님을 섬겨야 한다
6. 선하지도 않고 악하지도 않은 행동에서 우리는 마음대로 할 수 없다
7. 모든 경우에 하나님이 우리의 자유를 지배하신다
8. '자유 의지' 라는 문제는 우리가 결심한 것을 성취할 수 있느냐가 아니라 우리가 자유로 결심할 수 있느냐 하는 것이다

✤ 이상의 내용은 생명의말씀사에서 출간한 칼빈의 **기독교 강요** 원전(전 4권) 각 장의 세부 항목을 모아놓은 것이다.

CHAPTER 5

자유 의지 옹호론에 대한 논박

인간의 의지가 노예 상태에 있다는 것을 인정 한다면

더 이상 자유 의지에 대해 말할 필요가 없어

그런데 아직도 인간이 노예 상태에 있다는 것을 인정하지 못하고
인간은 자유 의지가 있다!

성경의 진리를 공격하는 자들이 있어

그들의 생각을 하나하나 부수어 나가자구

그들은 사람의 자유 의지를
옹호하면서 이렇게 말하더군
만일 사람이 죄를 필연적으로 짓게 된다면 그게 죄입니까?
당연한 결과지요

이런 사람들은 필연성을 근거로 죄를 합리화하려는 거야

그들이 말하는 필연성이야말로 정죄를 받는 최고의 근거라구
헉!

사람이 자유 의지가 있다면 죄를 짓지 않고 선을 선택할 수도 있지 않겠습니까?

이렇게 말하는 사람은 사람이 어떤 존재인지 몰라서 그래
몰라도 한참 모르는군

죄

사람은 스스로 죄를 피할 수도 없고
선을 선택할 수도 없어
선

상은 우리의 공로 때문에 받는 것이 아니야

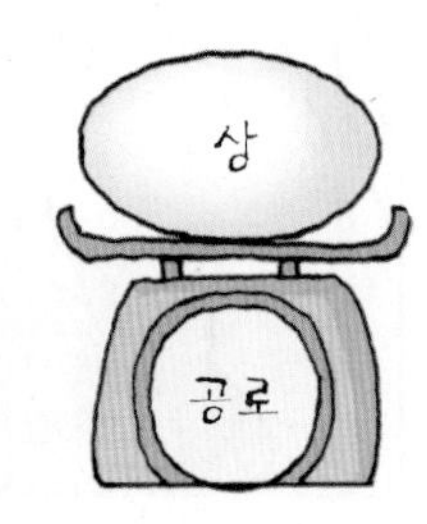

죄는 우리 것이지만 공로는 하나님의 것이거든

난, 죄악의 산타클로스~

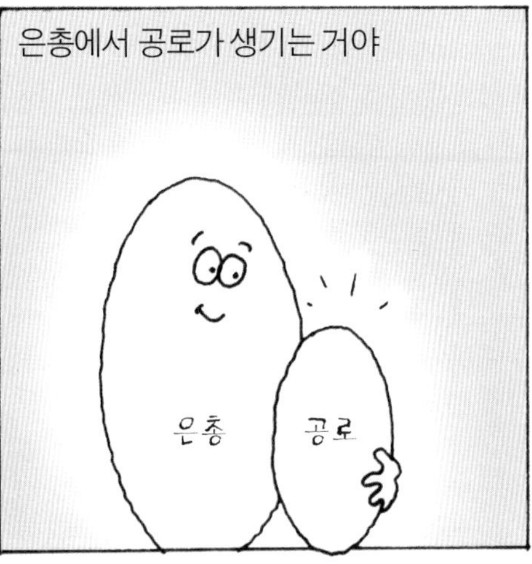

하나님은 우리에게 공을 세우도록 은총을 주시고 또 그 세운 공로에 상을 주시는 거야

하나님은 충고를 통해 택하신 자들을 각성시키고 선한 소원을 일으키시며

게으름을 떨치고 죄악의 달콤한 욕망을 제거 하며 동시에 죄를 미워하는 힘을 일으키셔

하나님의 은총은 죽어 가는 자를 살리신 것이 아니라 완전히 죽은 자를 다시 살리신 거야

인간의 자유 의지는 철저히 부패했다는 것을 명심해야 해

간혹 선한 모습들이 언뜻언뜻 비치지만, 그 지성은 여전히 위선과 간계에 싸여 있고

심정은 내면적 패악성으로 꽁꽁 묶여 있어

성령은 우리로 회개하게 하고
순종하게 하며
안녕~
어이! 어딜 가는 거야~!
죄
회개
순종
성령

항상 은혜 가운데 머물게 하고
은혜
나도 안길 품이 있으면 좋겠다

기도하게 해

이러한 성령의 은혜가 없다면 우리는
필연적으로 죄만 짓다 죽을 거야
으흑…
심판
그러니까 믿으라고 했잖아

그러므로 성령의 은혜가 내 안에 항
상 충만하도록 날마다 기도해야 해

✤ 2권 5장 원전 줄거리 보기

자유 의지 옹호론에 대한 논박

자유 의지 옹호론자들이 보통 하는 항의를 논박한다

1. 첫째 논법 : 필연적인 죄는 죄가 아니며 자원적(自願的)인 죄는 피할 수 있다
2. 둘째 논법 : 상벌의 의미가 없어진다
3. 셋째 논법 : 선악의 구별이 전폐될 것이다
4. 넷째 논법 : 모든 충고가 무의미할 것이다
5. 충고의 의미
6. 하나님의 교훈들은 '우리의 능력의 척도' 인가
7. 율법 자체가 은총을 얻는 길을 가리킨다
8. 우리는 은총이 없으면 아무것도 할 수 없다는 것을 여러 가지 계명이 밝힌다
9. 회개는 하나님과 사람이 나눠서 하는 일이 아니다
10. 성경의 약속들은 의지의 자유를 전제한다고 논적들은 생각한다
11. 의지가 자유롭지 못하다면 성경에 있는 책망들은 무의미하게 된다고 그들은 항의한다

성경의 특수한 구절들과 사건들을 근거로 한 논법에 대답한다

12. 신명기 30:11 이하
13. 하나님이 사람들의 행동을 '기다리신다' 는 것은 자유 의지를 전제한다는 주장
14. 그러면 이 행위들은 '우리의' 행위가 아닌가
15. '행위' 는 하나님이 주셨으니 '우리의' 것이요, 하나님이 고무하셨으니 하나님의 것이다
16. 창세기 4:7
17. 로마서 9:16과 고린도전서 3:9
18. 집회서 15:14–17
19. 누가복음 10:30

✤ 이상의 내용은 생명의말씀사에서 출간한 칼빈의 **기독교 강요** 원전(전 4권) 각 장의 세부 항목을 모아놓은 것이다.

CHAPTER 6

중보자 예수 그리스도

우주는 거룩하신 하나님을 배우는 신학교요 하나님의 지혜와 능력이 드러나는 웅대한 극장이라 할 수 있어

그 속에서 우리는 경건을 배우고 영원한 생명과 완전한 복으로 전진해 나아가기로 되어 있었지

그러나 타락 이후

인간은 저주와 비참함에 완전히 압도당해 버렸어

우주를 보고도 아버지를 찾지 못하고

양심을 찔러도 아픔을 알지 못하며

하나님의 은혜를 받고도 은혜가 뭔지 모르고

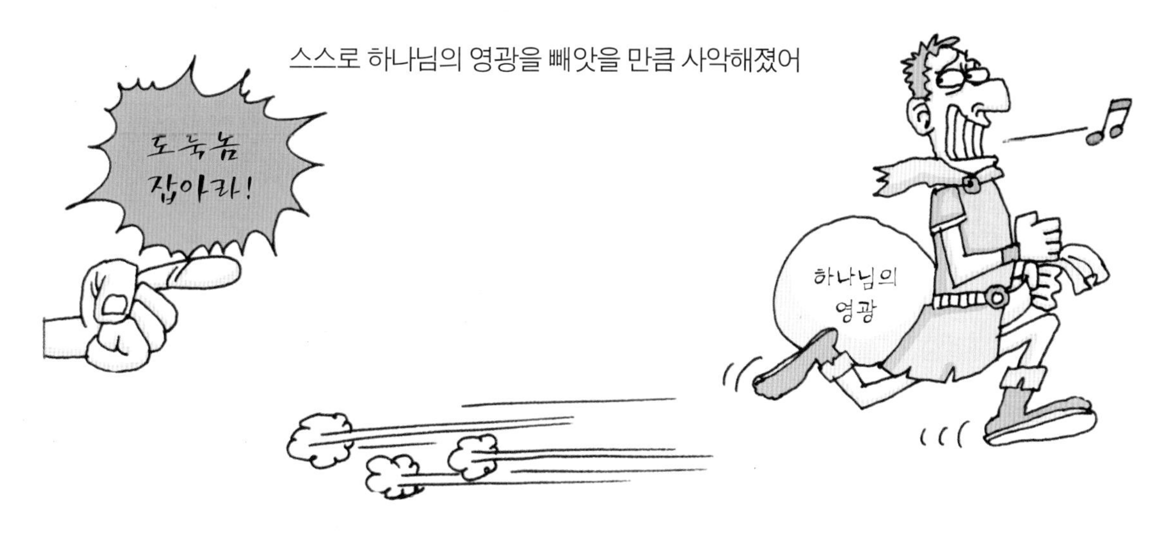
스스로 하나님의 영광을 빼앗을 만큼 사악해졌어
도둑놈 잡아라!
하나님의 영광

이처럼 죄로 오염되고 부패한 인간은 하나님의 작품으로 인정될 수 없었어

하나님도 모든 것을 깨끗이 없애 버리고 다시 시작하실 수 있었지
차라리 새로 시작하자!
지지~익

그런데 하나님은 타락하고 부패한 인간을 버리지 않으시고 도리어 죄에서 구원할 길을 찾으셨어. 하나님은 자신의 독생자를 통해서

타락한 우리를 구원할 새로운 길을 준비하신 거야
하나님의 사랑은 끝이 없구나~

이제 누구나 중보자를 통해서 아버지께로
나아갈 수 있게 하신 거지

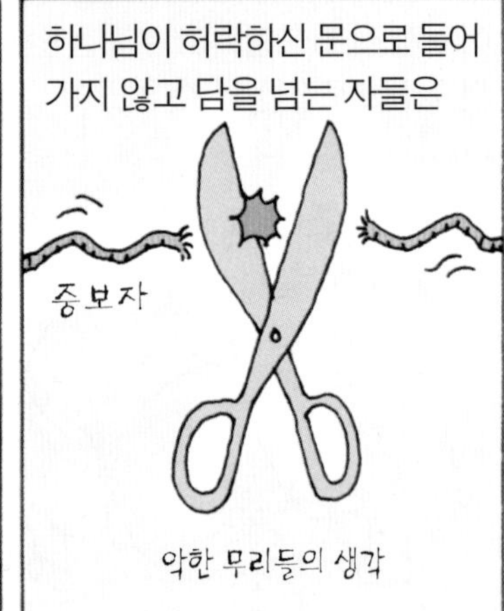

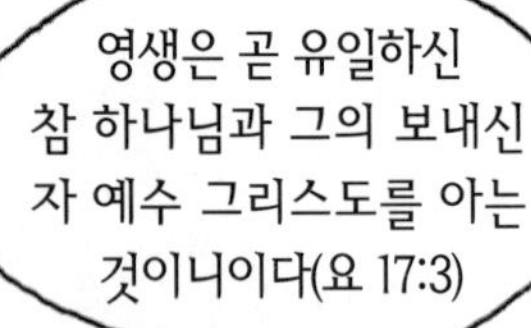

중보자 예수님은 우리가 아버지께로 가는 유일한 문이야(요 10:9)
예수 그리스도
구원의 문

죄 아래에서 완전히 빼앗겼던 생명은 예수 그리스도를 통해서만 얻을 수 있어
예수 생명
죄

예수님의 중보 없이 드리는 예배는 다 거짓이야
조상님! 부탁해요~
나도 의미 있는 일에 쓰임 받고 싶어. 제발 이러지 마…

하나님은 옛 언약 아래 있던 사람들에게도 중보자 없이는 은혜를 주신 적이 없고

은혜에 대한 소망을 주신 적도 없어

너는 복의 근원이 될지라
하나님이 아브라함에게 주신 옛 언약은

아브라함의 후손으로 말미암아 모든 민족이 복을 받으리라는 것이었는데

사도 바울은 그 후손이 바로 예수 그리스도라고 분명히 말해

후손

예수 그리스도

또 이스마엘 대신 이삭이, 에서 대신 야곱이 택함받은 것도 다 중보자의 은총으로 말미암음이야

사무엘의 어미 한나도 하나님이 세우실 한 중보자로 말미암는 복을 예언하고 노래했어 (삼상 2:10)

다윗도 "그 아들에게 입맞추라"고 하잖아 (시 2:12)

중보자를 믿지 않으면 하나님도 믿지 않는 것이고

중보자에게 순종하지 않으면 하나님께도 순종하지 않는 거야

중보자 없는 믿음과 은혜는 결코 없어

이스라엘이 만신창이가
되었을 때도
하나님은
다윗에게 주셨던 약속을
잊지 않으셨어
“내가 이 나라를 다 빼앗지
아니하고 나의 종 다윗과 나
의 뺀 예루살렘을 위하여 한
지파를 네 아들에게 주리라”
(왕상 11:13, 32)
고마워요
하나님~

이스라엘이 거의
파멸 상태에
처하게 되었지만
이스라엘

이스라엘의
등불 되신
하나님

이스라엘의 모든 경건한 자들
은 하나님이 약속하신 바 등불
곧 아들을 기다렸어

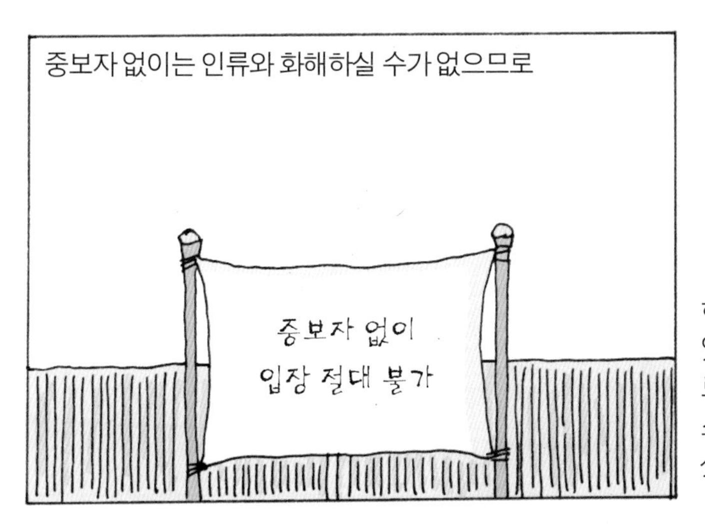

중보자 없이는 인류와 화해하실 수가 없으므로
중보자 없이
입장 절대 불가

주 예수여,
어서 오시옵소서
하나님은 언약 아래
있던 거룩한 조상들
로 하여금 항상 그리
스도를 바라보게 하
셨어

구약의 약속과 구원에 대한 말씀을 보면 항상 그리스도가 중심에 있어

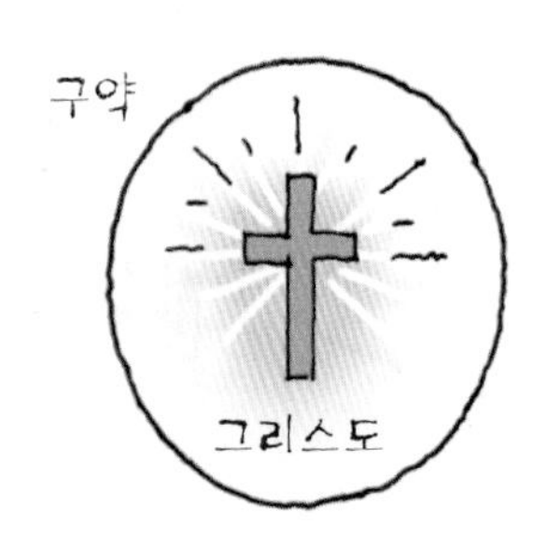

모든 예언자들이 교회의 재건을 말할 때마다 항상 다윗의 나라가 영원하리라는 하나님의 약속을 상기시킨다구

이사야도 아하스가 하나님의 약속을 불신하자 이렇게 말했지

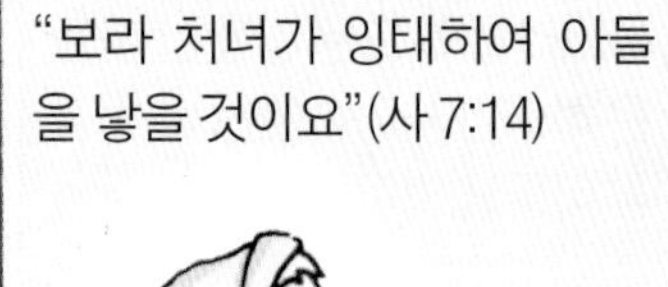

"보라 처녀가 잉태하여 아들을 낳을 것이요"(사 7:14)

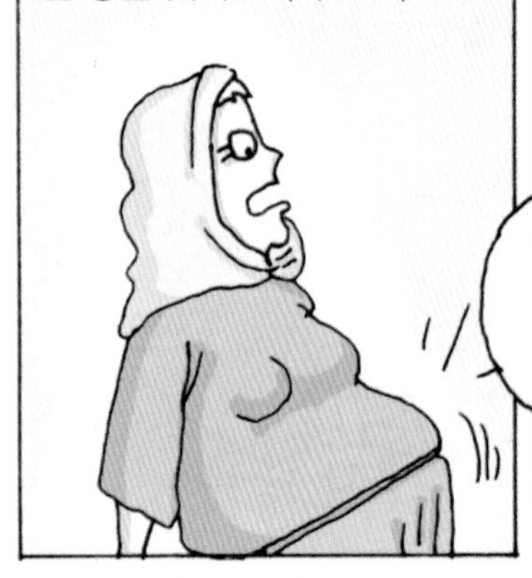

하나님의 구원 약속은 아하스의 불신앙과 상관없이 이루어질 것임을

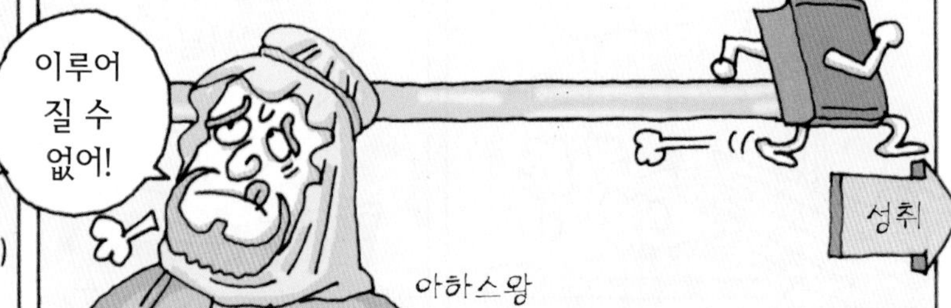

선포한 말씀이야

그러므로 다윗 언약은 결코 폐지되지 않아. 예수님은 하나님을 분명하고 완전하게 믿기 위해서는 자기를 믿으라고 하셨어

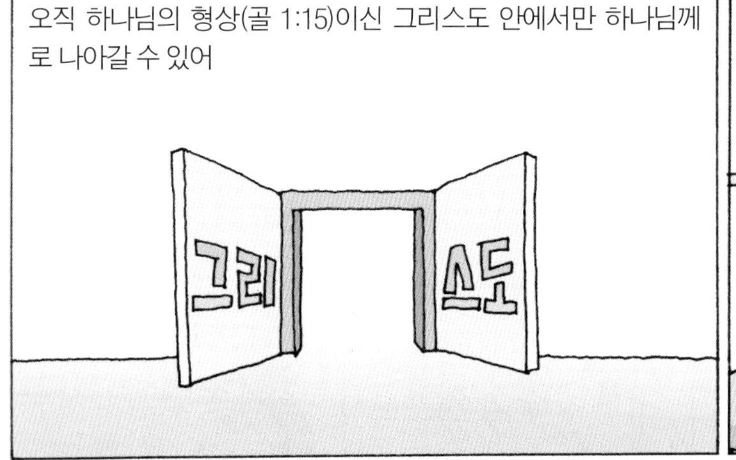

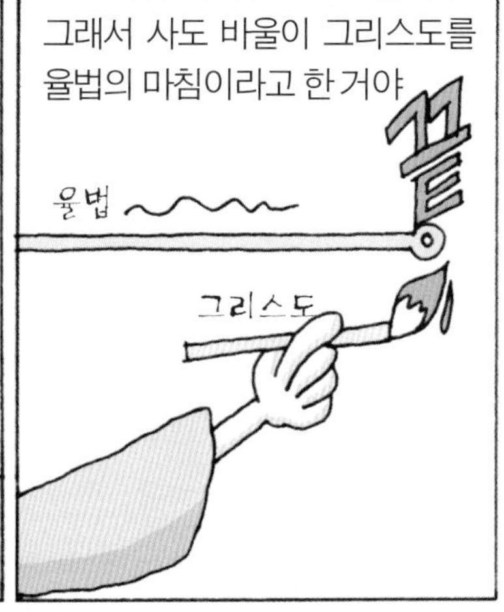

사도 요한은 아들이 없는 자에게는 또한 아버지가 없다고 했지.(참조. 요일 2:23)

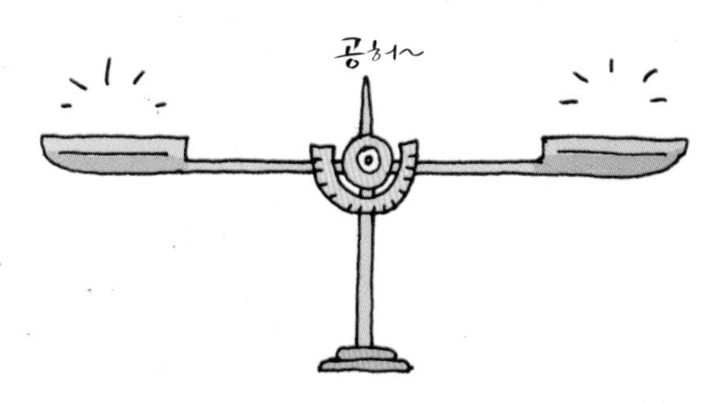

그리스도 없이는 하나님도 없어

예수 그리스도 없이 하나님을 믿고 예배한다고 하는 이슬람교를 비롯한

세상의 수많은 종교들은

다 거짓이야

✤ 2권 6장 원전 줄거리 보기

중보자 예수 그리스도

타락한 인간은 마땅히 그리스도 안에서 구속을 구해야 한다

1. 중보자만이 타락한 인간을 도우신다
2. 옛 언약까지도 중보자가 없으면 은혜로우신 하나님께 대한 신앙이 없다고 선언한다
3. 구약의 믿음과 소망은 약속에 근거한다
4. 하나님께 대한 믿음은 곧 그리스도에 대한 믿음이다

✤ 이상의 내용은 생명의말씀사에서 출간한 칼빈의 **기독교 강요** 원전(전 4권) 각 장의 세부 항목을 모아놓은 것이다.

CHAPTER 7

율법을 주신 목적

율법이 먼저일까, 아브라함이 먼저일까? 당연히 아브라함이 먼저지.
아브라함이 죽은 후 400년이 지나서야 율법이 첨가되었어

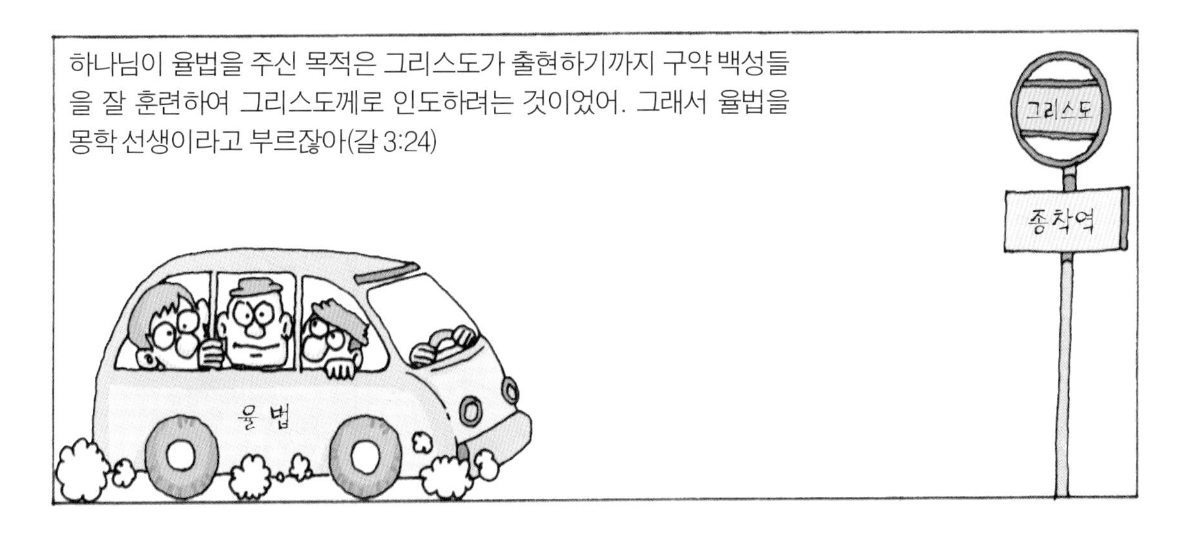

율법은 그리스도에 대한 갈망을 일으키며 그들의 기대를 강화해서

율법에 나오는 제사법들도 그 형식 하나하나에 다 우리를 그리스도께로 인도할 목적이 서려 있어

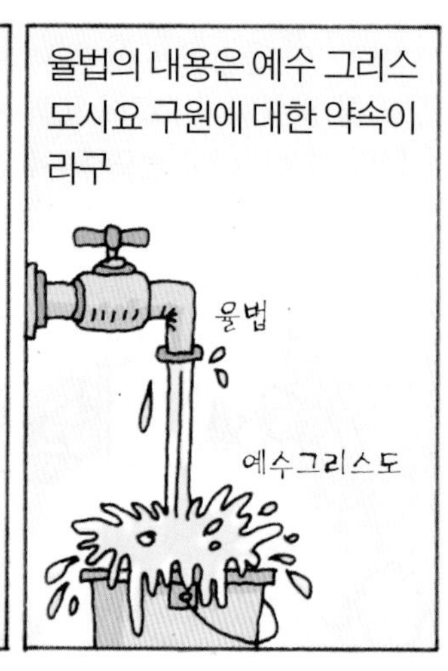

하나님이 우리에게 율법을 주신 목적은 지키라고 주신 것(신 30:19)이지만 사실은 우리 입을 막기 위함이야

거룩한 율법 앞에 서서 아무도 변명할 수 없게 하려는 것이지

그 누구도 율법을 지킬 수 없기 때문이야

죄인들은 율법을 가까이하면 가까이할수록 죽음과 가까이 있는 자기 모습을 보게 돼

신실한 성도라 할지라도 하나님을 완전하게 사랑할 수 없어

육정이라는 병에 걸리지 않은 사람이 어디 있겠니?

부패한 육체를 벗어버리지 않는 한

우리는 아무도 율법의 완전성에 가까이 갈 수 없다구

율법은 두 가지 기능이 있어. 하나는 하나님의 의를 밝히 보여주는 것이고

또 하나는 각 사람의 불의를 깨닫게 해주는 거야(롬 7:7)

불신자들은 완강한 마음으로 율법을 거부하기 때문에 공포심을 느끼게 되지만

하나님의 자녀들은 율법의 약속을 바라보며 하나님의 긍휼과 자비를 구하게 된다구

할 수만 있으면 사람은 율법과 하나님까지도 없애고 싶어하지

하나님

율법

율법은 또한 신자들을 교훈하고 충고하여 선을 행하게도 해
악
선

우리는 율법을 통해 하나님의 뜻을 이해하게 되고 율법을 자주 묵상함으로써 순종할 수 있는 힘을 얻으며
율법

죄짓는 길로 들어서지 않게 되지

무지한 사람들은 모세를 집어던지고
두 돌비를 깨뜨려 버려
법
율

예수님이 오셨으므로 율법은 폐기 처분되어야 한다
율법은 타락하기 이전이나 이후나
오늘을 살아가는 인생사의 법이라구
인생의 법이라 …

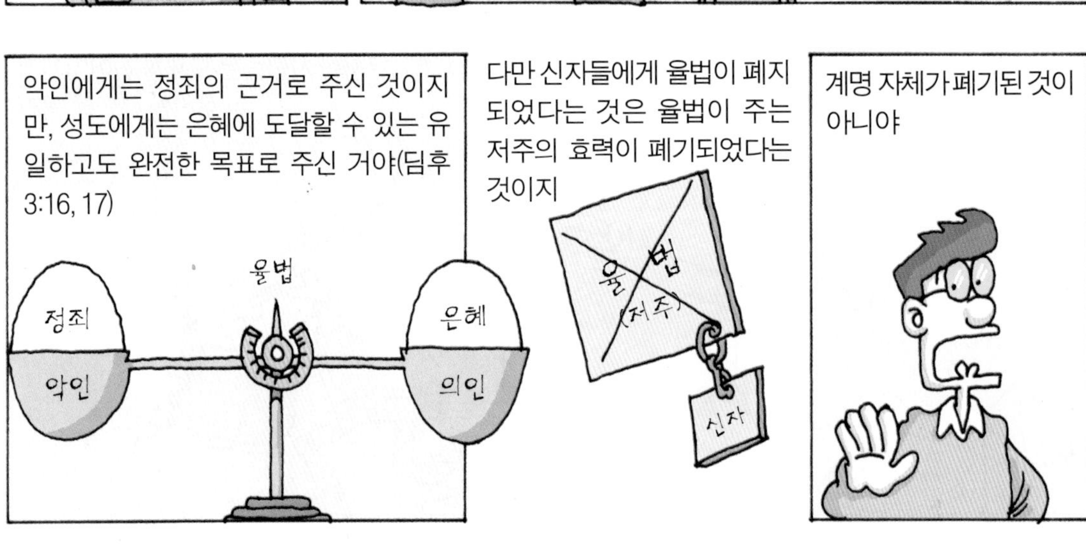

정죄하고 속박하는 힘이 소멸되었다는 뜻이라구

내가 얼마나 잘났는지
너들이 알아?
쾅
자기 자랑 대회
아직도 자기의 의를 내세우는
자들에게는
헉!
여전히 율법의 저주가 역사해
저주
예수 그리스도 안에 있는 율법에 대해서는
죄가 주는 저주가 완전히 폐지되었어
야호~
그리스도의 율법
저주

✤ 2권 7장 원전 줄거리 보기

율법을 주신 목적

율법을 주신 목적은 구약 백성을 그것으로 억제하시려는 것이 아니라 그리스도 안에서 구원을 얻으리라는 희망을 그가 오시기까지 배양하시려는 것이었다

1. 중보자는 타락한 사람만을 돕는다
2. 율법에는 약속이 포함되었다
3. 율법은 우리를 변명할 수 없게 만들어 절망 상태에 빠뜨린다
4. 그러나 율법의 약속은 무의미하지 않다
5. 우리는 율법을 완전히 지킬 수 없다
6. 율법은 엄격해서 우리의 모든 자기 기만을 빼앗는다
7. 율법의 정죄 기능은 그 가치를 떨어뜨리지 않는다
8. 율법의 정죄 기능이 신자와 불신자에게 미치는 영향
9. 어거스틴의 말과 같이 율법은 우리를 고발함으로써 은총을 구하게 만든다
10. 율법은 악인들로부터 사회를 보호한다
11. 율법은 중생하지 않은 사람들을 억제한다
12. 신자들도 율법이 필요하다
13. 신자를 위해서 율법을 전폐하려는 사람은 율법을 오해한 것이다
14. 신자들에게는 율법이 어느 정도로 철폐되었는가
15. 율법은 이제 우리를 정죄하지 않는다는 의미에서 폐기되었다
16. 의식적(儀式的) 율법
17. '우리를 대적하는 증서'가 도말된다

✤ 이상의 내용은 생명의말씀사에서 출간한 칼빈의 **기독교 강요** 원전(전 4권) 각 장의 세부 항목을 모아놓은 것이다.

CHAPTER 8

십계명에 대한 설명

십계명 중 하나를 예로 들어 볼까?

여섯 번째의 '살인하지 말라' 는 계명을 보라구!

살인하지 말라

이 계명은 살인만 하지 말라는 것이 아니라

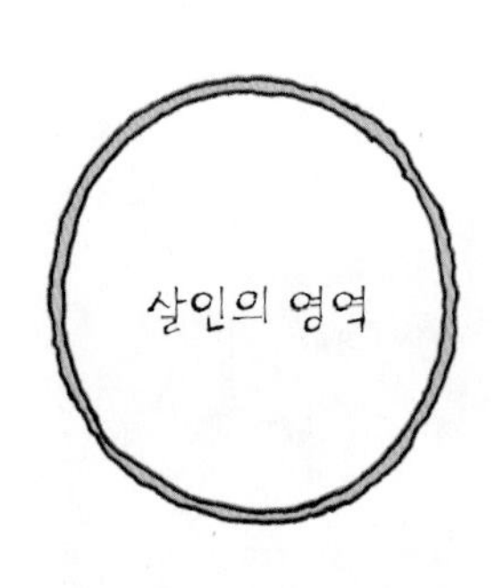

‘살인’ 이란 단어가 담을 수 있는 비슷한 영역을 다 포함하고 있어

시기, 미움, 질투, 폭행, 폭언, 살인…
살인은 이 가운데서 가장 흉악하고 무서운 것이라서 선택된 거야

‘살인하지 말라’ 를 역으로 생각하면 원수까지도 사랑하라는 것이지

악한 일을 금지하신 것은 반대로 선한 의무를 명령하신 거야

‘살인하지 말라’ 의 의미는 마음으로 미워하고

십계명을 잘 이해하려면 계명을 주신 하나님의 완전한 목적을 생각해야 해

하나님이 왜 ‘살인하지 말라’ 는 계명을 주셨을까?

그것은 우리로 하여금 몸과 마음을 다해
이웃의 생명을 돕게
하려는 거야

십계명에
그런 뜻이
있는 줄은
예전에 미처
몰랐어요
나도!

십계명은 두 판으로 구분되어 있어
(마 19:19)
하나는 하나님을 예배하는 것과 관계
된 의무들이고(1−4계명)
다른 하나는 사람을
상대로 한 사랑의 의
무들이야(5−10계명)

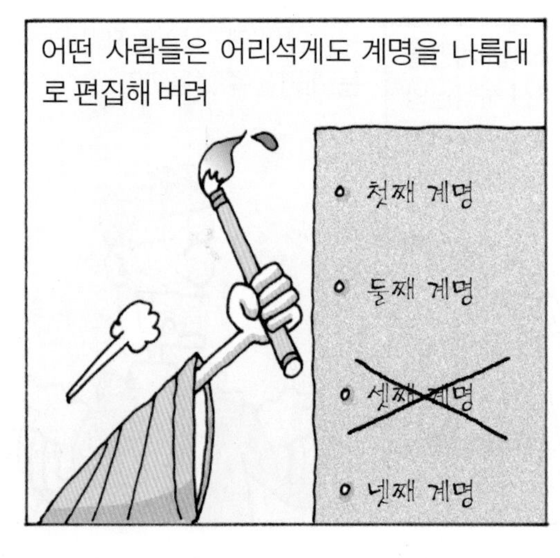
어떤 사람들은 어리석게도 계명을 나름대
로 편집해 버려
첫째 계명
둘째 계명
셋째 계명
넷째 계명

셋째 계명을 없애고 열째 계명은 둘로 나눈다든지
열째
계명

또 죄를 나누어서 어떤 계명을 범하면 대죄! 어떤 계명을 범하면 소죄! 라고 하기도 해

하지만 죄에 무슨 소죄와 대죄가 있겠어?(마 5:19)
우린 똑같애
큰 죄
작은 죄
죄

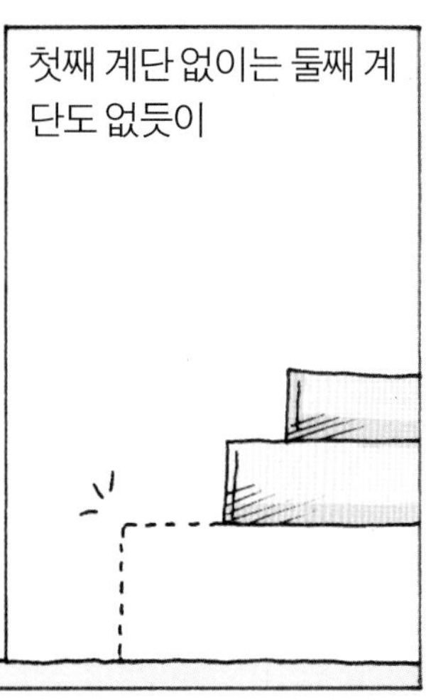
첫째 계단 없이는 둘째 계단도 없듯이

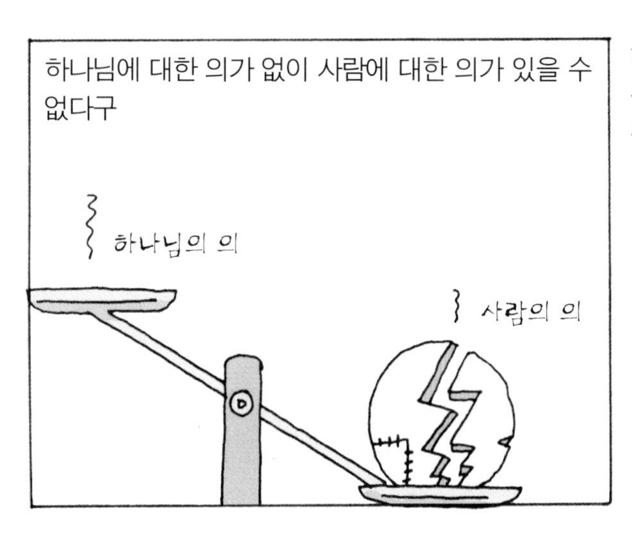
하나님에 대한 의가 없이 사람에 대한 의가 있을 수 없다구
하나님의 의
사람의 의

하나님의 이름을 모독하고 더럽히면서 부모를 공경하면 그것이 무슨 의가 되겠어?
하나님 영광
효자

첫째 계명부터 살펴볼까?

"너는 나 외에는 다른 신들을 네게 있게 말지니라"(출 20:3)
나는 너를 애굽 땅, 종 되었던 집에서 인도하여 낸 너의 하나님 여호와로라(출 20:2)

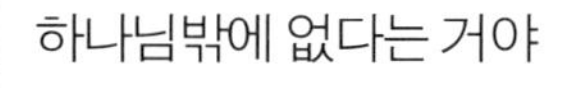
하나님밖에 없다는 거야

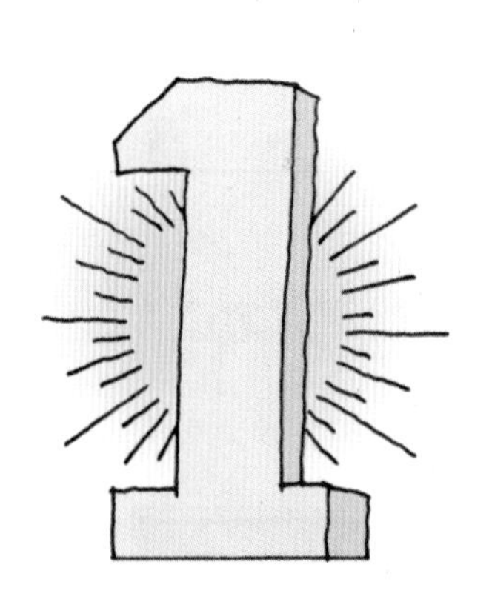

하나님만이 우리의 하나님이시며
우리에게 명령하실 수 있지

오직 하나님만을 위하여, 하나님과 더불어 인생을 살라는 거야
하나님의 영광을 위하여
순종

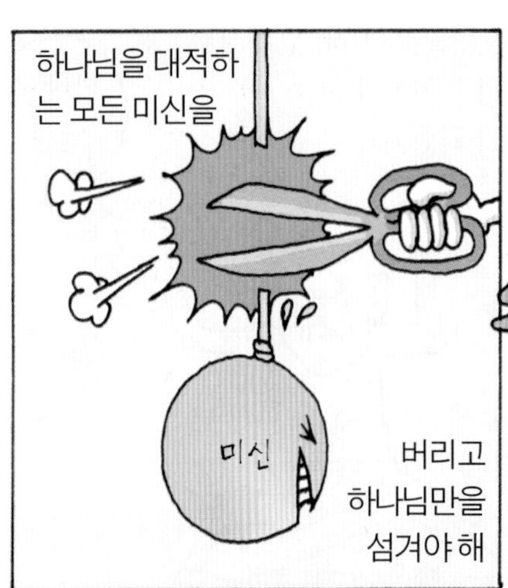
하나님을 대적하는 모든 미신을
미신
버리고 하나님만을 섬겨야 해

둘째 계명은 미신적인 의식으로 하나님을 경배하지 말라는 거야
너를 위하여 새긴 우상을 만들지 말고…절하지 말며 섬기지 말라 (출 20:4, 5)
미신

하나님을 그려 낼 거야~♪
무한하신 하나님을 보고 만질 수 있는 세계에 가두지 말라는 거야

어떤 형상이든 하나님의 이름으로 경배하지 말라는 거지
왜 우리를 제사상에 올려놓는지 이해할 수 없어

하나님은 우상 숭배한
아비의 죄를 기억하고
그 자손들을 심판
하기도 하시며
우상 숭배자

반대로 아비의 선을 기억하고 자손들에게
은혜를 더하기도 하셔
믿
음
3대

셋째 계명
너는 너의
하나님 여호와의
이름을 망령되이
일컫지 말라
(출 20:7)

하나님의 이름을 경외심을 가지
고 사용하라는 거야

하나님과 그의 행적들을 비방
하고 악평하는
짓은 금해야 해
하나님을
비방하는 인간

하나님의 이름으로 맹세하는 것은 하나님의 영
광을 위한 것일 경우에만 해야 해
내가 또
술 마시면 개다!
하나님께
맹세한다!
이런 맹세는
안 됨
재세례파는 모든 맹세를 배척하는데 그것도 오해야
맹세는
아예 하덜 마!
재세례파

거짓 맹세를 하는 것은 하나님을 모독하는 거야
너절한 맹세

그러나 경건과 사랑을 위한 것이면 하나님의 이름으로 맹세할 수 있어
경건한 소원

넷째 계명
안식일을 기억하여 거룩히 지키라 (출 20:8-10)

오늘날 우리는 주일을 지키고 있어. 안식일의 영적 의미가 예수님 안에서 성취되었으므로

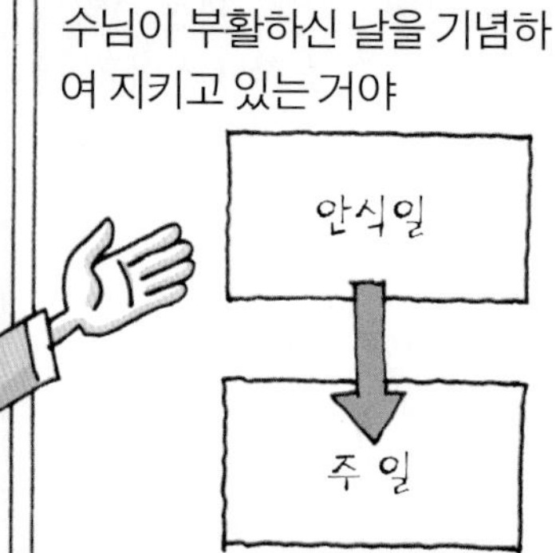
우리는 안식일의 주인이신 예수님이 부활하신 날을 기념하여 지키고 있는 거야
안식일
주 일

주 일
주님! 감사해요~ 놀다 올게요
이럼 안 됨
AIRPORT
교회가 주일을 지키는 것은 하나님의 명령인 동시에 휴식과 경건한 예배와 기도에 힘쓰기 위함이야

또한 수하에 있는 사람들의 노동을 쉬게 하고 자비를 베풀기 위함이지
주님, 주일을 주셔서 감사해요
여기까지가 하나님에 대한 것이고 다음부터는 인간 관계 속에서 필요한 거야
1-4계명 (하나님)
5-10계명 (사람)
다섯째 계명
네 부모를 공경하라 (출 20:12)

윗사람을 존경하여 경의를 표하고 복종하며 감사로 대하라는 거야
고마워요, 하나님

요즘 녀석들아, 십계명 좀 지켜라

하나님은 우리에게 아버지를 주셨어. 아버지를 포함하여 모든 윗사람에게 우리는 똑같이 공경하는 마음을 가져야 해
사랑하는 나의 아들~
아빠~

부모 공경은 오직 주 안에서만 해야 된다는 것도 잊지 마

여섯째 계명 '살인하지 말지니라' (출 20:13)는 앞에서 설명했으니 넘어가자
통과~

일곱째 계명

간음하지 말지니라 (출 20:14)

마음의 순결과 몸의 정조를 깨끗하게 지키라는 것으로서 (고전 7:34)
○○ 원룸
이럼 안 됨

함부로 독신을 선택하지 말고 타오르는 정욕을 절제하며
위험
독신

자기 짝과 함께 즐겁게 살아야 해
19
부부

도적질하지 말지니라 (출 20:15)
여덟째 계명

다른 사람의 소유를 탐내지 않는 것으로 만족하지 말고
뭐시라?
적극적으로 남의 유익을 위해 힘써야 해

아홉째 계명
거짓 증거하지 말지니라 (출 20:16)

하나님은 진실하고 정직한 분이셔. 거짓말로 남의 재물을 취한다는 건 안 될 말이지

나의 말로 다른 사람의 명예를 떨어뜨리는 것도 큰 죄악이야

'거짓말하지 말라.' 이는 적극적으로 정직한 삶을 삶으로 하나님께 영광을 돌리라는 거야

남을 험담하는 것도 계명을 범하는 것이지

열째 계명

사랑과 반대되는 모든 욕망을 마음속에서 몰아내라는 거야

이웃에게 손실을 입힐 만한 것이라면 생각조차 하지 말고 오직 이웃의 행복과 유익을 위하는 마음만 가지라는 거지

우리는 오히려 하나님을 깊이 명상함으로써
마음을 사랑으로 채워야 해

✤ 2권 8장 원전 줄거리 보기

십계명에 대한 설명

도덕적 율법(십계명)의 설명

1. 십계명은 우리와 어떤 관계가 있는가
2. 율법에는 용서가 없다
3. 율법이 엄격한 데는 적극적인 목표가 있다
4. 약속과 위협
5. 율법의 충족성
6. 율법은 하나님의 율법이므로 우리에게 전적인 요구를 한다
7. 그리스도가 친히 율법에 대한 바른 이해를 회복하셨다
8. 바른 뜻을 아는 방법
9. 명령과 금지
10. 율법은 강렬한 말을 사용함으로써 우리가 죄를 더욱 미워하도록 한다
11. 두 판
12. 계명들을 두 판에 배정함
13. 머리말("나는……너의 하나님 여호와로라")
14. "나는……너의 하나님 여호와로라"
15. "너를 애굽 땅 종 되었던 집에서 인도하여 낸"
16. 첫째 계명
17. 보이지 않는 하나님께 대한 영적 경배
18. 둘째 계명에 있는 위협의 말씀
19. "죄를 갚되 아비로부터 아들에게로……이르게 하거니와"
20. 조상의 죄에 대한 벌이 후손에게 미치는 것은 하나님의 정의와 모순되지 않는가
21. "천대까지 은혜를 베푸느니라"
22. 셋째 계명의 해석
23. 맹세는 하나님께 대한 고백임
24. 거짓된 맹세는 하나님의 이름에 대한 모독이다
25. 불필요한 맹세
26. 산상수훈은 이런 맹세를 금지하지 않는가
27. 그러므로 율법에 없는 맹세는 물론 용인된다
28. 전체적인 해석
29. 안식일 계명은 약속이다
30. 제칠일
31. 안식일 계명의 약속은 그리스도에게서 실현된다
32. 넷째 계명은 어느 정도까지 외면적 규정을 초월하는가
33. 무슨 까닭에 일요일을 지키는가
34. 성일의 영적 준수
35. 다섯째 계명은 범위가 넓다
36. 명령
37. 약속
38. 위협
39. 여섯째 계명의 뜻
40. 여섯째 계명의 근거
41. 일곱째 계명의 전체적 해석
42. 독신주의는 옳은가
43. 일곱째 계명과 결혼과의 관계
44. 정숙과 정조
45. 여덟째 계명의 전체적 해석
46. 여덟째 계명은 다른 사람들의 유익을 돌볼 의무를 우리에게 지운다
47. 아홉째 계명의 전체적 해석
48. 이웃의 명예
49. 열째 계명의 뜻
50. 깊은 마음속의 의
51. 율법의 요약
52. 성경이 가끔 둘째 판만을 말하는 것은 무슨 까닭인가
53. 믿음과 사랑
54. 이웃에 대한 사랑
55. 우리의 이웃은 누구인가
56. '복음적 권고'인가
57. 원수를 사랑하라는 계명은 참된 계명이다
58. 대죄(大罪)와 소죄(小罪)의 구별은 타당하지 않다
59. 죄는 모두 대죄다

✤ 이상의 내용은 생명의말씀사에서 출간한 칼빈의 **기독교 강요** 원전(전 4권) 각 장의 세부 항목을 모아놓은 것이다.

CHAPTER 9

율법에서 예고되고 복음에서 완전히 드러나신 예수님

비디오를 켜면 영화가 시작되기 전에 예고편을 보여주지
예고편
곧 개봉!
VTR

율법은 바로 예수님에 대한 예고편이야

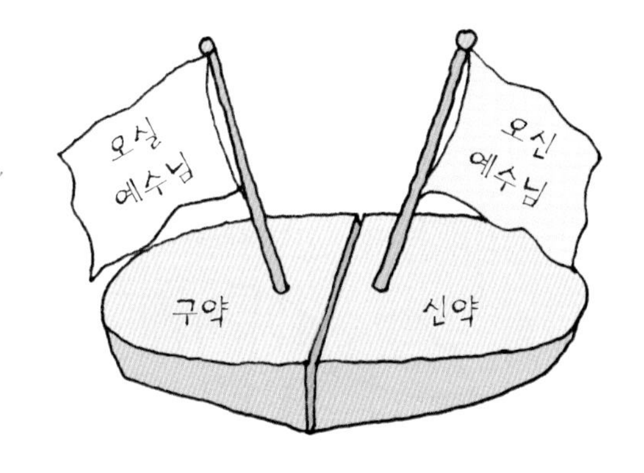
구약은 장차 오실 예수님에 관한 내용이고 신약은 이미 오신 예수님에 관한 이야기야
오실 예수님
오신 예수님
구약
신약

율법에 있는 여러 가지 속죄 의식과 제사를 자세히 살펴보면 희미하지만 예수 그리스도의 모습이 나타나고 있어

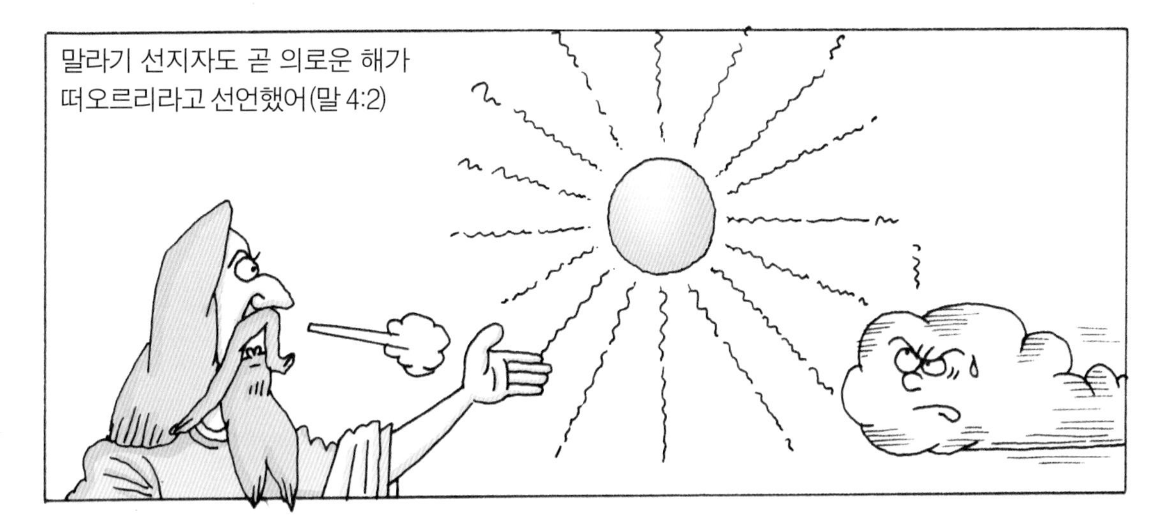
말라기 선지자도 곧 의로운 해가 떠오르리라고 선언했어(말 4:2)

옛 언약 백성들은 그림자를 보고 신앙 생활을 했다면 우리는 실체를 보고 살고 있어

그리스도

훨씬 더 크고 풍성한 은혜 가운데서 살고 있는 거야

신약

이런 시대에 살면서도 하나님께 감사치 않고 믿음이 없다면 옛 시대의 불경건보다 훨씬 더 가증하고 비열한 거야

율법과 복음은 서로 반대될까? 아니면 유기적인 관계를 가지고 있을까?

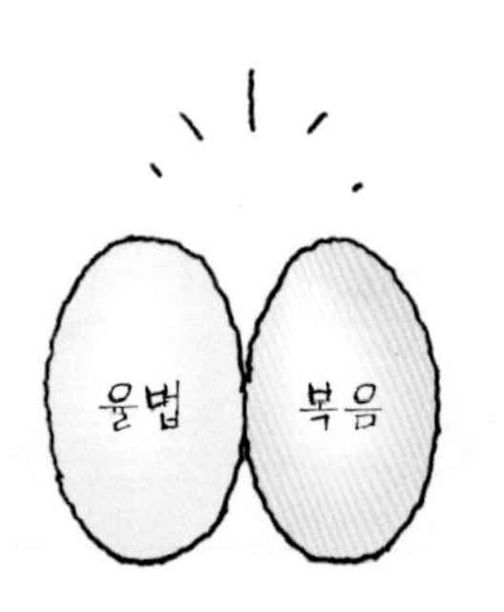

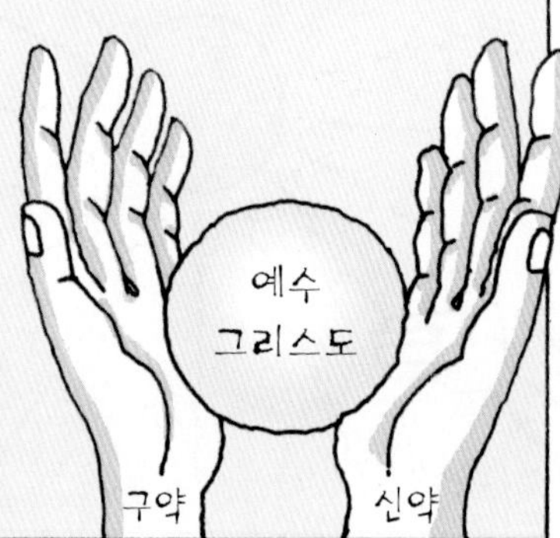

그러므로 우리가 가진 믿음이나 구약의 성도들이 가졌던 믿음은 서로 똑같아. 다만 그 질이나 성격에서 차이가 있을 뿐이지

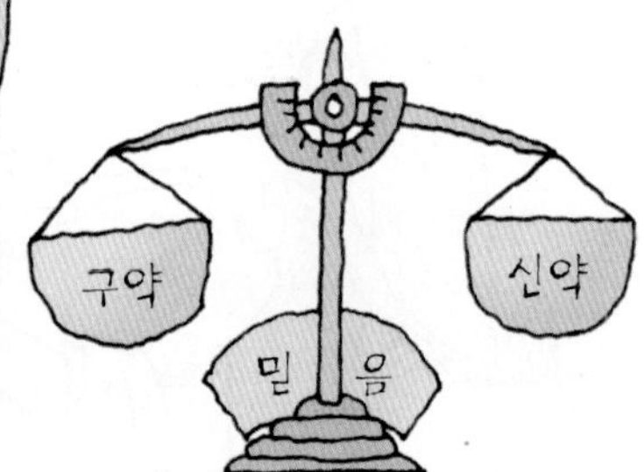

즉 율법이 그 약속을 모형적으로, 그림자처럼 보여주었다면, 복음은 확실하게 손가락으로 가리켜 보여주는 거야
복음
율법(그림자)

율법과 복음은 서로 반대되는 점이 있어. 하지만 그것을 너무 과장해서는 안 돼
율법
복음

무슨 말인가? 율법은 행위를 주장하고 복음은 은혜를 주장한다

고로 둘은 완전히 대립된다
율법
복음

바울이 그렇게 말하지 않는가?
맞아. 하지만 바울이 말한 율법에는 다른 뜻이 있어
바울은 율법을 말할 때 하나님이 우리에게 요구하시는 완벽한 의의 표준으로 제시했어
율법

바울이 율법을 부정적으로 말하는 경우는 하나님의 은총을 강조할 때라구

구원

행위

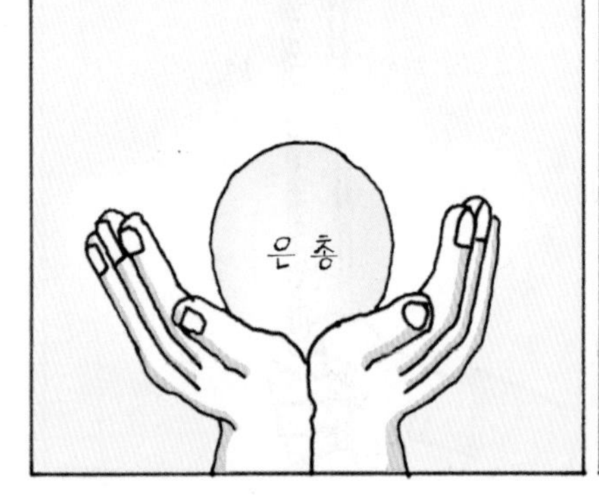

그러나 복음이 율법 전체를 폐지한 것은 아니야
복음
율법

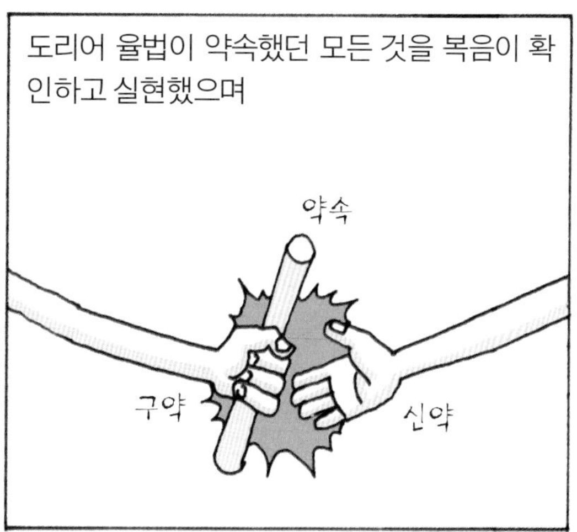
도리어 율법이 약속했던 모든 것을 복음이 확인하고 실현했으며
약속
구약
신약

그 그림자들의 실체를 보여준 것이라고 할 수 있어
보인다
보여!

자, 이제
다음 장으로
가자구~

✤ 2권 9장 원전 줄거리 보기

율법에서 예고되고 복음에서 완전히 드러나신 예수님

그리스도는 율법하의 유대인들에게도 알려지셨으나, 오직 복음 안에서 상세하고 분명하게 계시되었다

1. 신약 사회의 유리한 점
2. 복음은 계시된 그리스도를 전파한다
3. 약속들이 우리에게는 파기(破棄)된 것이 아니다
4. 율법과 복음과의 반대점을 과장하지 말라
5. 세례 요한

✤ 이상의 내용은 생명의말씀사에서 출간한 칼빈의 **기독교 강요** 원전(전 4권) 각 장의 세부 항목을 모아놓은 것이다.

CHAPTER 10

신구약의 유사점

신구약이 모두 같은 언약이라는 사실을 아는 것은 매우 중요해

구약 신약

어떤 사람들은 구약에 있는 약속들을 유대인에게 대한 것으로 국한시키려 고 해

또 구약의 약속을 이 땅에서의 번영과 행복으로 한정하는 사람들도 있어

그러나 구약은 유대인을 포함한 모든 인류에게 주신 약속이며

현세적인 것뿐만 아니라 영적인 번영과 영생의 희망도 함께 담겨 있어

구약 백성들도 유일하신 중보자 그리스도를 알고 소망했지

그들도 오직 그리스도를 통해서만 하나님의 약속에 참여하게 된다고 믿었어

그러니까 구약과 신약은 본질이 같아

약속의 내용, 약속의 근원, 약속에 참여하는 수단이 같다는 얘기야

구약의 목적은 항상 그리스도와 영생이었어

하나님은 구약과 신약의 백성들에게 같은 은혜를 베푸셨다구

구약 백성

신약 백성

옛 족장들이 받은 약속들은 모두 현세적으로 보기 쉽지만 실은 영적이고 내세적인 성격이 강해

아래는 족장들이 받은 언약의 대표적인 표현인데

나는 너희 하나님이 되고 너희는 내 백성이 되리라 (출 6:6, 레 26:12)

이 약속은 단지 육적인 은혜가 아니라 영생에 대한 분명한 약속을 담고 있어

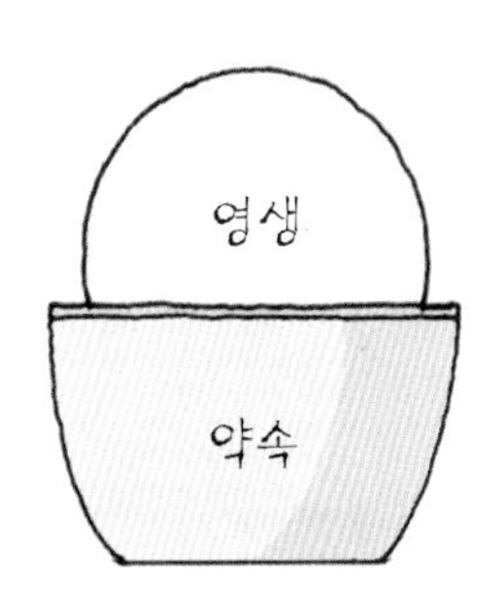

하나님은 신자들을 현세적인 삶만으로는 절대 만족하지 못하도록 연단시키셔서
환
₩

더 나은 본향, 더 나은 생명을 받아 누리게 하셔

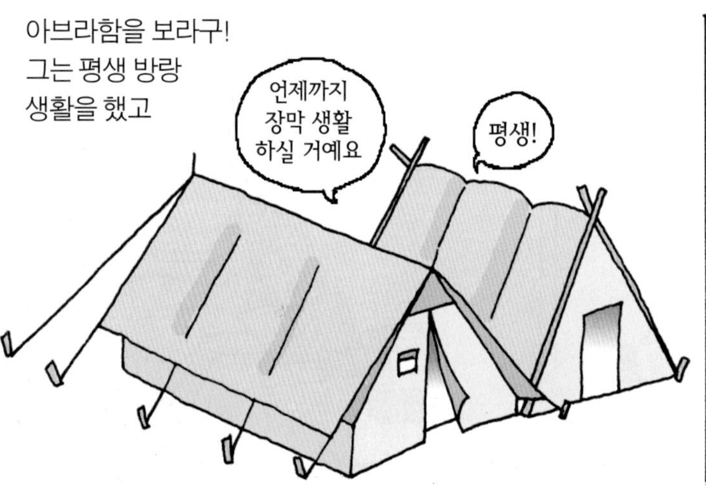
아브라함을 보라구!
그는 평생 방랑
생활을 했고
언제까지 장막 생활 하실 거예요
평생!

심지어 애굽에서는 아내를 내어 줘야 했어
난 아내를 누이라 속인 나쁜 놈 이었어

조카 롯 때문에 겪어야 했던 마음 고생
나는 가리라~
소돔으로 가리라~
유익
롯

죽기보다 더 괴로운 여러 번의 가정 불화
하갈이 그렇게 좋더냐?

그리고 외아들을 죽여 바치라는 불 같은 시험 등
아빠, 날 버리지 마

무수히 많은 고난을 줄기차게
당하면서 평생을 악전고투하며
살아야 했지

아브라함이
바라보고
붙잡은
것은
본향이야

저희가
이제는 더 나은
본향을 사모하니 곧
하늘에 있는 것
이라(히 11:16)

히 11:16

네 명의 아내와 자식들의 지겨운 다툼,
형 에서의 위협

요셉을 팔아먹은 자식들의 배반,
베냐민을 잃을 뻔했던 일
(창 42:34, 38)
요셉아

야곱은 홍수같이 밀려오는 재난의 연속 가
운데서 평생 단 한순간도
평화로운 숨을 쉴 수가
없었어

야곱은 말년에 고백했어.
"여호와여 나는 주의 구원을
기다리나이다"(창 49:18)

죽음이 곧 새로운,
더 나은 출발임을
믿었다는 거야
생명
죽음

이렇게 야곱은
이 땅에서는
자신을 나그네로
여겼고

평생 더 나은 본향을 사모하며 살다가 약속대로 하나님이 준비하신 영원한 상급을 받았어

다윗도 이 땅에서 악인들이 잘되고 의인들이 고난을 받는 것 때문에 실족할 뻔했다고 여러 번 고백했지

하지만 그는 깨달았어. 하나님이 자기 백성에게 약속하신 것들은 이 땅에서는 거의 실현된 것이 없다는 거야

성도들은 자기 마음을 하나님의 성소로 들어 올려 하늘에 예비된 은혜를 바라봐야 해

비록 지금은 그것을 눈으로 확실히 볼 수 없지만 믿음으로 이해하며 만족하는 것이지

그러므로 지혜 있는 자는 현세의 행복이 하루살이 같은 것임을 잘 알아 현실에 너무 집착하지 않는다는 거야

더 나은 행복을 추구할 줄 알지

욥은 이렇게 말했어
내가 알기에는 나의 구속자가 살아 계시니 후일에 그가 땅 위에 서실 것이라…

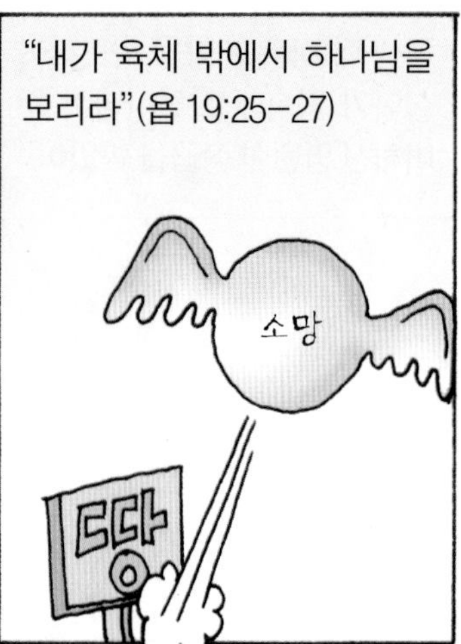
“내가 육체 밖에서 하나님을 보리라”(욥 19:25-27)
소망
땅

욥은 그의 소망이 땅에 붙어 있는 것이 아니었기 때문에 그 고난 속에서도 중보자 그리스도와 영생의 세계를 기대할 수 있었어

이처럼 뒤로 올수록 그리스도와 영생에 대한 계시의 빛은 더욱더 밝게 빛나
예수다!

맨 처음 아담에게 보이신 작은 불꽃이 점점 커지다가

마침내는 의의 태양이신 그리스도가 나타나
전 세계를 완전히 비추신 거야

할렐루야~
할렐루야~

이처럼 구약의 핵심도 그리스도와
그 안에 있는 영원한 행복이야
그리스도
다!
율법
지금 우리가 약속받은 천국은 바로
아브라함과 이삭과 야곱이 받은
그 천국이라구(마 8:11)

✣ 2권 10장 원전 줄거리 보기

신구약의 유사점

1. 문제
2. 중요한 일치점들
3. 구약은 장래를 내다본다
4. 구약에서도 의롭다 함은 오직 은총에서 그 타당성을 얻었다
5. 언약의 표징들이 같다
6. 요한복음 6:49, 54을 근거로 한 항의를 반박한다
7. 조상들에게는 말씀이 있었다. 따라서 영생이 있었다
8. 구약에서 하나님은 자기 백성을 자기와 사귀게 허락하심으로써 그들에게 영생을 주셨다
9. 구약에서도 하나님의 인애가 죽음보다 강하였다
10. 고대인들의 축복은 지상적인 것이 아니었다
11. 아브라함의 믿음
12. 이삭과 야곱의 믿음
13. 족장들은 영생을 구했다
14. 성도들의 죽음은 생명으로 들어가는 문이다
15. 다윗이 희망을 선포한다
16. 내세에 적용되는 다른 구절들
17. 경건자들의 소망은 현세의 재난을 초월하여 내세를 바라본다
18. 그들의 행복한 운명을 악인들의 운명과 대조시킴
19. 영생 불사의 증인인 욥
20. 영생에 대한 예언자들의 증언
21. 에스겔서에 있는 마른 뼈의 골짜기
22. 다른 예언서들에서 인용한 구절들
23. 요약과 결론 : 신구약은 영생 문제에서 일치한다

✣ 이상의 내용은 생명의말씀사에서 출간한 칼빈의 **기독교 강요** 원전(전 4권) 각 장의 세부 항목을 모아놓은 것이다.

CHAPTER 11

신구약의 차이점

신약의 복과 구약의 복은 무슨 차이 일까?
구약의 복과 신약의 복은 본질이 똑같애
하나님은 구약 백성들이 지상의 복을 거울 삼아 하늘의 복을 바라보게 하려 하셨어
현세의 축복

아브라함은 처음부터 영원하신 하나님을 바라보았고 약속에 대한 보증과 예표로서 현세적인 복을 덧붙여 받은 거야
약 속
축 복

족장들이 받았던 가나안 땅은 그들에게 최종 목표가 아니었어
가나안

가나안 땅은 천국을 바라보도록 훈련시켜 주는 은혜의 수단이야
가나안

다윗의 시들을 보면 그가 영원한 복을 갈망하고 있다는 것을 알 수 있어
여호와는 나의 목자시니 내가 부족함이 없으리로다~

그들도 현세적인 복이라는 예표와 상징을 통해 부지런히 천상의 행복을 기웃거리며 사모했다구

마니교도들은 신구약의 하나님이 전혀 다르다고 생각했어

달라도 한참 다르다

마니교도

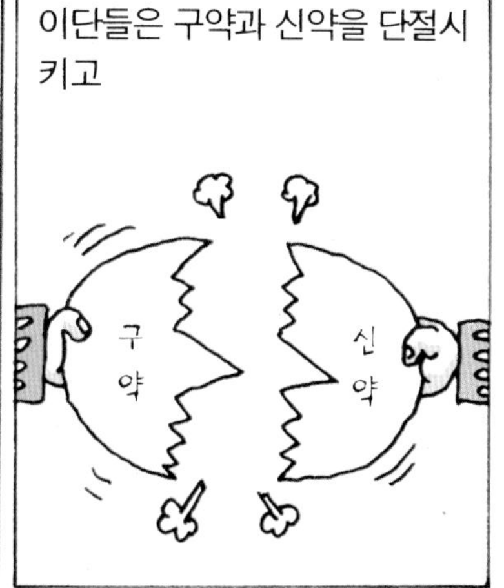

갈라디아서에서 바울이 설명한 것처럼 구약의 교회는 아직 신약의 복을 누릴 정도로 충분히 성숙하지 못했기 때문에

온전한 하늘의 실체 자체가 우리 가운데
직접 나타났기 때문에
약속 성취

그림자에 불과했던 옛 것들은 당연히
폐하어진
것이지
우리 더 이상
피 흘릴 필요
없죠!
그럼~
예수님이 너희
대신 피 흘리신
다고 했어

얘들아!
예수님 오셨다,
성전 문 닫자~

성 전

구약이 돌판에 기록되었다면 신약은 사람의 마음에 새겨졌어

신약은 하나님의 사랑으로 사람들을 저주에서 해방시킬 뿐만 아니라 그리스도의 부활 생명을 주지

신약은 본체를 나타내는 것이기 때문에 영원해(고후 3:10, 11)

그렇다고 해서 구약 백성 중에 하나님께 진정으로 돌아선 자가 하나도 없다는 뜻은 아니야

구약 백성만 놓고 보면 그 중에서도 무수히 많은 사람들이 참 구원을 받았어

그러나 신약과 비교해 본다면 거의 없는 것과 마찬가지라고 할 수 있지. 주님이 모든 민족 가운데서 불러모아 교회의 교제에 들어가게 하신 사람들의 수가 그만큼 많다는 거야

에게게~
구약 백성
신약 백성

신구약의 차이는 본질적인 차이가 아니라 하나님이 은혜를 베푸신 정도의 차이라구

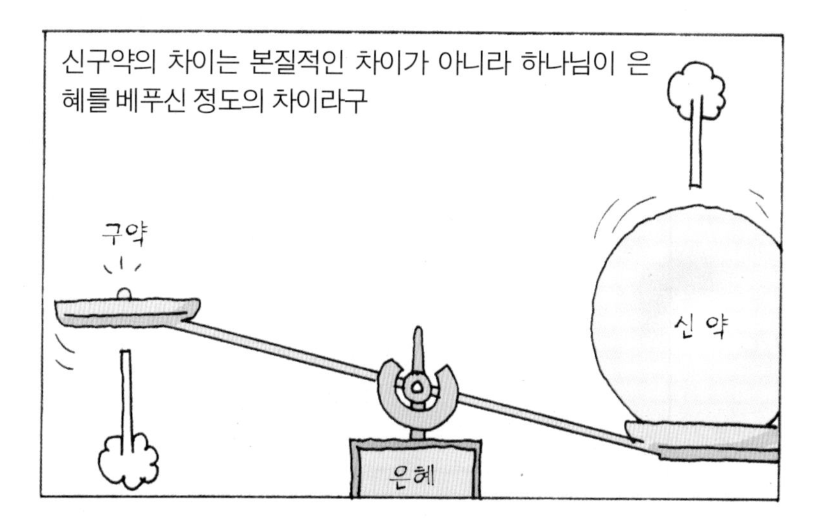

그러나 율법은 우리 마음속의 오염과 부패를 없애 주지 못해

율법의 정죄와 위협을 벗어날 수가 없어. 그래서 성경은 구약을 '노예 언약'이라고 부르는 거야

율법

자유롭게 해(갈 4:22-31). 마치 창공을 날으는 새처럼
사람들의 마음에 믿음과 용서의 확신을 갖게 해준다구

그래서 신약을 '자유 언약'이라고 해(롬 8:15). 우리는 율법을 구약이란 이름으로, 복음을 신약이란 이름으로 표현해(눅 16:16)

그런데 이 이름들에는 약간의 설명이 필요해. 왜냐하면 새 언약은 율법이 발표되기 이전인 창세 때로부터 있어 온 거야
새 언약
율법

어거스틴의 말처럼, 구약 시대의 사람들 중에서도 참 성도들은 우리와 똑같이 그 약속을 바라고 믿음으로 중생에 참여하는 축복을 맛보았어

그러므로 창세 이후로
모든 참 하나님의
자녀들은 다 같은
새 언약에 속해
있어
하나님의
자녀
새 언약

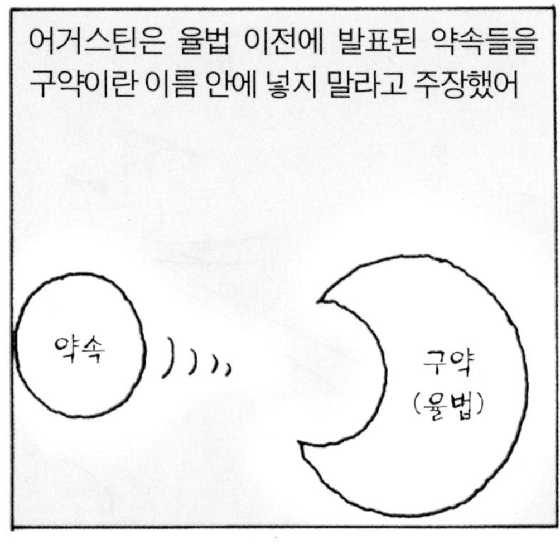
어거스틴은 율법 이전에 발표된 약속들을
구약이란 이름 안에 넣지 말라고 주장했어
약속
구약
(율법)

옛 언약 아래 살던
거룩한 성도들도
현재에 만족하지 않고
항상 미래에 얻을
구원주 예수님을
사모하며 살았다구
그리스도

예수님!
사랑해요!
하늘만큼!
땅만큼!

⚜ 2권 11장 원진 줄거리 보기

신구약의 차이점

첫째 차이점 : 구약은 영적 축복을 현세적 축복으로 표현했다

1. 지상의 복리를 역설했으나 그것은 하늘 일을 생각하게 하려는 뜻이었다
2. 지상적 약속은 구약 교회의 유년기에 해당했고 지상적인 것에 소망을 국한한 것이 아니다
3. 신체적인 혜택과 신체적인 벌은 예표다

둘째 차이점 : 구약 시대에는 형상과 의식으로 진상을 전하며 그리스도를 예표했다

4. 이 차이의 의미
5. 교회의 유년기와 성년기
6. 믿음의 위인들도 옛 언약의 범위 내에 국한되어 있었다

셋째 차이점 : 구약은 문자적이요 신약은 영적이다

7. 이 차이의 성경적 근원과 의미
8. 고린도후서 3장에 의해서 차이점을 상론한다

넷째 차이점 : 구약의 노예 상태와 신약의 자유

9. 바울의 가르침
10. 율법과 복음

다섯째 차이점 : 구약은 한 민족에, 신약은 모든 민족에 관계한다

11. 그리스도 안에서는 장벽이 무너진다
12. 이방인들을 부르심
13. 대체로 무슨 까닭에 차이가 있는 것인가
14. 모든 사람을 뜻대로 다루시는 하나님의 자유

⚜ 이상의 내용은 생명의말씀사에서 출간한 칼빈의 **기독교 강요** 원전(전 4권) 각 장의 세부 항목을 모아놓은 것이다.

CHAPTER 12

사람이 되셔야 했던 중보자

참 하나님이면서 동시에 참 사람이셔야만 했지. 그분만이 하나님과 우리 사이의 깊고 먼 거리를 연결할 수 있어

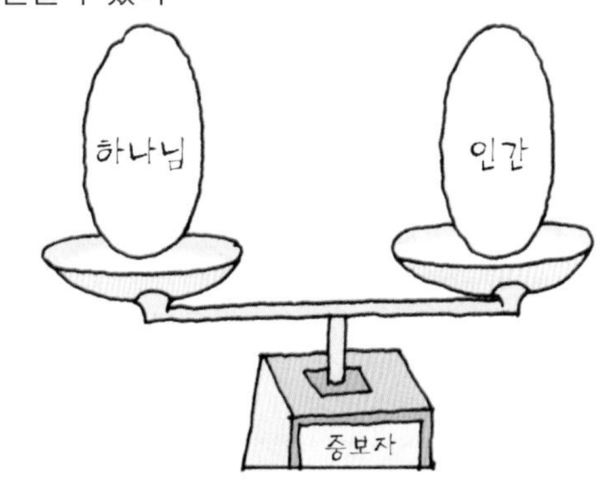

그럼 아담의 후손 중에서 중보자가 나올 수 있을까?

그럴 수 없어. 죄인은 불가능하거든

천사는 어떨까?

역시 어림없어. 천사들 역시 피조된 존재일 뿐이니까

그래서 하나님이 직접 우리에게로 내려오시지 않으면 안 되게 되었지

그래서 임마누엘 하나님이 우리에게 직접 건너오셨어

하나님이
우리의 모습으로 오셔서
우리와 함께 자라시고 함께 거하시며
우리 대신 아버지께 복종하시고

무수한 오점과 부패로 더럽혀졌으며

모든 저주로 압도당했어

우리는 하나님께 도저히 나아갈 수 없는 죄인들이야

그래서 예수님이 우리를 구원하시고자 사람이 되신 거야. 사람이시되 죄가 없는 사람 말야

사람 되신 예수님이 다리의 저쪽 끝에서 이쪽 끝까지를 완전히 이어 놓으셨어

그러기 위해서 중보자는 우리의 형제가 되셔야만 했어

우리의 살과 뼈를 취해 자기의 살과 뼈로 만드시고 우리와 하나가 되셨어

참 중보자는 죄를 정복하고 죽음을 삼켜 버리며 마귀를 멸하셔야만 했어

그분은 아담 대신 하나님께 순종하려면 꼭 사람이셔야 했고

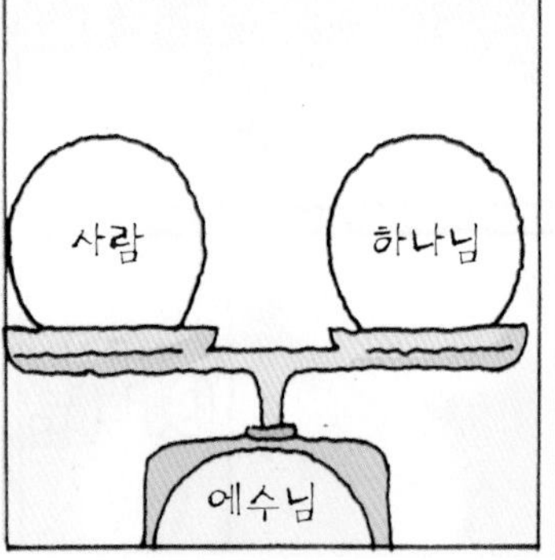

또 우리 죄를 대신해서 죽으려면 틀림없이 사람이셔야 했으며

한편 죄와 죽음을 이기려면
하나님이셔야만 했지.
그리스도는 부활로 죽음을
이기셨어

너들이 뭘 안다고
죽음 이후를 말하는
거야? 땅의 일도
모르면서…
공자

공자님, 조용히 좀 해주세요~
계속해서 사람이 되신 그리스도에 대
해 알아볼까?

몇몇 사람들이 하나님이
사람이 되신 그리스도를
인정하지 않으려고 해
하나님이
인류를 구속할
필요가 없었다
하더라도
그리스도는 역시
사람이 됐을
것이다
세르베투스,
오시안더 같은
이단자들 말야

성경은 어떻게 말하냐구?
말씀이
육신이
되신 예수님

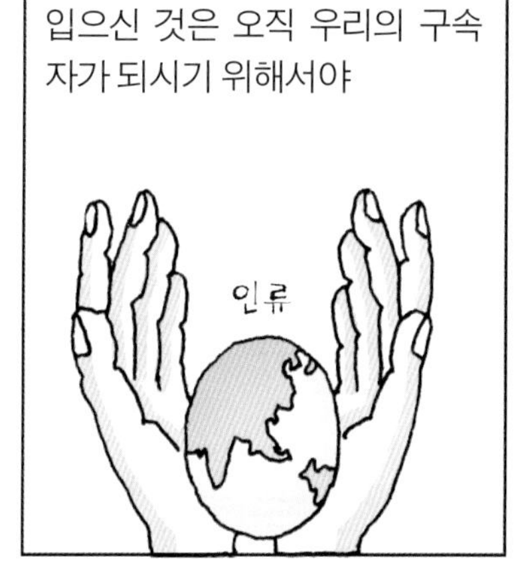
그리스도가 우리와 같은 몸을
입으신 것은 오직 우리의 구속
자가 되시기 위해서야
인류

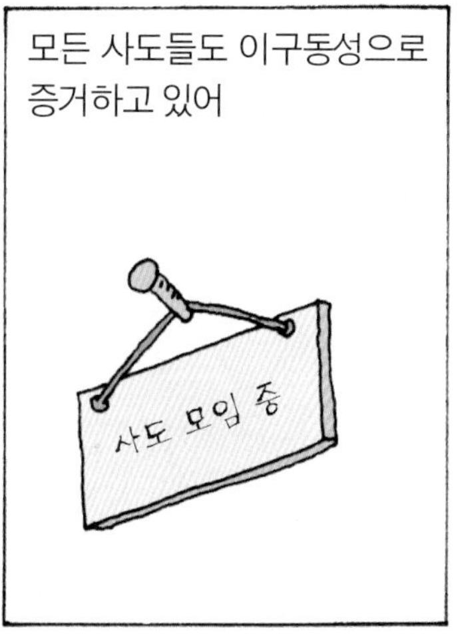
모든 사도들도 이구동성으로
증거하고 있어
사도 모임 중

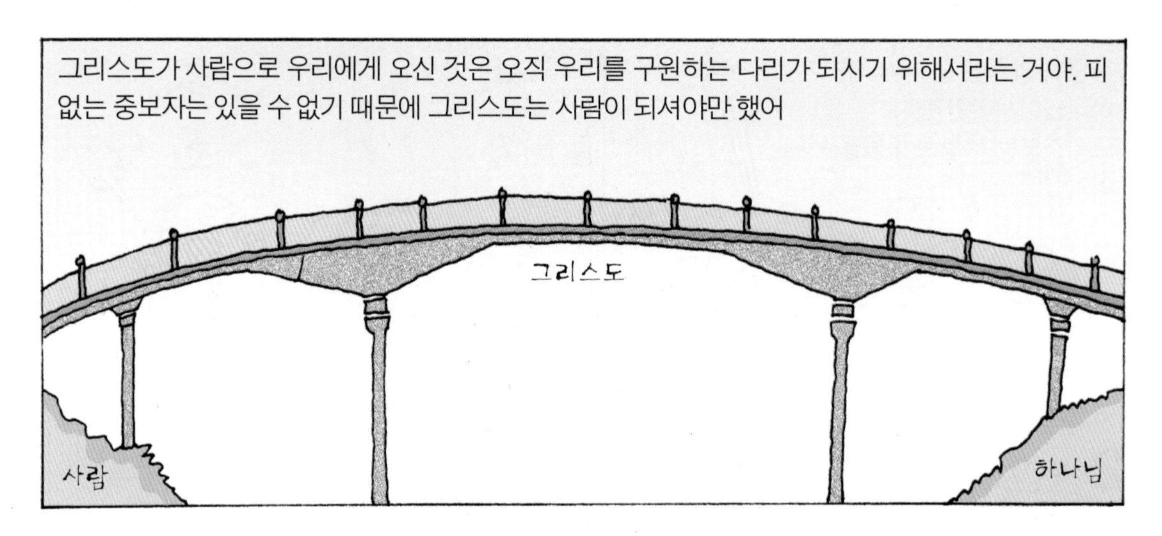
그리스도가 사람으로 우리에게 오신 것은 오직 우리를 구원하는 다리가 되시기 위해서라는 거야. 피 없는 중보자는 있을 수 없기 때문에 그리스도는 사람이 되셔야만 했어
그리스도
사람
하나님

그러므로 그리스도가 사람이 되신 이유나 목적에 대해 다른 설명들을

덧붙이는 것은 지극히 망령된 일이지
다 떨어 내 주세요
엉뚱한 상상을 하는 사람

아담이 범죄하지 않았어도 그리스도는 사람이 되셨을 것이다
오시안더는 이렇게 말했어
그리스도가 사람으로 오신 것과 우리를 구원하시는 일은 서로 상관없을 수도 있다
오시안더
알쏭달쏭하게 만들지? 그럼 성경은 어떻게 말하고 있을까?

그리스도가 사람이 되신 것과 우리를 구원하시는 일은 시로 뗄 수 없는 관계야

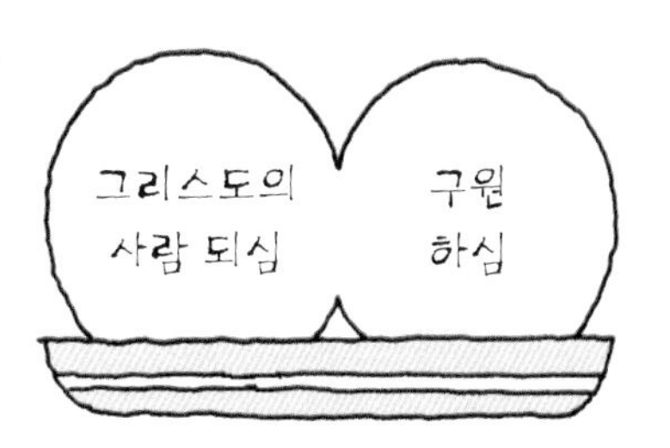

그리스도의 오심은 우리의 죄 때문이었어

사도 바울도 에베소서에서 그리스도가 세상에 오신 목적을 설명하면서

"아버지께서…창세 전에 그리스도 안에서 우리를 택하사…
인류 역사
그의 사랑하시는 자(아들) 안에서 우리에게 거저 주시는 바…우리가 그리스도 안에서…
하나님이 우릴 구원하시려고 창세 전에 작정하셨답니다!
KBA

그의 피로 말미암아 구속 곧 죄사함을 받았으니"
(엡 1:3–7)

우리는 불경건하고 망령된 호기심을 가진 자들이 전혀 새로운 종류의 그리스도를

만들어 내려는 것을 경계 해야 해
꼭 피를 흘려야 하나요?

하나님과 하나님이 하시는 모든 오묘한 일들에 대한 우리의 호기심은 철저히 굴레 씌워져야 한다구
호기심
이 안에서 놀거라
성경

말씀을 철조망 삼아 울타리를 쳐놓고 그 안에서 만족하며 즐거워할 줄 알아야 해
룰루랄라~
말씀

⚜ 2권 12장 원전 줄거리 보기

사람이 되셔야 했던 중보자

중보자의 직책을 다하기 위하여 그리스도는 사람이 되셔야 했다

1. 참 하나님이시며 참 사람이신 분만이 하나님과 우리 사이의 깊고 먼 거리를 연결할 수 있었다
2. 중보자는 참 하나님이시며 참 사람이셔야 한다
3. 참 하나님이시며 참 사람이신 분만이 우리 대신에 복종할 수 있었다
4. 그리스도의 성육신은 우리를 구속하는 것이 유일한 목적이었다
5. 아담이 죄를 짓지 않았어도 그리스도는 역시 사람이 되셨을까
6. 하나님의 형상에 대한 오시안더의 주장
7. 오시안더의 논점들을 일일이 반박한다

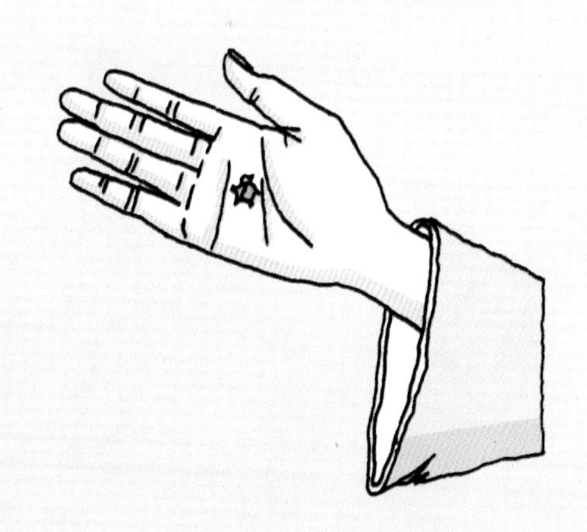

⚜ 이상의 내용은 생명의말씀사에서 출간한 칼빈의 **기독교 강요** 원전(전 4권) 각 장의 세부 항목을 모아놓은 것이다.

CHAPTER 13

육체를 취하신 예수 그리스도

그리스도의 신성에 대해서는 많은 사람들이 인정해
인정해
나도
또 지금까지 그리스도의 신성을 충분히 설명했어

우리에게 필요한 믿음은 그리스도의 인성에 대한 거야
성육신
오오 OH…
이게 무슨 메시아냐구요

'연약한 육신을 입으신 그리스도가 어떻게 중보의 직책을 다하셨는가?' 이런 질문이 많아
너 믿어지니?
아니
마니교
마르키온

마니교도들이나 마르키온파는 그리스도가 사람의 몸을 입고 오신 것을 부정했어. 그들의 말을 들어 볼까?

✤ 가현설

마르키온

그리스도가 실제로 물질적인 몸과 인간성을 갖지 않았고 단지 외관상으로만 육체를 가졌다고 주장하는 이단 교리. 이 설에 의하면 예수님의 모든 인간적인 행위들은 환상이다. 하나님의 아들이 악한 물질과 결합할 수 없다는 영지주의 이원론에서 나온 견해로, 반대파로부터 심한 배척을 받았다.

AD 150년경 로마에서 가르쳤던 마르키온의 추종자들은 그리스도가 육체를 입으신 것이 아니라

환영(幻影)을 입으셨다고 주장했고

AD 227년경 사망한 마니(페르시아인)와 그의 일당들은 그리스도가 하늘의 육신을 받으셨다고 공상했어

이런 사상들은 다 영지주의에서 나온 거야

✤ 영지주의 2세기경에 나타난 이단 사상. 이원론을 강조했으며, 하나님의 계시된 비밀인 '지식'(헬라어로 '그노시스')을 소유함으로써 구원받는다고 주장했다. 또한 초월적인 하나님과 물질계 사이에 수많은 영적 세력이 존재한다고 보았으며, 그 중 가장 낮은 계급에 구약의 하나님과 동일시되는 창조주를 놓았다. 신적 존재인 그리스도는 잠시 인간의 몸을 빌어 그 안에 거했을 뿐 본질적으로 육신을 입지 않았고 따라서 죽지도 않았다고 주장했다.

영지주의자들을 이원론자들이야

이들은 구약의 하나님이 참 하나님이 아니래

구약의 하나님(Demiourgos)은 참 하나님으로부터 파생된 서열 30번째에 해당하는 신(Aeon)으로

저급한 신이라고 주장해. 그리고 그리스도는 더러운 인간의 몸을 입으실 수가 없었다는 거야

그리스도가 십자가 사건 때까지만 잠시 사람의 몸을 빌려 쓰셨거나

제자들이 본 그리스도는 환상이라는 거지

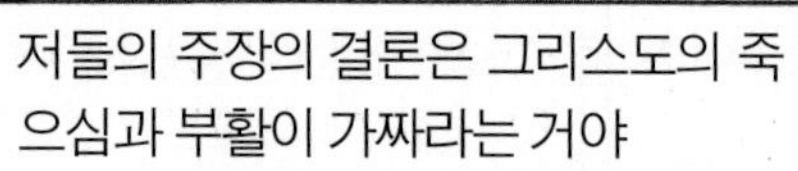

저들의 주장의 결론은 그리스도의 죽으심과 부활이 가짜라는 거야

저들은 성경을 처음부터 끝까지 다시 쓰려고 해

허망하고 너절한 이단들의 궤변을 어디 한번 들어 볼까

그리스도는 공기가 아니라 아브라함과 다윗의 자손으로 오셨어. 그리스도 자신도 자신이
아브라함
나의 후손에서 나실 메시아
사람으로 오신 것을 강조하기 위해
예수님 어렸을 때 나랑 같이 놀았어
예수님의 배꼽 친구
자신을 자주 인자(사람의 아들)라고 부르셨어

바울은 그리스도가 부활하신 것처럼 우리도 부활할 것을 강력히 소망하라고 말해(고전 15:12-20)
나도 믿으면 부활할 수 있다고?
만약 그리스도의 몸과 우리 몸이 전혀 다른 것이라면 그 소망은 물거품이 되고 말지
내 몸이 예수님과 같은 몸이 아니라면 소망 없어

그리스도의 몸이 환상에 불과하다고 주장하는 자들이 있으나
예수는 헛것이다!

성경은 수없이 그리스도가 친히 우리와 똑같은 연약한 몸을 입으셨다는 것을 증거해(참조. 요일 1:1, 2)
응앙!
내가 증인이요

그리스도는 혈육에 속하셨고(히 2:14, 16), 우리를 자신의 형제라 부르셨어(히 2:11, 17)

우린 모두 부활의 소망을 단단히 붙들어야 해

이단들은 아브라함의 씨라는 말과 다윗의 후손이란 말을 못마땅하게 생각해

저들은 가능하면 그리스도의 역사성을 부인해 보려고 하지

또한 요셉의 족보를 아예 무시해 버려

마리아의 이름이 아무 거리낌없이 요셉의 족보에 올라 있는 것과

마리아가 직접 천사로부터
잉태 소식을 들을 때
어머?
마리아

그 아기가 다윗의 위를 받을 자라
고 표현되고 있는 것

그리고 이미 그리스도가 다윗
의 자손으로 오실 것과
다윗의
자손

또한 처녀의 몸에서 나실 것
(참조. 사 7:14)이 예언되고 있
는 것
이 모든 사실은 이단들의 알량한 상상력을 부끄럽게 하고도 남아
이단의
상상력
말씀의
능력

K.O.
성경을
부인하는 자들

마태복음
1장을 읽어 봐.
예수님을 바로
알 수 있어

✤ 2권 13장 원전 줄거리 보기

육체를 취하신 예수 그리스도

그리스도는 사람의 육신의 진정한 본질을 취하셨다

1. 그리스도의 진정한 인성을 증명함
2. 그리스도의 진정한 인성에 반대하는 자들을 논박함
3. 처녀 마리아를 통한 그리스도의 선조 : 불합리한 생각을 폭로함
4. 참 사람이지만 죄가 없으시고, 참 사람이지만 영원한 하나님이시다

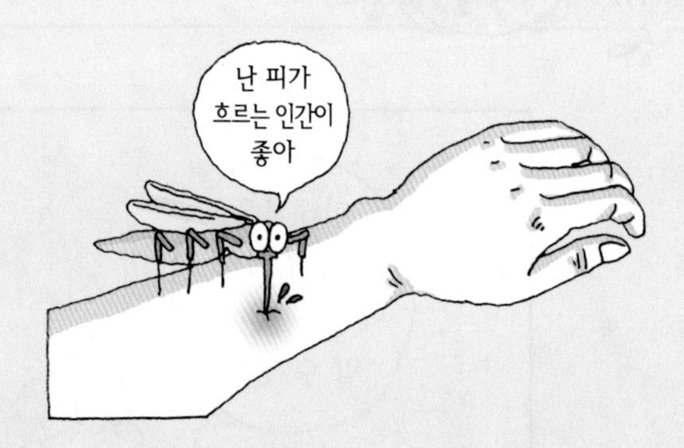

✤ 이상의 내용은 생명의말씀사에서 출간한 칼빈의 **기독교 강요** 원전(전 4권) 각 장의 세부 항목을 모아놓은 것이다.

CHAPTER 14

통일된 중보자의 인성과 신성

그리스도의 이중성 즉 인성과 신성, 그리고 이 둘의 통일성에 대해서 알아볼까?

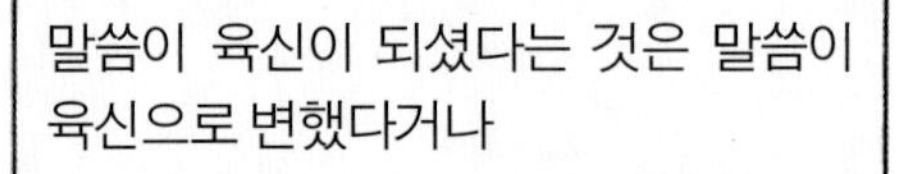
말씀이 육신이 되셨다는 것은 말씀이 육신으로 변했다거나

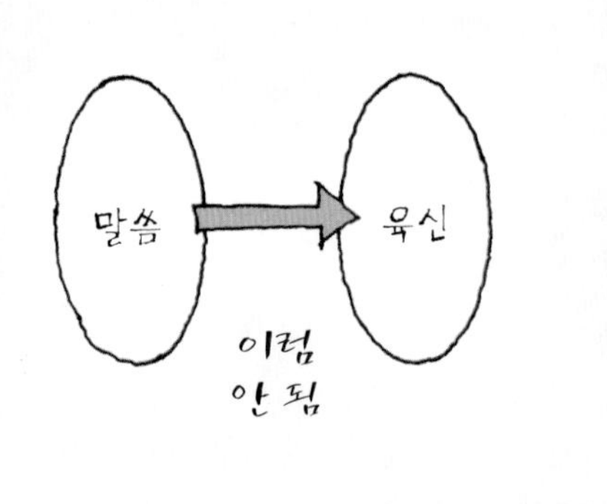
말씀
육신
이럼 안 됨

말씀이 육신을 대적한다거나
이게 아님
육신
말씀

말씀이 육신과 혼합되었다는 뜻으로 해석해서는 안 돼
이럼 안 됨
말씀+육신

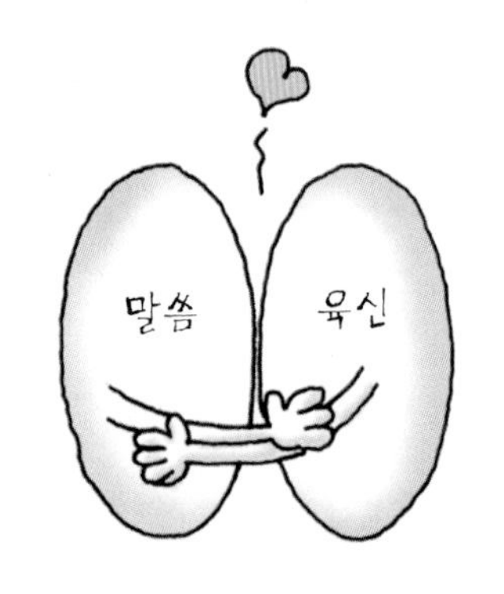
말씀과 육신은 각각 본성에 아무런 손해도 받지 않고 서로 연합하여 한 그리스도를 이룬 거야
말씀
육신

본질의 혼합이 아니라 두 본성의
혼합
연합+통일
연합과 통일이 있었다는 거야

두 본성의 결합은 지극히 신비하고 위대한 사건이라서 어떤 비유로든 완벽한 설명이 불가능해

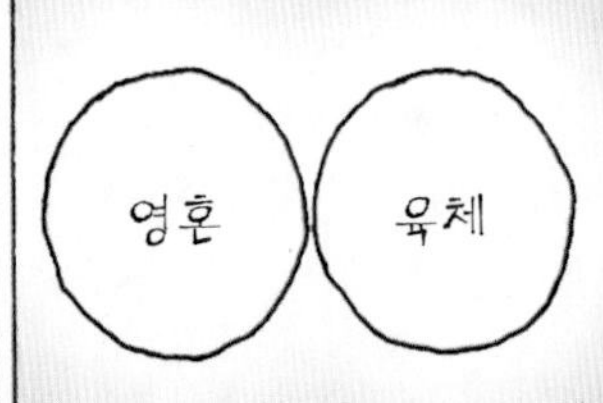
사람은 영과 육이라는 두 본질이 신비하게 결합되어 한 인격을 이루고 있어
영혼
육체

영혼은 육체가 아니며
육체는 영혼이 아니야

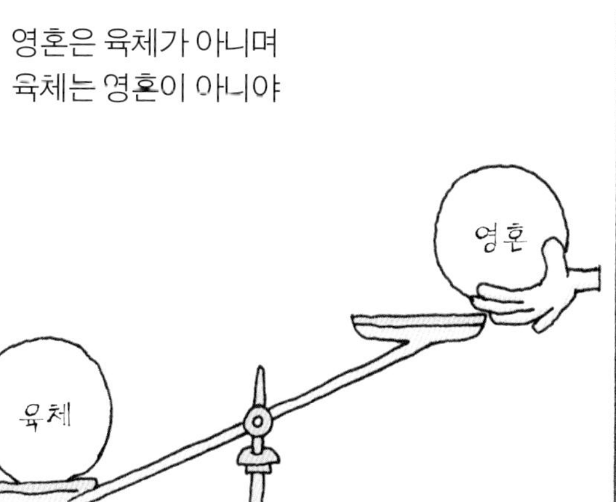

어떤 때에는 영혼의 특징을 육체를 설명하는 데 쓰기도 하고 육체의 특징으로 영혼을 설명하기도 해

그런 모든 표현들은 사람이 두 가지 요소가 연합하여 된 한 인격으로 존재한다는 것을 말해 준다구

성경이 그리스도에 대해 말할 때도 그와 비슷하지

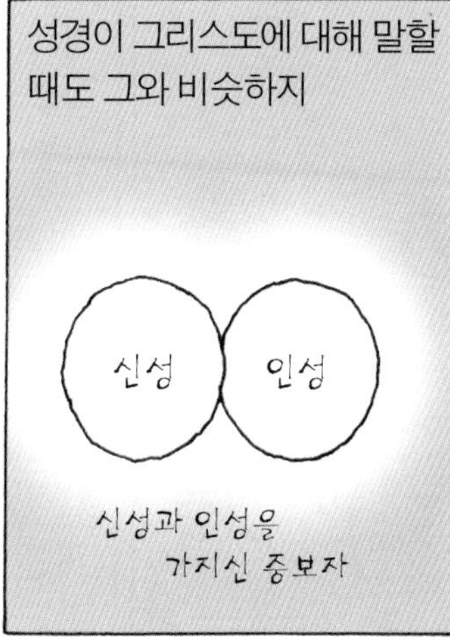

요한복음에는 그리스도의 신성과 인성을 동시에 말하고 있는 표현들이 많아

그리스도는 죄를 사하시며,
죽은 자도 살리시고

산 자와 죽은 자의 심판자로 임명되셨어.
신성의 표현이지

그리스도는 세상의 빛이요 선한 목자요 유일한 문이며 참 포도나무이셔

그리스도는 사람인 동시에 참 하나님이셨기에 그런 권세를 가지셨던 거야. 그리스도가 우리의 중보자 되심에 대해 말할 때 그것이 그의 신성만을 이야기하거나

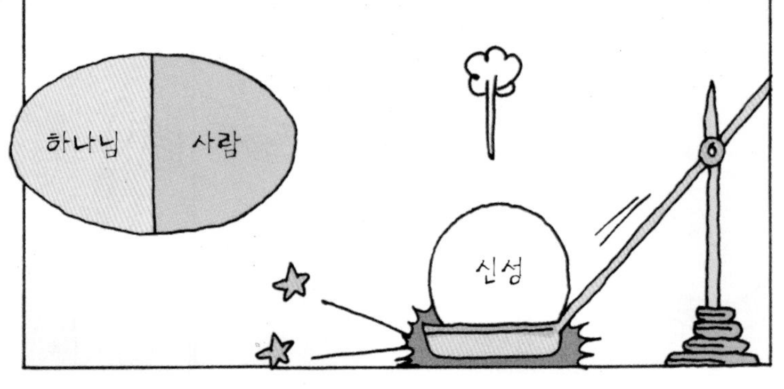

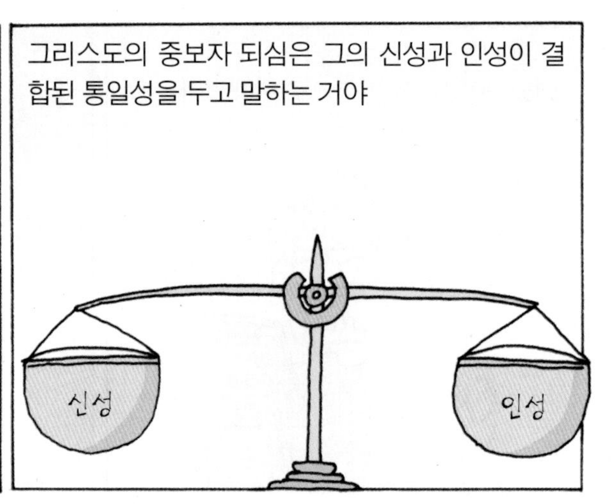

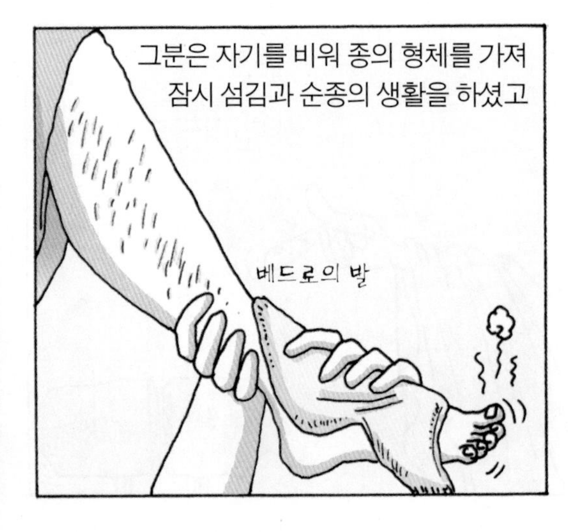

순종의 생활을 마치신 후에 드디어 영광과 존귀로 관 쓰셨으며 최고의 주권자로 높아지셔서

하나님이 그리스도를 우리에게 중보자로 주신 목적은 그분의 손을 통해 우리를 다스리려 하심이야

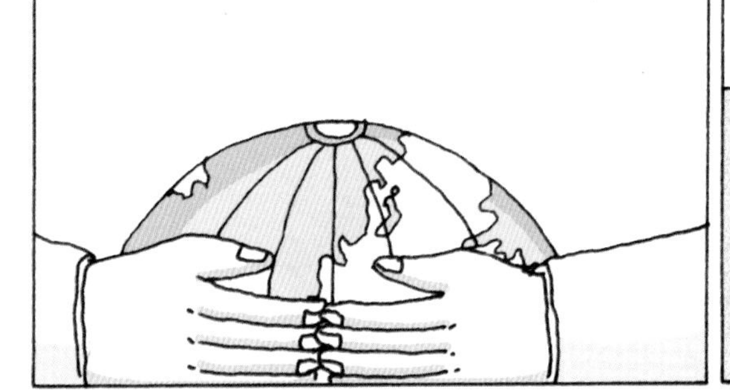

특히 그리스도를 주(主)라 하는 것도 그분이 하나님과 우리 사이에 중보자로 계시는 동안에만 붙이는 칭호지(고전 8:6)

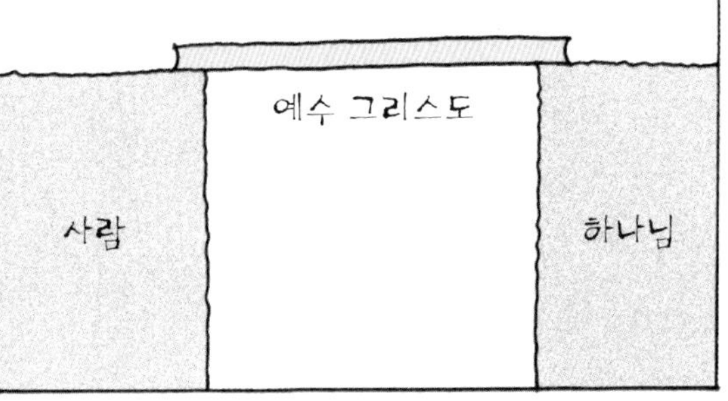

우리 모두가 그리스도의 신적인 영광을 직접 보게 되는 날이 오면

그리스도는 아버지께로부터 받았던 그 주권을 아버지께 도로 돌려드릴 것이고

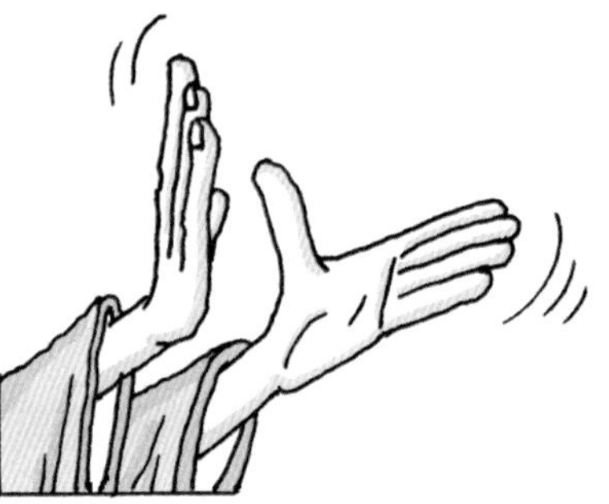

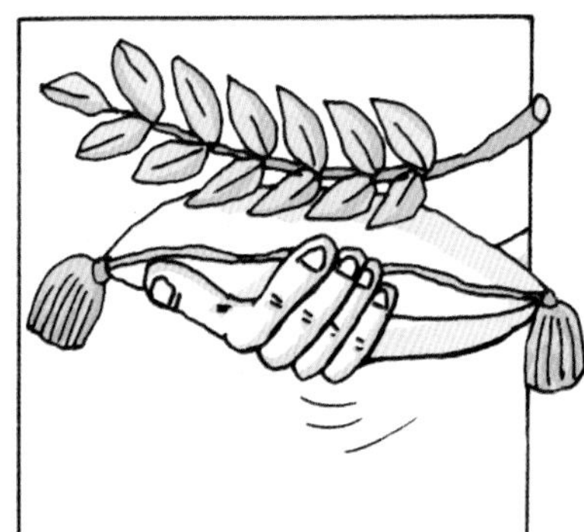

아버지는 더 이상 그리스도의 머리가 되지 않으실 거야

그때가 되면 그 동안 잠시
휘장으로 가려져 있던
그리스도의 신성이
신성

하나님을 찬양하라!
스스로 충만하게
빛나게 되지

정신 나간 이단자들이 그리스도의 이중
성을 부인하는 천박한 상상들을 하더군
쓸데없는
상상을 했더니
어질어질
하군

미친 듯이 날뛰는 이단들은
그리스도의 인성을 붙잡고
신성을
제거하며
난
네가
필요 없어
신성
인성

신성을 붙들고 인성을 제거해
나두
인
성
신성

또 인성과 신성의
통일성을 말할 때
어느 한 쪽에
적용되지 않는
속성들을 붙잡고
두 본성을 다
부인해
버려
난 다
싫어

마치 그리스도가 사람이시므로 하나님이 아니시고

하나님이시므로 사람이 아니시라는 식이지

네스토리우스, 유티케스, 세르베투스가 그랬어

✤ 네스토리우스(?-451?)

시리아 출신의 수도사. 금욕주의와 정통 신앙을 강조하고 아리우스설에 반대했으나 그리스도의 신성을 부정하였다 하여 이단으로 규정되었다. 그의 일파는 5세기경 페르시아, 인도 등지로 전도되었고 중국에서는 당대(唐代)에 경교(景教)라는 이름으로 성행하기도 했다.

네스토리우스는 그리스도의 신성과 인성이 혼합될 것을 두려워했지

너무 염려한 나머지 두 본성을 분리시켜 버렸어

인성
신성

두 본성의 연합을 혼합이라고 여겼기 때문이야

네스토리우스는 신성과 인성을 완전히 분리시킨 죄목으로 431년, 에베소 교회 회의에서 정죄되었어

어쨌든 우리는 두 본성을 혼합하는 것이나 분리하는 것이나 모두 용납할 수 없어

그리스도는 로고스, 지혜, 말씀으로 혼성된 허구라는 거야

그리스도는
변신의 귀재나
세르베투스
고로 나는
그리스도를
하나님의 아들로
인정할 수
없다

성경이 뭐라고 말하는지 알아볼까?
성경

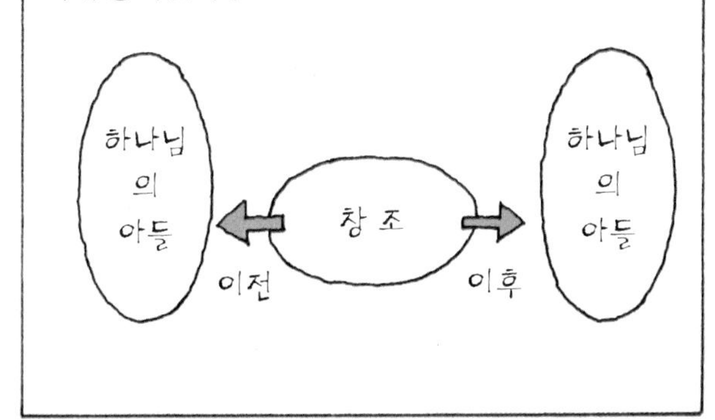
성경은 그리스도가 우주 창조 이전에도 하나님의 아들이셨으며, 또한 사람의 아들로 나셨음을 줄기차게 증거한다구
하나님의 아들
창조
이전
이후
하나님의 아들

그리스도는 완전한 사람이면서 동시에 완전한 하나님이셔
사람
하나님
예수님

사람이 되셨을 때에도 하나님이 아니셨던 적이 없고 그렇다고 사람이 아니셨던 적도 없어

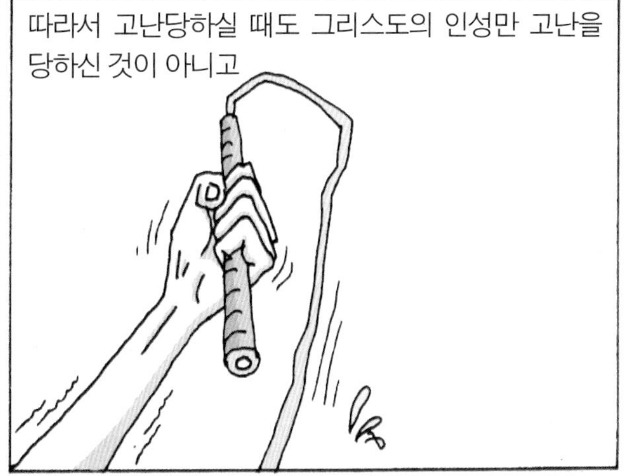
따라서 고난당하실 때도 그리스도의 인성만 고난을 당하신 것이 아니고

두 본성의 통일된 위격으로 계신 중보자로서
온전히 당하신 거야

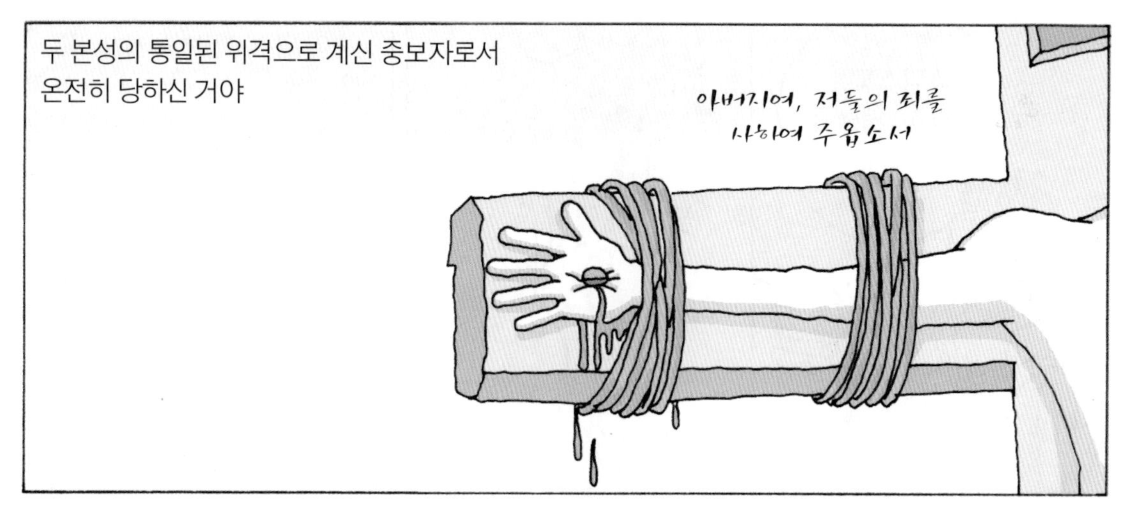

만약 그러실 수 없었다면 그분은 완전
한 중보자가 되실 수 없었을 거야

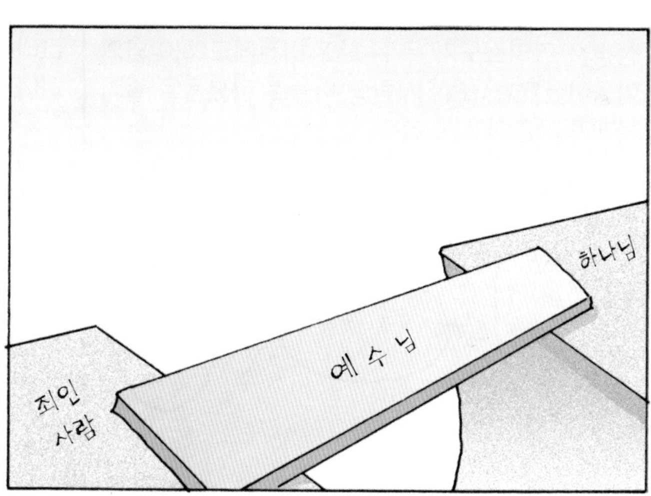

2권 14장 원전 줄거리 보기

통일된 중보자의 인성과 신성

중보자의 두 본성은 어떻게 한 위격을 이루는가

1. 이중성(二重性)과 통일성
2. 신성과 인성과의 상호 관계
3. 중보자의 위격의 통일성
4. 두 본성은 융합 또는 분리되었다고 생각해서는 안 된다
5. 그리스도는 영원 전부터 하나님의 아들이시다
6. 하나님의 아들이시며 사람의 아들이신 그리스도
7. 세르베투스의 천박한 반증
8. 세르베투스의 주장을 종합적으로 소개하고 반박함

✣ 이상의 내용은 생명의말씀사에서 출간한 칼빈의 **기독교 강요** 원전(전 4권) 각 장의 세부 항목을 모아놓은 것이다.

CHAPTER 15

예언자, 왕, 제사장의
삼중 사역을 감당하신 그리스도

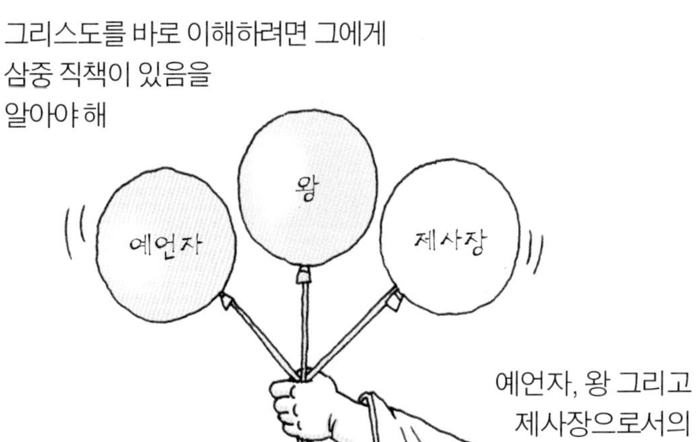
그리스도를 바로 이해하려면 그에게 삼중 직책이 있음을 알아야 해
예언자
왕
제사장
예언자, 왕 그리고 제사장으로서의 직책이야

먼저 예언자로서의 그리스도를 알아보자구

경건한 옛 사람들은 물론 종교가 무엇인지조차 모르는 사마리아 사람들까지도
몰라서 죄송합니다

예언자로서의 메시아가 오셔야만 진리를 온전히 알 수 있게 되리라고 믿었어
메시아여~ 어서 오시옵소서~

이사야는 그를 지혜자, 위대한 사자, 또는 해석자라고 불렀지
지혜자가 올 것이오
구약의 예언자들은 교회로 하여금 그리스도를 기대하며 그 기대를 잃지 않도록 해주었어
옛적에 선지자들로 여러 부분과 여러 모양으로 우리 조상들에게 말씀하신 하나님이 이 모든 날 마지막에 아들로 우리에게 말씀하셨으니(히 1:1, 2)

특히 이사야는 "주 여호와의 신이 내게 임하셨으니

이는 여호와께서 내게 기름을 부으사 가난한 자에게 아름다운 소식을 전하게 하려 하심이라

나를 보내사 마음이 상한 자를 고치며 포로 된 자에게 자유를…전파하며 여호와의 은혜의 해와…날을 전파하여" (사 61:1, 2)라고 말했어

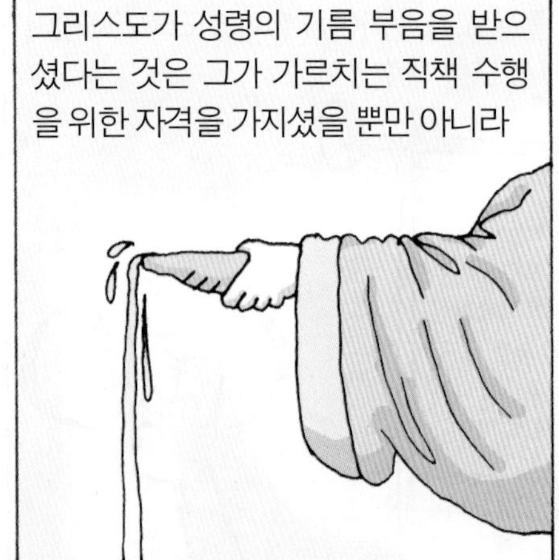

왕으로서의 직책을 알아볼까?

그리스도의 왕권은 그분의 교회 전체와
교인 개개인에게
모두 미쳐

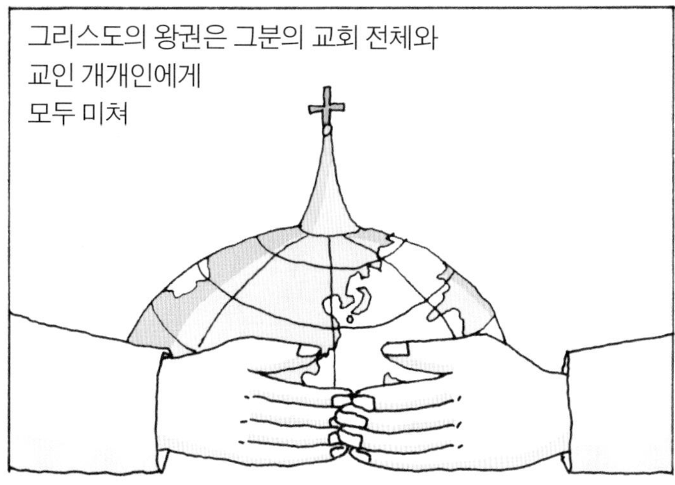

우리는 그리스도가 영원한 권능으로 왕이 되셨다는 말을 들을 때마다 교회가 그분의 영원한 보호하심으로 말미암아 영원히 존재할 것임을 믿어야 해

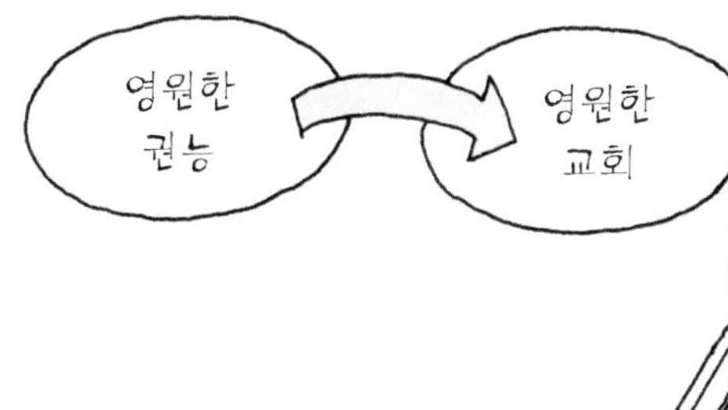

악마가 세계의
모든 것을 동원하고
총력을 다한다
하더라도

절대로 교회를 이기지 못할 거야

교회는 그리스도의 영원한 권능의 보좌를 토대로 건설되었어

그리스도의 영원하신 왕권은 우리 성도 개개인에게 영원한 나라를 약속하고 보장해

그러므로 우리는 그리스도의 왕권이 영원하다는 말을 들을 때

그 말에서 용기를 얻어 더 좋은 생명에 대한 소망을 붙잡아야 한다구

우리의 이 생명이 그리스도의 권능의 손에 의해서 보호를 받고 있으므로

비록 우리가 지금은 잠시 핍박을 받는다 하더라도

오는 세대에는 이 은총이 완전히 결실할 것임을 믿고 기쁨 중에 참고 기다려야 해

우리의 왕이신 그리스도가 이 땅에서
우리에게 주시는 것은
이런 게
아니었어요

풍부한 재물이나 넘치는 쾌락, 화려한 영화
가 아니야
세상
부귀영화

오히려 많은 오해와 조롱과 핍박일 수 있어
조롱
오해

그리스도인이 가는 길은 평생 십자가를 지고 싸워야 하는 길이야
예수님의 이름으로~
룰루랄라~
크르르르르-ㅇ~
저게
겁도
없이…

경건자의 세상 생활은 슬픔과 불행이 가득한 나그네
유랑 생활이라고 할 수 있어
인생은 나그넷길
왔다가 가는 길~

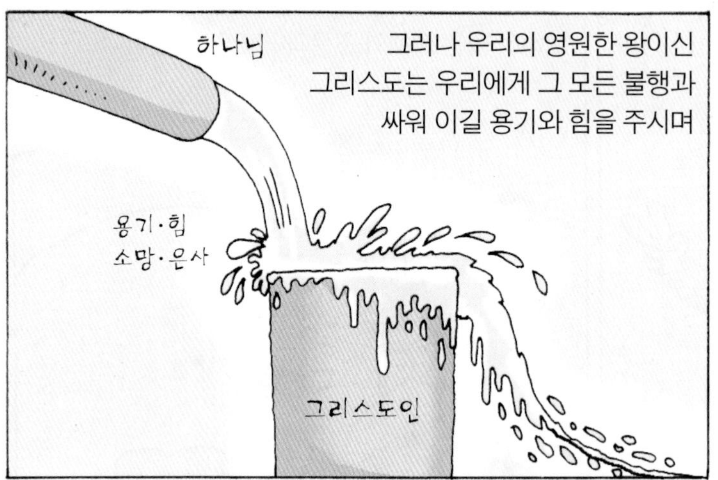

하나님
그러나 우리의 영원한 왕이신
그리스도는 우리에게 그 모든 불행과
싸워 이길 용기와 힘을 주시며
용기·힘
소망·은사
그리스도인

영생에 대한 줄기찬 소망과 각양
좋은 성령의 은사로 날마다 풍성
하게 채워 주신다구

뻥
깨갱!
마귀
그래서 성도들은
모두 넘치는 기쁨으로

죄와 죽음을 상대로 두려
움 없이 싸울 수 있는 거야
마귀

하나님 아버지께서 그리스도에게 성령으로 기름 부으신 이유는

우리 모두에게 성령의 은사를 풍성하게 나눠 주시기 위한 거야
각양 은사

그리스도인들이 생명을 얻고 힘을 얻는 길은 예수님밖에 없어
그리스도

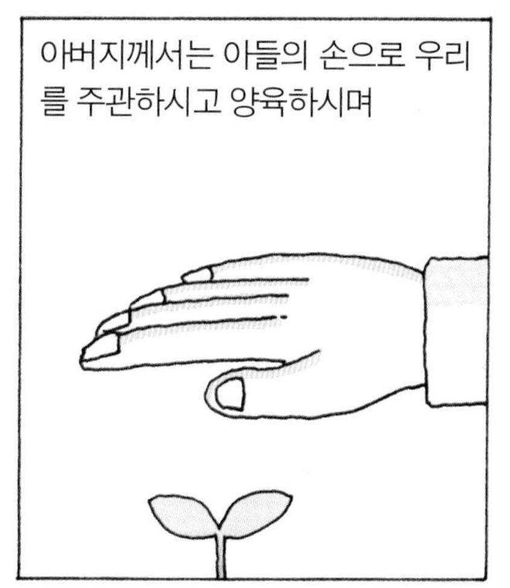
아버지께서는 아들의 손으로 우리를 주관하시고 양육하시며

보호하시고 도우셔

우리의 중보자시요 왕과 목자이신 예수 그리스도를 찬양하라! 길은 예수님밖에 없어
목자 되신 예수님을 찬양하라~

그러나 그분은 동시에 무서운 심판자이시기도 하다는 사실을 기억해야 해

제사장으로서의 직책도 알아보자구

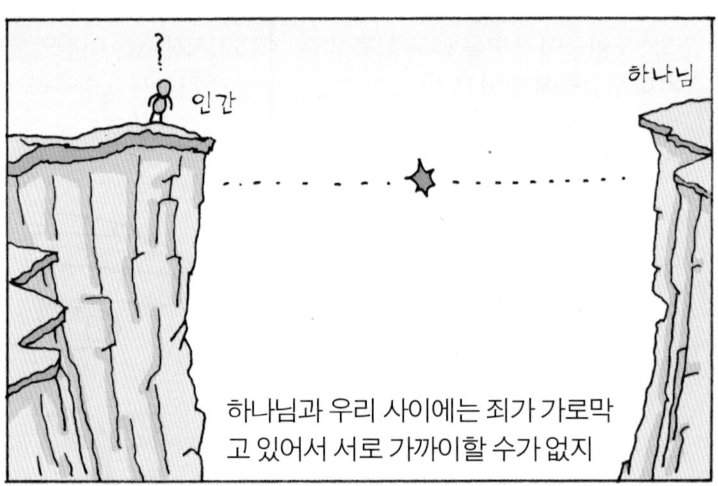

죄인들을 향하신 하나님의 진노를 풀기 위해서는 속죄가 필요했어

속죄는 피 없이는 불가능하거든. 율법의 제사장들은

그것으로는 온전한 화목을 이룰 수 없었어
왜 우리 피는 불완전해야 해?
나도 몰라

제사장들도 죄인이기 때문에 중보자가 될 수 없었지
내가 죄인이라는거 아직 몰랐어

동물의 피가 사람의 죄를 대속할 수 없잖아
동물 피
죄

레위 제사장들이 그토록 기다렸던 영원하신 중보자가 바로 그리스도야
예수여, 어서 오시옵소서. 우리 피 좀 그만 흘리게

그리스도는 친히 멜기세덱의 반차를 좇은 영원한 대제사장이 되어

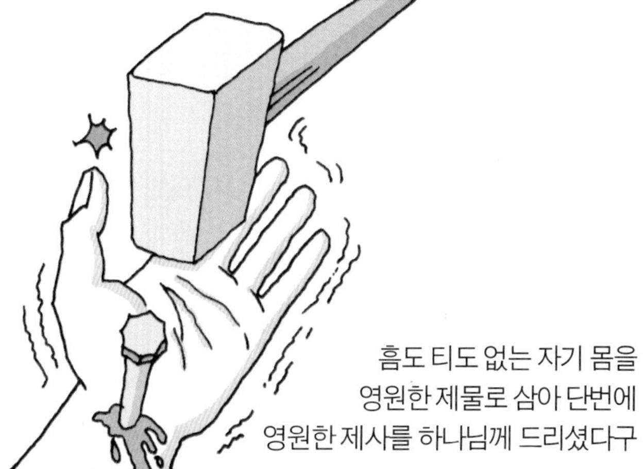
흠도 티도 없는 자기 몸을
영원한 제물로 삼아 단번에
영원한 제사를 하나님께 드리셨다구

우리는 영원하신 대제사장을 힘입어 날마다 하나님의
은혜의 보좌 앞에 담대히 나아갈 수 있게 되었어
보좌
이제 우리에게는 더 이상 드릴
제사가 없어
그럼
내 직업은 어떻게
되는 거지?
제사 사절
교황주의자들이
매일 미사를
드리면서
미사는
영원하
데이

그때마다 그리스도를 제물로 바친다고 말하
는 것은 참으로 망령된 일이라구

왕이시요 선지자시요
대제사장이신 예수님을
찬양합니다!

✤ 2권 15장 원전 줄거리 보기

예언자, 왕, 제사장의 삼중 사역을 감당하신 그리스도

성부께서 그리스도를 보내신 목적과 그리스도가 우리에게 주신 것을 알기 위하여는 무엇보다도 그분의 예언자와 왕과 제사장으로서의 세 가지 직책을 보아야 한다

1. 그리스도의 예언자적 직책에 대한 성구들
2. 우리에게 대한 그 예언자적 직책의 의미
3. 그리스도의 주권의 영원성
4. 그리스도의 왕으로서의 직책이 우리에게 주는 축복
5. 그리스도의 왕위의 영적인 성격 : 그리스도와 아버지의 주권
6. 그리스도의 제사장직

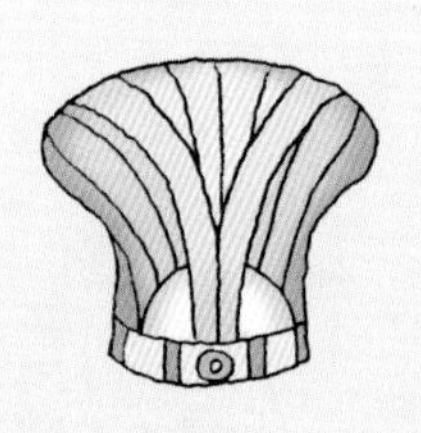

✤ 이상의 내용은 생명의말씀사에서 출간한 칼빈의 **기독교 강요** 원전(전 4권) 각 장의 세부 항목을 모아놓은 것이다.

CHAPTER 16

그리스도의 순종, 죽으심, 부활, 그리고 승천

(사도신경 해설)

우리는 본래 죄 때문에 죽음의 사막에 버려졌어.
그곳에는 하나님의 저주와 진노가 충만했지

온갖 불의와 방탕, 자랑, 교만,
시기, 미움, 살인, 음란, 배반, 탐욕,
비방, 불신, 무정, 배약이 넘쳤다구
(롬 1:18-32)

우르르-쾅!
거기에는 구원받을
소망이 전혀 없었고

죽음
심판
어둠

오직 사탄과 죄의 종 노릇 하다 영원히 멸망받을 비참한
운명만 기다리고 있었어

그렇게 처참한 처지에 있는 우리 앞에 하나님은
생명의 샘물을 터트리신 거야
예수님
그 샘물을 마시는 자마다 사망의 독에서 해방되고 죄의 질병에서 치료되며
하나님의 진노에 대한 두려움과 영원한 죽음에 대한 공포에서 벗어나며, 하나님의 원수에서 하나님의 자녀로 거듭나게 되었어
자녀
원수

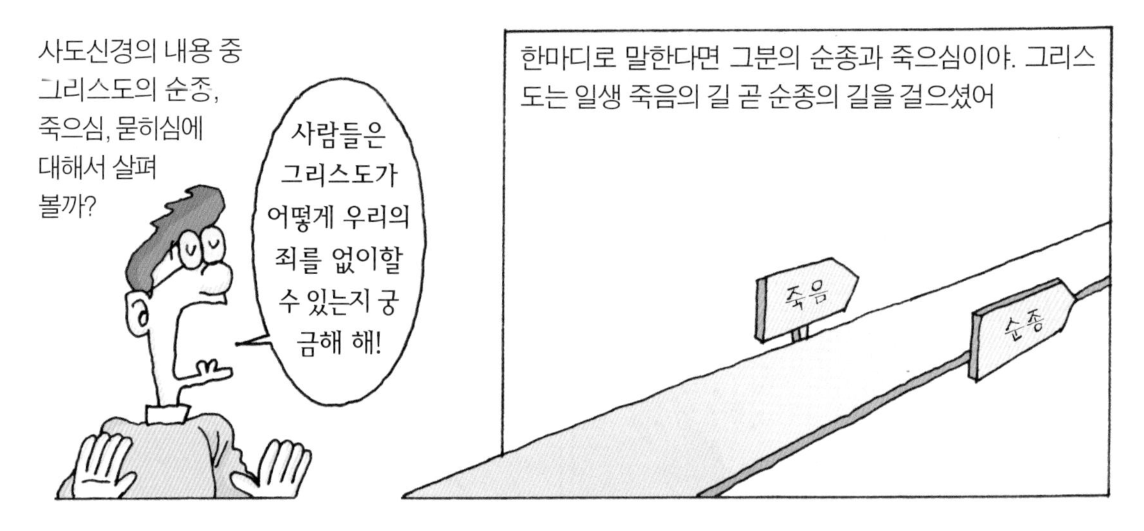
사도신경의 내용 중 그리스도의 순종, 죽으심, 묻히심에 대해서 살펴 볼까?
사람들은 그리스도가 어떻게 우리의 죄를 없이할 수 있는지 궁금해 해!
한마디로 말한다면 그분의 순종과 죽으심이야. 그리스도는 일생 죽음의 길 곧 순종의 길을 걸으셨어
죽음
순종

그는 죄만 없으셨을 뿐이지 우리와 똑같은 인성과 약점을 가지고 계셨어
아이구 허리야

예수님도 아버지의 뜻에 순종하시기 위해 자신의 약점과 처절한 싸움을 벌이셔야만 했지
십자가를 질 것인가 말것인가?

그리스도는 죄 없으신데도 유대 총독 앞에서 정죄를 받으셨어
나 땜시 주님이…

그럼으로써 우리를 기다리고 있는 하늘 심판대를 대신하셨고, 우리가 받을 벌을 대신 받으신 거야
죄를 나에게 다오
죄책
예수님

죄의 저주가 그리스도의 육신에 덮어씌워졌을 때
아버지께서는 죄의 세력을 깨뜨리셨어

그리스도는 스스로 속죄 제물이 되셨어. 그
분은 죄의 저주를 맡아 짊어지고 광야로 보
내지는 속죄 염소가 되셨어(사 53:10)

그리스도가 정죄당하심으로 우리가 무죄 사면을 받으며

나의 평화는 주님의 고통에서 나온 거야

그분이 저주받으심으로 우리가 축복을 받아 누리는 거야

우리는 그리스도로 말미암아 죽음의 공포를 이길 수 있게 되었고

육체의 정욕들을 죽여 무덤에 묻을 수 있게 되었어

그리스도의 지옥에 내려가심에 대해 생각해 보자구

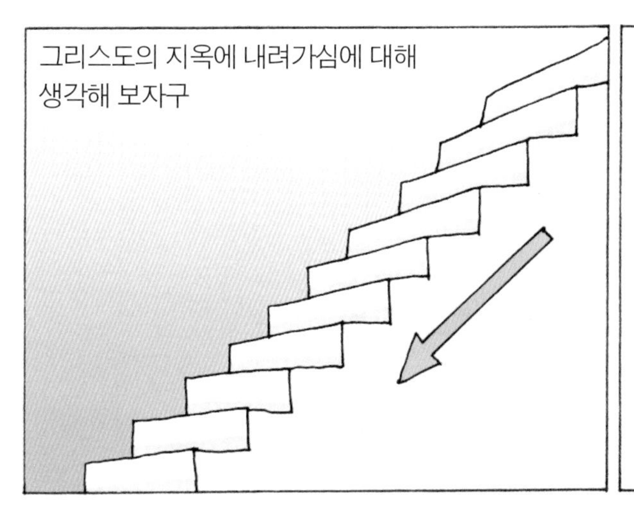

사도신경을 말할 때 지옥 강하를 빠뜨려서는 안 돼

이것은 구속을
실현하기 위해서
매우 중요한
대목이야

지옥 강하

교부들은 모두 지옥 강하를 말했어
지옥 강하
빼먹지 마

그리스도는 직접 지옥의 세력들과 맞붙어 싸우셨어
마귀 권세
죽음 권세

그분은 육체로 죽으셨을 뿐만 아니라 마
귀의 권세와 지옥과 죽음의 공포와 싸워
이기셨지. 주님은 십자가 앞에서
죽음을 피하게 해달라고 기도
하신 것이 아니라
죽음의 두려움에 삼켜지지
않기를 구했어

하나님의 아들이 그러실 수 있냐는 것이야

우리와 똑같이 약점을 가지셨던 그리스도는 죽음과 하나님에게서 버림받음과 지옥의 공포를 누구보다도 더 철저하게 경험하셨어(히 4:15)

그러나 그리스도는 하나님의 사랑 안에서 조금도 흔들리지 않았어

십자가 위에서도 비범한 용서의 기도를 드리신 것을 보라구

이제 부활, 승천, 그리고 하나님 우편에 앉으심에 대해서 살펴볼까?

부활이 없다면 지금까지 말해 온 모든 것이 다 헛것이야

죽음과 부활은 동전의 양면과도 같아. 우리는 그리스도의 부활을 통해 중생과 의를 얻었고

그리스도는 그 권능으로 결국 모든 원수들을 굴복시키시고 교회를 완성하실 거야

그분은 승천하시던 때와 같이 사람의 눈에 보이는 형태로 영광 중에 모든 사람에게 나타나

선택된 자와 버림받은 자를 분리하실 거야(마 25:31－33)

이미 죽었던 자들의 몸도 예수 안에 있던 자는 생명으로 부활하고

예수 밖에 있던 자는 사망으로 부활하고 (고전 15:51, 52)

살아남은 자도 변화하여 주님을 맞을 거야(살전 4:16, 17)

우리에게 이제 놀라운
위로만 남았다구

장차 우리를 심판하실 분이
바로 우리를 구원하신 그리
스도셔. 그리고 그리스도를
좇는 자도 심판석에 앉으리
라고 하셨어(마 19:28)
이…이…
엄청난
권세를…
심판하는
영예

그러므로 가장 작은 부분이라도 다른 데
서 구하지 말아야 해
예수 밖에
새로운 것이
있을 거야

그리스도 안에만 각종 선
한 것이 풍성하게 준비되
어 있다구

예수님은
내 삶의 전부
이십니다

✤ 2권 16장 원전 줄거리 보기

그리스도의 순종, 죽으심, 부활, 그리고 승천(사도신경 해설)

그리스도는 우리를 구원하시려고 어떻게 구속자의 기능을 다하셨는가?
여기서 그분의 죽음과 부활과 승천도 논한다

1. 구속자.
2. 하나님의 진노를 알면 그리스도 안에 있는 하나님의 사랑의 행위를 감사하게 된다
3. 불의에 대한 하나님의 진노 : 그분의 사랑이 그리스도 안에서의 화해보다 앞선다
4. 속죄 사업은 하나님의 사랑에서 유래한다 : 전자가 후자의 원인이 아니다
5. 그리스도는 평생을 복종으로 일관하셨고, 그 복종으로 우리를 구속하셨다
6. '십자가에 못박혀'
7. '죽으시고 장사한'
8. '지옥에 내려가사'
9. 그리스도는 지하(地下) 세계에 가셨는가
10. '지옥 강하' 는 우리를 위해서 그리스도가 받으신 정신적 고통을 의미한다
11. 성경 구절로 이 설명을 변호함
12. 오해와 오류에 대해서 이 교리를 옹호함
13. '사흘 만에 죽은 자 가운데서 다시 살아나시며'
14. '하늘에 오르사'
15. '하나님 우편에 앉아 계시다가'
16. 그리스도의 승천이 우리의 믿음에 주는 혜택
17. '저리로서 산 자와 죽은 자를 심판하러 오시리라'
18. 심판자가 구속자시다
19. 신경의 모든 조항에 홀로 그리스도가 계실 뿐이다

✤ 이상의 내용은 생명의말씀사에서 출간한 칼빈의 **기독교 강요** 원전(전 4권) 각 장의 세부 항목을 모아놓은 것이다.

CHAPTER 17

하나님의 은총과 구원을 얻게 해주신 예수 그리스도

궤변론자들은 그리스도를 통해 구원받는다고 인정하면서도 그리스도의 공로에 대해 부정적으로 말하더군

이런 사람의 견해는 그리스도를 목수로 보는 것이 아니라 연장으로 생각하기 때문이야

그리스도는 구원의 집을 짓는 데 있어 단순한 연장이 아니라 목수로서 탁월한 공로를 세우셨어

그들은 하나님의 은총과 그리스도의 공로가 대립되는 개념이 아니라 하나라는 사실을 모르고 있어

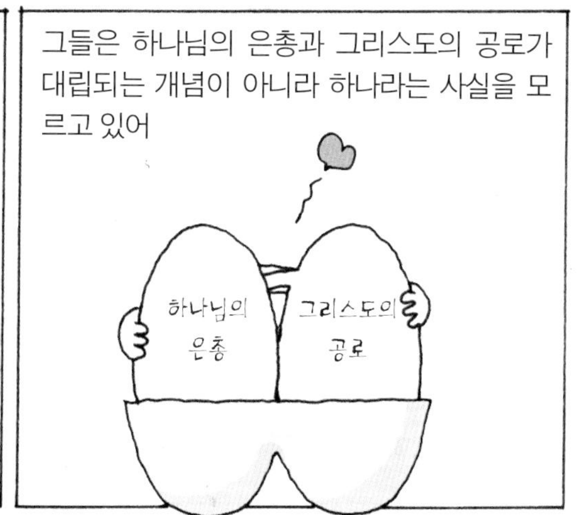

우리는 오직 그리스도의 공로로 말미암아 하나님의 은총을 받아 누릴 수 있게 되었어

하나님이 오직 자기의 기쁘신 뜻에 따라 그분을 우리에게 구원을 얻게 해 주는 중보자로 임명하셨다는 말이야

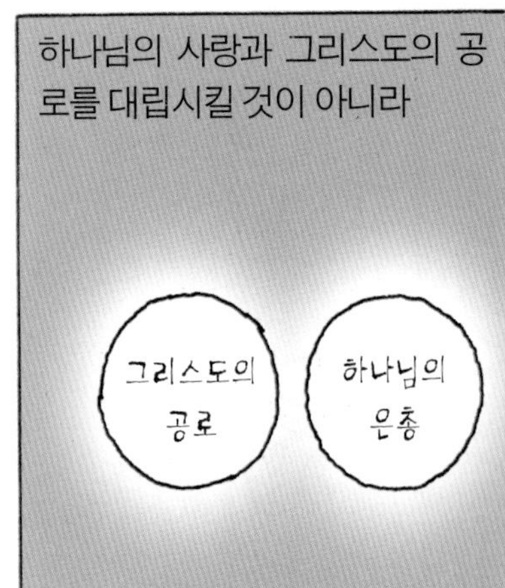
하나님의 사랑과 그리스도의 공로를 대립시킬 것이 아니라
그리스도의 공로
하나님의 은총

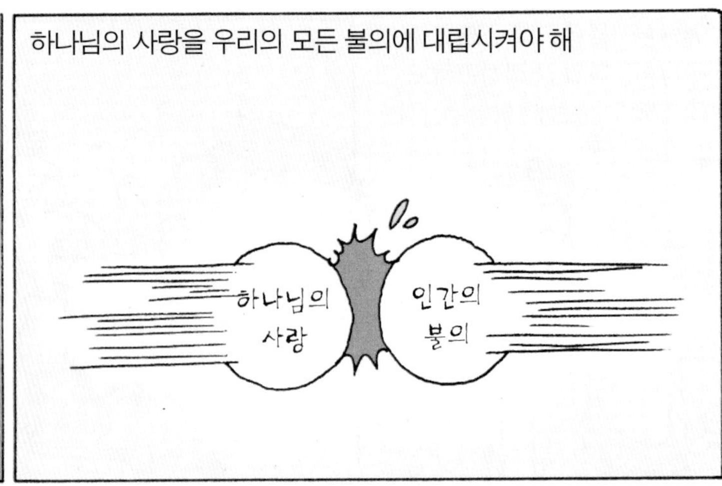
하나님의 사랑을 우리의 모든 불의에 대립시켜야 해
하나님의 사랑
인간의 불의

성경은 하나님의 은총과 그리스도의 공로를 서로 연결시킨다구
하나님의 은총
그리스도의 공로

하나님의 은혜와 그리스도의 공로는 하나다

하나님의 사랑과 그리스도의 공로의 관계는 요한복음 3장 16절을 보면 쉽게 이해가 갈 거야

이처럼 성경이 그리스도의 공로를 증거하고 있어

그리스도가 아버지에게서 은총을 얻어 우리에게 주셨어
순종

의인으로서 불의한 우리들을 위해 대신 고난을 당하셨고 자기 의로 구원을 얻어 우리에게 의를 주셨지

로마서 5장 19절의 대조법은 그리스도의 공로가 어떤 것인지를 밝히 보여줘

"한 사람의 순종치 아니함으로 많은 사람이 죄인 된 것같이 한 사람의 순종하심으로 많은 사람이 의인이 되리라"

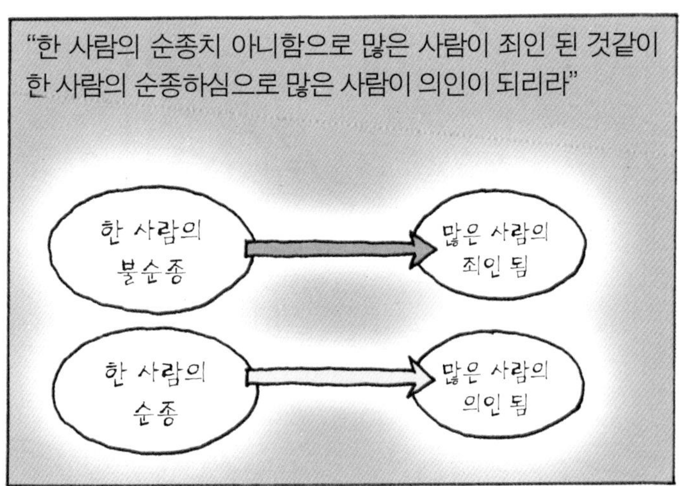

그가 흘리신 피의 결과로 우리의 죄가 우리에게 돌아오지 않게 되었다면, 그의 피 값으로 하나님의 심판이 이미 충분히 실행되었다는 결론이야

우리가 받을 심판은 없어

세례 요한의 증언 역시 같애

바울은 "그리스도께서 우리를 위하여 저주를 받은 바 되사"(갈 3:13)라고 말했어. 이사야도 "그가 징계를 받음으로 우리가 평화를 누리고 그가 채찍에 맞음으로 우리가 나음을 입었도다"(사 53:5, 8)라고 했지

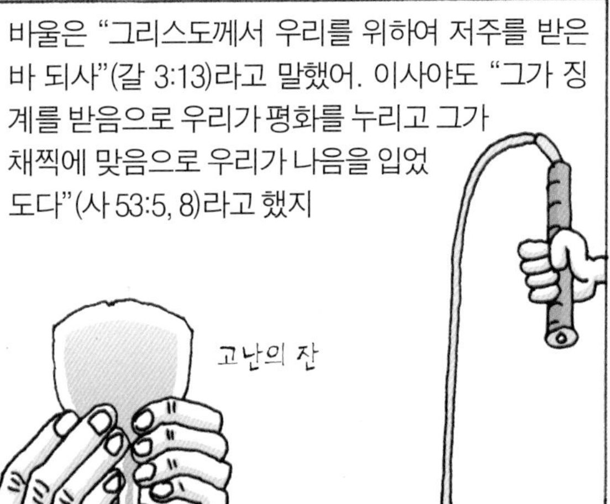

"저는…친히 나무에 달려 …우리 죄를 담당하셨으니"(벧전 2:22–24)

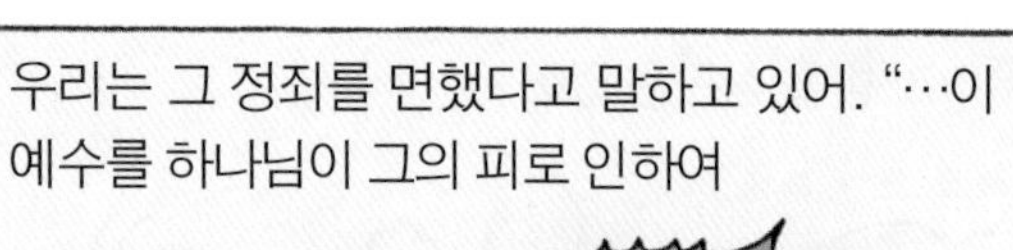

베드로의 말도 같은 뜻이야. "너희가…구속된 것은 은이나 금…으로 한 것이 아니요 오직 흠…없는 어린 양 같은 그리스도의 보배로운 피로 한 것이니라" (벧전 1:18, 19)

펑

돈으로 구원을 사려는 자

아직도 정신을 못 차렸군

그렇기 때문에 사도 바울은 우리가 그리스도의 피로 얻는 구원을 죄의 용서라고 못박아 표현하고 있어(골 1:14, 2:14)

✤ 2권 17장 원전 줄거리 보기

하나님의 은총과 구원을 얻게 해주신 예수 그리스도

그리스도가 자기의 공로로 하나님의 은총과 구원을 우리에게 얻어 주셨다고 하는 것은 정당한 주장이다

1. 그리스도의 공로는 하나님이 값없이 주시는 은총을 배제하지 않고 그 은총에 앞설 뿐이다
2. 성경은 하나님의 은총과 그리스도의 공로를 연결한다
3. 성경이 증언하는 그리스도의 공로
4. 그리스도가 대신하심
5. 그리스도의 죽음은 우리를 구속하기 위한 대가이다
6. 그리스도는 자기를 위해서 공로를 얻으신 것이 아니다

✤ 이상의 내용은 생명의말씀사에서 출간한 칼빈의 **기독교 강요** 원전(전 4권) 각 장의 세부 항목을 모아놓은 것이다.

참고 문헌
칼빈 생애의 중요한 사건들

참고 문헌

1. 기독교 강요

존 칼빈. 「기독교 강요」(전 4권). 김종흡, 신복윤, 이종성, 한철하 공역. 생명의말씀사, 1988
존 칼빈. 「기독교 강요」(1536년 초판 완역). 양낙홍 역. 크리스챤다이제스트, 1988

2. 기독교 강요 요약 및 안내서

이형기. 「기독교 강요 요약」. 크리스챤다이제스트, 1986
나용화. 「칼빈의 기독교 강요 개설」. 기독교문서선교회, 1992
필립 홀트롭. 「기독교 강요 연구 핸드북」. 박희석, 이길상 역. 크리스챤다이제스트, 1995
포드 배틀즈. 「칼빈의 기독교 강요 분석」. 양견, 강명희 공역. 대한예수교장로회총회교육부, 1983
김준수. 「디지털 기독교 강요」. 규장, 2000
존 칼빈. 「칼빈의 기독교 강요 요약」. 박해경 편저. 아가페문화사, 1998
존 칼빈.「기독교 강요 원문 요약」. 지봉운 편저. 도서출판 그리심, 2001
고광필. 「기독교 강요 산책」. UBF출판부, 2000
해럴드 휘트니. 「기독교 강요 핵심 정리」. 윤두혁 역. 생명의말씀사, 1997

3. 칼빈 연구 단행본

김재성. 「칼빈과 개혁 신학의 기초」. 합동신학대학원출판부, 1997
도날드 매킴. 「칼빈 신학의 이해」. 이종태 역. 생명의말씀사, 1991

H. 퀴스토르프. 「칼빈의 종말론」. 이희숙 역. 성광문화사, 1995
프랑시스 웬델. 「칼빈의 신학 서론」. 한국 칼빈주의 연구원 역. 기독교문화사, 1986
조셉 하로투니언. 「칼빈 주석의 정수」. 이종태 역. 생명의말씀사, 1994
프레드 그래함. 「건설적인 혁명가 칼빈」. 김영배 역. 생명의말씀사, 1986
T. H. L 파커. 「죤 칼빈의 생애와 업적」. 김지찬 역. 생명의말씀사, 1986
리처드 멀러. 「진정한 칼뱅 신학」. 이은선 역. 나눔과섬김, 2003
정성구. 「개혁주의 설교학」. 총신대학교출판사, 1991
W. J. 부스마. 「칼빈」. 이양호, 박종숙 역. 도서출판 나단, 1991
D. M. 로이드존스. 「로이드존스 성경 교리 강해 시리즈 1, 2, 3」. 강철성 역. 기독교문서선교회, 2000
아브라함 카이퍼. 「칼빈주의 강연」. 김기찬 역. 크리스챤다이제스트, 1996

4. 교회사

롤란드 베인턴. 「세계 교회사」. 이길상 역. 크리스챤다이제스트, 1997
제레미 잭슨. 「현대인을 위한 교회사」. 김재영 역. IVF, 1998
윌리스턴 워커. 「기독 교회사」. 송인설 역. 크리스챤다이제스트, 1993
E. S. 모이어. 「인물 중심의 교회사」. 곽안전, 심재원 역. 대한기독교서회, 1961
신국원. 「포스트모더니즘」. IVF, 1999
윙키 프래트니. 「기독교 부흥 운동사」. 나침반, 1997
호이징가. 「중세의 가을」. 최홍숙 역. 문학과지성사, 1988

칼빈 생애의 중요한 사건들

1509 7월 10일 프랑스 누아용에서 태어남

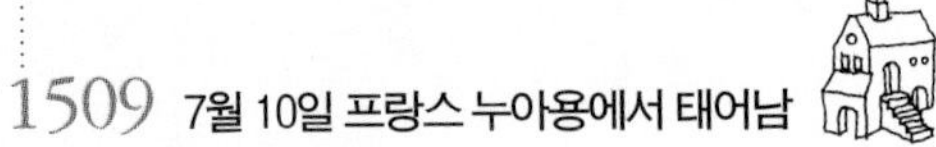

1523 파리의 콜레주 드 라 마르슈에서 라틴어를 공부함
콜레주 드 몽테귀에서 철학과 논리학을 공부함

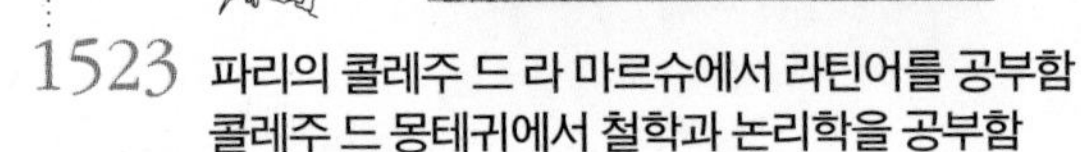

1534 성직록 포기
공식적으로 로마 교회와 결별

1535 스위스 바젤에 정착
기독교 강요 집필

1536 기독교 강요 초판 발행
제네바 교역자로 초청됨

1541 제네바로 귀환.
개혁 작업 착수

1542 자유 의지에 관한 논문 씀

1549 부인 이들레트 사망

1528 오를레앙 대학교에서 법학을 공부함
부르주 대학교에서도 공부함

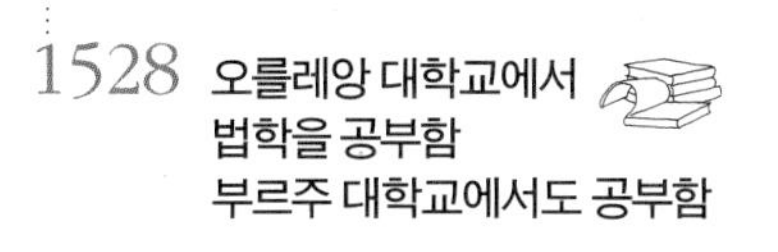

1532 세네카의 관용론 주석서 발간

1533 갑작스런 회심 체험
니콜라스 코프와 함께 파리 탈출

1538 제네바에서 개혁을 추진하다가 추방됨

1539 기독교 강요 2판 발행

1540 스트라스부르에서
미망인 이들레트 드 뷔르와 결혼

1550 기독교 강요 3판 발행

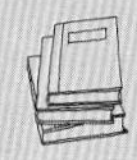

1559 제네바 시민이 됨
기독교 강요 최종판 발행
제네바 아카데미 설립

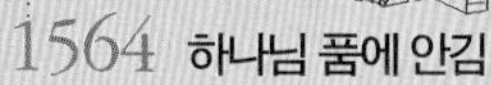

1564 하나님 품에 안김

생명의말씀사 서점안내

인터넷서점